D0508765

Benjamin Myers est né à Durham en 1976 et vit aujourd'hui dans la campagne du Yorkshire, dont il a fait le décor de prédilection de ses romans. Ancien journaliste spécialisé en musique pour diverses publications en Angleterre, il est l'auteur d'une œuvre déjà conséquente. *Dégradation* est son premier livre traduit en France.

Benjamin Myers

DÉGRADATION

ROMAN

traduit de l'anglais
par Isabelle Maillet

Éditions du Seuil

TEXTE INTÉGRAL

TITRE ORIGINAL
Turning Blue
ÉDITEUR ORIGINAL
Moth, an imprint of Mayfly Press
© Benjamin Myers, 2016

ISBN 978-2-7578-7567-4
(ISBN 978-2-02-137062-1, 1re publication)

© Éditions du Seuil, 2018

« L'amour sacré est désintéressé, détaché de toute quête égoïste. Celui qui est amoureux sert l'être aimé et recherche la fusion en communion parfaite avec lui. »

D. H. LAWRENCE

Éclats argentés sur les eaux noires. Reflets de lune à la surface pareils à des poissons flottant le ventre en l'air. Oscillations paresseuses de la barque et clapotis des vaguelettes contre la coque.

Il fait trop sombre pour distinguer des silhouettes mais l'extrémité incandescente de la cigarette semble rougeoyer plus vivement que le soleil quand l'homme en tire une ultime bouffée puis regarde les derniers brins de tabac embrasés tomber sur la bâche. Ils n'y demeurent que le temps de se consumer et de percer de minuscules trous dans l'enduit fendillé.

Il l'a fumée jusqu'au filtre. Il jette le mégot. Il ne lui reste rien.

Il n'y a pas de constructions sur la rive du lac artificiel. Pas de voitures sur le parking. Les éoliennes se dressent près du sommet de l'autre côté de la vallée. Il n'y a pas non plus de collines autour de la retenue – seulement la lande couverte des premières pousses de bruyère pas encore violettes en cette fin de printemps.

Il ne pleut pas.

Cliquetis de la chaîne qu'il soulève et soupèse d'une main puis de l'autre avant de la laisser retomber. Il libère ensuite une rame de son support. Se campe sur ses pieds. La balance à l'eau. Attend le *plouf* pour renouveler la manœuvre avec la seconde. Désormais le retour ne peut plus se faire qu'à la nage or parcourir une telle distance de nuit tiendrait de l'exploit pour n'importe quel individu normalement constitué.

Le vent se lève.

L'embarcation a dérivé et en l'absence de repères pour s'orienter il n'a aucun moyen de savoir s'il est bien au même endroit que la fois précédente. Il n'en est sans doute qu'à quelques mètres. Ou peut-être à des dizaines. Peu importe. Sa destination est suffisamment proche pour lui permettre de rejoindre l'autre dimension. Et de la rejoindre elle.

La barque oscille de nouveau quand il s'assoit. Grincement de la boîte en fer-blanc dans sa poche de poitrine. Lorsque l'embarcation est stabilisée il passe la chaîne dans le trou au milieu du premier parpaing. Deux fois. Entoure d'acier rouillé le mâchefer sec comme de la poudre.

Fait un nœud. Serre fort. Recommence avec le second parpaing. Ses gestes sont lents. Mesurés. Il n'a pas droit à l'erreur.

La chaîne est aussi longue que celle dont il s'est servi la dernière fois mais les nœuds supplémentaires la raccourcissent d'une bonne quinzaine de centimètres. La différence de taille ne comptera cependant pas. Parce qu'ils seront ensemble. Côte à côte ou face à face. En apesanteur ou en suspension pour l'éternité. Flottant entre ciel et terre. Angéliques dans l'eau jusqu'au lever du soleil qui les éclairera. Cette eau devenue dépositaire de leurs secrets.

Ce sera le silence absolu sous la surface ; ce sera la plus belle tombe qu'on puisse imaginer.

Il saisit la chaîne et l'insère dans les passants de sa ceinture puis la fait descendre dans l'une de ses jambes de pantalon. La ramène à lui d'un coup sec avant de l'enrouler autour de ses chevilles. Une deux trois fois. Immobilise ses chevilles et ses pieds. Les bloque les attache les entrave.

Prend le cadenas dans l'une de ses poches rapproche les deux extrémités de la chaîne y glisse l'anse et le referme. Le mécanisme se verrouille avec un déclic satisfaisant. Définitif. L'homme lance la clé. Loin. L'absence de toute hésitation affole son cœur. Il n'entend pas le petit objet métallique frapper la surface du lac.

Le vent forcit.

Il se détourne et balance ses jambes par-dessus bord. Plonge ses pieds dans l'eau. Le froid le saisit. Il soulève le premier bloc et le pose sur sa cuisse. Le second suit. Ils sont l'un sur l'autre à présent. Empilés. Il est transformé en hotte de maçon.

Il tend la chaîne enroulée au fond de la barque. S'assure que rien ne la coince.

Maintient fermement les parpaings.

Et repense à elle. À son visage.

Ce jour-là dans la neige.

En hiver.

Tout en haut.

Il repense à son visage. À son odeur.

À tous les visages. Tous leurs visages.

À tous les secrets emprisonnés en lui. Il les emportera. Il repense à tous ces hommes vaincus. Et songe à la victoire – enfin. La victoire sur les collines sur le village sur la ville. Sur tout et tout le monde.

Il repense à sa mère.

Puis il pousse les parpaings dans le lac et entend ferrailler la chaîne rouillée qui se précipite vers le noir et l'argent.

Première partie
HIVER

1

Les miroirs. Les miroirs sont partout.

Brindle laisse l'eau couler jusqu'à ce qu'elle devienne chaude puis se lave les mains. Nettoie chaque doigt tour à tour avec le savon qu'il conserve dans une boîte en plastique semblable à celles utilisées par les campeurs et les habitués du voyage. Le produit chimique au rabais que le service achète lui donne des démangeaisons. Ça le perturbe. Alors il apporte son savon. Il jette un coup d'œil à son visage – brièvement.

Les miroirs. Les miroirs et les masques.

Il porte la main à ses cheveux. Passe le peigne sous le robinet avant de s'en servir pour valider le tracé déjà existant d'une raie bien nette sur le côté.

Le rince. Frotte les espaces entre les dents. L'essuie avec une serviette en papier. Le range dans sa poche.

La brosse à dents est neuve. Il étale le dentifrice et procède au brossage en effectuant ce mouvement circulaire recommandé par le dentiste qui l'a complimenté sur l'état exceptionnel de ses gencives.

Les miroirs les masques la multitude des souvenirs.

Il fait de son mieux pour les éviter. Surtout les miroirs. Ce n'est pas facile. Le reflet de son visage le suit partout l'attend à chaque coin de rue renvoyé par les écrans d'ordinateurs de téléphones et de tablettes.

Par les rétroviseurs et les vitrines. Même par les lunettes noires des inconnus.

Ce visage imparfait lui sert d'introduction auprès du monde extérieur mais ni le monde extérieur ni lui n'aiment ce qu'ils voient : le défaut grossier d'une tache de naissance. Une marque rouge. Un hémangiome qui représente bien plus qu'une pigmentation inhabituelle résultant d'une dilatation des vaisseaux sanguins quand il était encore dans le ventre maternel. Cette fraise sombre sur sa joue l'a toujours singularisé – depuis la fois où quand il était petit un autre gosse l'a montrée du doigt d'un air horrifié.

S'il n'a pas besoin de miroirs pour le lui rappeler mieux vaut tout de même les éviter. Les miroirs les masques la multitude des souvenirs.

Ils ne peuvent rien apporter de bon.

La porte des toilettes s'ouvre.

Brindle ? dit une voix.

Il lève les yeux. Voit son visage. Miroirs masques multitude des souvenirs. Voit un collègue.

Oui ? Quoi ?

On te demande.

*

Bonnet gants écharpe.

Téléphone. Briquet. Papier à rouler. Une cigarette à moitié vidée de son contenu dont une extrémité est tortillée. Sa vieille boîte à crayons en fer-blanc avec à l'intérieur des pièces de monnaie des photos des tickets de bus et quelques boulettes de hasch. Noires et spongieuses. Faciles à fumer. Melanie Muncy glisse le tout dans sa poche.

L'atmosphère de la maison familiale la met mal à l'aise. Depuis qu'elle est rentrée pour Noël elle a le sentiment désagréable que quelque chose en elle s'agite et se contracte. Chaque fois qu'elle en fait l'expérience il faut qu'elle sorte respirer. Elle a besoin d'air et de grands espaces. Elle a besoin de la lande.

Clés ?

Elle entre dans la cuisine. Sa mère assise à table déplace des miettes sur le plateau avec le tranchant de la main. Les aligne.

M'man ? Tu restes là encore un moment ?

Sa mère lève les yeux et lui adresse un pâle sourire mais ne répond pas.

M'man.

Oui ?

Je prends mes clés ou pas ? J'en ai pour une demi-heure pas plus.

Où tu vas ?

Promener Mungo.

Pourquoi ?

Melanie soupire.

C'est un chien m'man. Les chiens ont besoin de sortir.

June Muncy reporte son attention sur la table. Sur la ligne de miettes.

Ce sont surtout ses parents qui rendent Melanie Muncy nerveuse. Aujourd'hui ils portent en permanence des masques. Son père celui de la respectabilité et de l'assurance ; sa mère celui de la stabilité et de la normalité. Mais la peur et la détresse muette en elle sourdent par les interstices – comme un liquide qu'on essaierait en vain de retenir sous un verre retourné. C'est seulement depuis le début des vacances que Melanie mesure à quel point la situation s'est détériorée. Cette maison en haut de la vallée avec ses terres ses dépendances ses

17

extensions interminables sa serre et son paddock peut apparaître comme un signe extérieur de la réussite professionnelle de Ray Muncy pourtant Melanie comprend pour la première fois ce qu'elle symbolise réellement : l'insécurité et l'isolement paternels. C'est une forteresse pour se protéger du monde ; un refuge où s'abriter de la réalité. Même les prés loués aux campeurs au printemps et en été constituent une zone strictement réglementée que son père régente d'une main de fer.

Je les prends alors ? insiste Melanie.

Oui répond sa mère. Va promener Mungo ma chérie. Ce sera bientôt Noël.

En se détournant Melanie lève les yeux au ciel.

À tout à l'heure.

Elle appelle le chien qui bondit hors de son panier placé dans l'office. Entend ses griffes crisser sur le lino quand il se précipite vers le vestibule. Il saute sur elle pose les pattes sur ses cuisses et elle les presse doucement un moment. Elle attrape ensuite la laisse sur le crochet près de la porte et l'attache au collier de Mungo.

Viens dit-elle. On va faire une balade là-haut ?

Le chien penche la tête à la mention des mots familiers. Dresse les oreilles.

Elle sort par la porte de derrière et suit l'allée qui contourne le jardin jusqu'à la pelouse devant ensevelie sous la neige – laquelle recouvre aussi les grosses vasques décoratives et les plantes en pots. Forme une couche épaisse qui retombe de chaque côté du portillon et des deux bancs.

De loin le jardin apparaît comme un bel espace paysager au milieu d'une étendue sauvage et accidentée sur des kilomètres. Un havre aseptisé avec une rocaille une fontaine débranchée pour l'hiver et une terrasse en bois à l'arrière. Après la maison les champs utilisés comme terrain de camping descendent jusqu'à la rivière et sur le versant opposé se trouvent les dépendances et l'écurie avec sa porte d'où la famille vend des boissons fraîches aux randonneurs pendant la saison touristique.

Le chien tire sur sa laisse impatient d'atteindre les hauteurs où il pourra courir en liberté. Melanie marche dans la poudreuse sur le chemin. S'y enfonce jusqu'aux tibias. L'air est vif et ses poumons imprégnés de minuscules cristaux de glace la brûlent. Elle se rend compte qu'elle n'a pas pris son inhalateur.

Elle passe sous l'ancienne arche de pierre contourne le bureau de poste et l'aire permettant aux véhicules de faire demi-tour puis franchit l'arche plus récente avec le raccourci sur le côté et débouche sur le sentier qui mène à l'ancienne piste cavalière grimpant à flanc de colline. Détache le chien qui s'élance dans la neige. Excité par le froid il fait des bonds de cabri dans les congères les plus denses.

À mi-hauteur Melanie Muncy tourne à droite au niveau du mur écroulé réduit à un tas de vieilles pierres et s'engage dans un champ où se dresse encore dans un coin une cahute de berger abandonnée. Elle vient là depuis des années. Autrefois les hommes s'y abritaient lorsqu'ils étaient surpris par les tempêtes de neige sur les hautes terres en hiver ou pendant l'agnelage en mars mais il ne remplit plus cette fonction depuis des décennies.

Aujourd'hui des trous s'ouvrent dans le toit pentu aux endroits où les plaques d'ardoise se sont détachées mais les murs sont encore solides et la vue sur le bourg et la vallée est toujours à couper le souffle. Toujours différente.

À l'intérieur une moitié de poutre effondrée lui offre un banc sur lequel s'asseoir pendant que le chien va renifler le bas des murs de pierre les oreilles dressées la truffe humide au ras du sol. Un tapis miteux roulé dans un angle forme un tas gris que Melanie n'a jamais osé déplacer de peur de déloger un nid de rats. Une chaussure traîne aussi par là. Et des canettes vides écrasées. Des bouts de verre. Une brosse. Les mêmes rebuts que lors de sa dernière visite début septembre. Un trimestre plus tôt.

Elle écoute de la musique sur son téléphone en même temps que de ses doigts gourds elle se prépare un joint. Une fois le papier roulé léché tortillé à l'extrémité elle allume la cigarette et en tire une bouffée. Appelle le chien et le gratte derrière les oreilles jusqu'à ce qu'il s'éloigne pour aller pisser contre le tapis. Joue avec la molette du briquet. Fait jaillir des étincelles. Puis se redresse s'étire et se penche par l'ouverture de la porte.

De cette hauteur le bourg en contrebas paraît incroyablement petit. Un village miniature. Une poignée de maisons blotties les unes contre les autres. Elle se dit qu'on pourrait en mettre trois comme ça dans l'enceinte de son collège. En même temps elle le sait : ce n'est pas le bourg qui a rétréci mais elle qui grandit.

S'il constituait autrefois tout son univers Melanie Muncy se rend compte qu'il ne pourra bientôt plus la contenir.

Elle inhale la fumée et savoure la sensation qui se propage dans son corps. À travers elle. Ses paupières sont lourdes. Son agitation fébrile s'apaise peu à peu jusqu'à se muer en vibration supportable. Elle relâche son souffle et laisse la fumée emporter sa tension.

L'imagine flottant au-dessus de la vallée. Cette tension libérée sous forme de fumée s'élève en silence dans les airs comme un cygne gris.

Il a pris l'ancienne Corpse Road. Aucune carte ne la mentionne comme telle mais c'est le nom que lui donnent les habitants de la région. Corpse Road. La route des macchabées.

C'est celle qu'empruntaient autrefois les fossoyeurs pour faire la longue ascension depuis le village en tirant les cercueils à enterrer dans le minuscule cimetière à flanc de colline aujourd'hui envahi par la végétation tant il est peu fréquenté.

Les rochers sont recouverts d'une fine pellicule de glace et le ciel bas donne le sentiment de ployer sous le poids d'un fardeau qu'il ne pourra plus porter bien longtemps. Une poussière blanche voltige déjà laissant présager des chutes importantes d'ici au coucher du soleil. L'homme marche lentement.

Loin devant lui par-delà la maison les éoliennes tournent sur l'autre versant. On voit leurs pales cingler les nuages.

Le chemin sinue à travers les arbres. L'homme parcourt une trentaine de mètres ou peut-être plus au-dessus des reflets scintillants de la rivière qui forme des trous d'eau au niveau des longs paliers rocheux sur son parcours. Il y a six cascades de diverses hauteurs sur ce trajet et chacune rend un son différent. Son ouïe est tellement accoutumée aux infimes variations d'ondes dans cette partie de la vallée qu'il est capable de les reconnaître les yeux fermés.

Il n'y a pas de truites dans ces trous d'eau. Il les a toutes pêchées au fil des ans. Cela fait cependant longtemps qu'il ne taquine plus le poisson. Une éternité. Depuis la dernière fois son esprit lui impose d'étranges associations avec la pêche. Ses souvenirs sont définitivement pollués.

À l'approche du sommet il suit la lisière de la lande sur le dernier kilomètre. C'est plus facile que d'escalader les rochers tombés de la gorge jusqu'au cours d'eau ou de crapahuter le long des abords boueux de la forêt.

Il émerge du couvert monte encore un peu et débouche au milieu d'une étendue de bruyère gelée et de terre sombre. Il a l'impression d'avoir traversé les nuages pour accéder à une atmosphère raréfiée mais plus pure.

La poussière de neige voltige en fins tourbillons qui saupoudrent le sol – des détachements envoyés en avant-garde du gros de la troupe.

Sur les hauteurs la lande est ponctuée de balafres irrégulières. Ces blessures mal cicatrisées révèlent sous la croûte de terre un socle de roche et d'argile. Ce sont les empreintes en négatif des maisons du village en contrebas construites avec des pierres extraites de ces trous béants puis dégrossies transportées façonnées.

Leur existence est insoupçonnable de loin car la bruyère sur leur pourtour plonge brusquement dans le vide. Leurs flancs sont aussi escarpés et traîtres que ceux des carrières abandonnées ou des lacs asséchés rendus à la végétation. Aucun panneau ne les signale. Rien pour avertir les randonneurs ou leur permettre de s'orienter. Ces stigmates camouflés parfois dangereux sont autant de reliques d'un passé industriel. Des mondes cachés. Souterrains.

Des arbres poussent dans certaines de ces excavations et ici et là d'énormes rochers qui ont dévalé la pente se dressent toujours à l'endroit où ils ont atterri quand des coulées de boue les ont délogés pendant les mois humides. Des blocs de la taille d'une voiture ou même plus gros sont ainsi plantés dans la mousse. Enracinés et indéracinables. Échoués et sculpturaux.

Un profond silence règne dans ces nombreuses cuvettes. Certaines ne reçoivent aucune visite pendant des mois voire des années. En l'absence de toute perturbation humaine les lapins y ont élu domicile. Ils pullulent dans toutes les cicatrices du sol où leurs terriers forment un vaste dédale. Ils ne se sentent pas menacés par l'homme parce qu'ils n'en ont jamais vu. Dans d'autres excavations à la bordure déchiquetée – les plus vastes – vivent aussi des chevreuils des renards des blaireaux et de nombreux oiseaux qui nichent sur les parois abruptes.

Même en hiver le vent ne pénètre pratiquement jamais dans ces amphithéâtres lointains.

L'homme a une préférence pour le plus grand d'entre eux. Sa taille est telle qu'elle lui a valu un nom : Acre Dale Scar. Mais il se situe plus loin. À un kilomètre et demi de chez lui. Il n'y passera pas aujourd'hui.

Acre Dale est un microcosme. Une forêt encaissée qui constitue sa propre infrastructure et abrite toute une hiérarchie animale. Avec aussi son propre microclimat.

Il y a des années un enfant est mort dans l'une des mares au fond de ce bassin. Depuis il a été clôturé et condamné. Déboisé pillé puis abandonné. C'est devenu un lieu maudit. L'homme s'en est attribué la propriété dans sa tête. Le traite comme son domaine. Son royaume aride.

Il marche dans la bruyère au bord de la lande et aperçoit la cheminée de sa maison de l'autre côté du versant. Elle se découpe contre le ciel et semble émerger de la terre gelée. C'est son foyer.

Puis le ciel cède enfin et libère une neige qui tombe dru. Recouvrant de blanc la terre sombre comblant les vides. L'homme continue d'avancer.

23

*

Sur le bureau de Brindle il y a : un MacBook et une bouteille qu'il remplit tous les matins chez lui avec de l'eau filtrée parce qu'il n'aime pas le goût âcre de celle de la fontaine du service. Il y a aussi une boîte de mouchoirs en papier. Un Tupperware contenant des abricots secs des canneberges séchées de l'ananas séché des baies de goji des rondelles de banane des noix de macadamia et de cajou des cacahouètes des raisins de Corinthe et des lamelles de noix de coco. Un bloc-notes. Un téléphone et un chargeur. Une photo encadrée d'un chaton dans une botte en caoutchouc que ses collègues lui ont offerte pour blaguer le jour de son dernier anniversaire.

Il a toujours supposé qu'il fallait voir dans ce présent un clin d'œil ironique à son mépris du sentimentalisme et un contrepoint à la brutalité de l'affaire sur laquelle il travaillait à l'époque – celle d'un cueilleur de rhubarbe polonais qui avait égorgé un de ses camarades avant de rentrer chez lui et de faire subir le même sort à sa femme et à sa gosse. La presse l'avait surnommé à tort le Tueur à la rhubarbe et si pour James Brindle il ne s'agissait pas d'une affaire à proprement parler la vue de la femme et surtout de la fillette lacérée comme un vulgaire jouet pour chiot l'avait hanté pendant longtemps. Le Polonais avait pris perpète et tenu le coup trois ans à Monster Mansion[1] avant que certains des plus jeunes détenus lui règlent son compte d'abord avec de l'eau sucrée bouillante ensuite avec un surin de fabrication

1. Littéralement « la maison des monstres ». Surnom donné à la prison de haute sécurité de Wakefield. *(Toutes les notes sont de la traductrice.)*

artisanale. Le Tueur à la rhubarbe n'avait jamais remis les pieds à Katowice.

Brindle se surprend souvent à contempler la photo du chaton dans la botte en caoutchouc.

De son bureau d'angle dans la Chambre froide il aperçoit les toits des entrepôts voisins. Les reflets du soleil sur la tôle ondulée lui évoquent une succession de piscines parcourues de vaguelettes. Ou de bassins de mercure. Il lui arrive d'imaginer qu'il y entre pour ne plus jamais refaire surface.

La nouvelle culture policière privilégie la sobriété et le minimalisme. Flots de lumière et lignes droites. Espaces décloisonnés pour favoriser la communication et la vivacité d'esprit.

La Chambre froide comme on a surnommé leur lieu de travail se niche discrètement au cœur d'une immense zone industrielle. Elle ne ressemble pas aux autres services de police. Rien à voir avec un bâtiment de village en brique rouge datant de l'après-guerre ni un quelconque mastodonte municipal. Son anonymat et sa localisation obscure sont délibérés parce qu'elle abrite le nec plus ultra des méthodes d'investigation ; l'extérieur ne révèle rien de sa fonction. Le style architectural se veut résolument vingt et unième siècle – une projection d'idéaux concrétisée par des vitres teintées un système d'évacuation des eaux pluviales par dépression un environnement à température constante et des espaces verts bien entretenus. Un étang artificiel a été creusé à proximité pour créer une atmosphère sereine et les nombreuses places de parking garantissent qu'aucun employé n'a plus de dix pas à faire pour atteindre l'entrée principale de l'édifice. Productivité maximale oblige. Il y a un club de sport à côté dont Brindle n'a jamais vu l'intérieur même s'il a déjà regardé de l'extérieur des ombres unidimensionnelles sans visage s'agiter sur des tapis de course derrière des vitres opaques et des silhouettes fantomatiques mimer des mouvements de boxe. Des apparitions se battant contre elles-mêmes.

Les entreprises voisines sont tout aussi énigmatiques et discrètes. Ici des sociétés baptisées Plexus ou Remit ou Forward font leurs affaires.

Le caractère ordonné et uniforme de ce décor quotidien devrait plaire à Brindle. La vue des surfaces dépouillées devrait l'apaiser ; le mettre à l'aise. Pour des raisons qui lui échappent ce n'est pas le cas.

De moins en moins de choses y parviennent.

*

Le premier jour après son transfert James Brindle s'est approprié un bureau d'angle qu'il a positionné subrepticement de telle façon que ses tours de boîtes à archives vides forment un rempart pour tenir ses collègues à distance. Il ne souhaite pas encourager les relations sociales superflues. C'est peut-être l'esprit de la Chambre froide mais ce n'est pas le sien.

Ses tiroirs sont remplis de tirages papier. Il aime conserver ses notes et des copies de sa correspondance. Il classe entrepose recoupe en permanence selon un système complexe impliquant des marqueurs et des codes de couleur. Toutes les affaires toutes les conversations – archivées. Le moindre fragment d'information le moindre soupçon la moindre déclaration – archivés. Tous ses déplacements toutes ses factures. Toutes les miettes consommées jusqu'à la dernière. Secrètement il les appelle ses Archives de Tout.

Et leur nouveau service est surnommé la Chambre froide parce que c'est là que vont les cadavres. Ou du moins leur souvenir. Celui des êtres piégés dans ce vortex silencieux situé entre le meurtre et la justice. Ici les dépouilles ont été remplacées par – réduites à – des affaires en cours. Les disparus ne sont plus que des liasses de documents ; ne subsistent d'eux qu'une photo par-ci par-là ou des photocopies de relevés bancaires. Ils sont notables par leur absence. Devenus des béances dans l'existence de leurs proches.

La Chambre froide pour les pistes froides. Les affaires non résolues. Les personnes volatilisées dans des circonstances mystérieuses. Évaporées. Ne laissant derrière elles que peu ou pas de traces.

Quand il y a des corps ce sont seulement les plus sanglants. Alors les inspecteurs de la Chambre froide remontent la piste depuis la mort jusqu'à la naissance. Progressent à l'envers en partant de la tragédie pour mieux explorer leur vie singulière. Commencent par leur dernier souffle et terminent par leur premier cri. Et en cours de route essaient de découvrir à quel moment les choses ont mal tourné.

Ils sont au cœur d'un vaste réseau invisible de renseignements et dans les années à venir l'histoire considérera certainement la création de la Chambre froide comme une avancée décisive dans la collecte d'informations et la modernisation des méthodes de la police britannique.

C'est du moins ainsi qu'elle leur a été présentée.

Brindle veille toujours à maintenir impeccable la surface de son bureau. Ce n'est pas parce que le chaos règne dans le monde qu'il doit le laisser s'installer autour de lui. S'imposer un minimum d'ordre fait partie de ses objectifs au même titre que boucler ses enquêtes. Les résoudre. Les conclure. Telle est la philosophie de James Brindle : ramener l'ordre apporter une conclusion rendre la justice pour ces êtres ensevelis dans des dossiers. Oubliés de tous sauf des occupants de la Chambre froide – ceux qui ont excellé dans leurs différents services et qu'on a transférés là pour améliorer les statistiques. Ces policiers chargés d'élucider des affaires jugées un jour suffisamment importantes pour mériter un gros titre en une de l'édition du soir mais qui depuis moisissent. Disparitions soudaines. Enfants. L'inexpliqué et l'inexplicable.

Des investigations d'une telle envergure nécessitent l'intervention d'hommes d'une envergure particulière. Des « retourneurs de pierres » et des statisticiens. Des déterreurs de secrets. Des amputés émotionnels. Des obsessionnels. Des experts dans leur domaine d'activité. Des pragmatiques. Des scientifiques du crime à l'esprit brillant. Ceux qui ratent tout dans la vie sauf leur boulot d'enquêteur.

Brindle le sait. Ils le savent tous. Dans la Chambre froide ils se délectent de leur statut hors norme et ne font pas grand-chose pour démystifier les croyances entourant ceux qui existent à la périphérie des forces de police.

*

La neige piège les traces des chevreuils. Les rend visibles. Fait apparaître les indices. Matérialise leur piste.

À cause d'elle il leur est plus difficile de se cacher sur les versants exposés. La neige est l'alliée des chasseurs.

Sur fond blanc tout ce qui est sombre devient vulnérable.

Il en est encore tombé pendant la nuit. La première couche a durci et forme une croûte recouverte de poudreuse.

Le jour n'est pas levé lorsque l'homme se met en route.

D'abord il avale un bol de porridge et se prépare un casse-croûte. Pain et fromage. Galettes d'avoine. Une banane. Il nettoie et graisse sa carabine.

Avant de partir il jette deux lapins morts aux chiens qui grelottent sur leur litière de paille.

Ils font trop de bruit pour l'accompagner. Ils sont incapables de rester tranquilles toujours en train de fureter partout. Il suffit qu'ils flairent l'odeur du gibier pour disparaître. Non. Ils resteront à la maison aujourd'hui.

Il sort par-derrière. Passe devant les enclos et les appentis en pierre ; devant la vieille remise à grain les abris des cochons le poulailler et la grange privée de toit.

Il ouvre d'un coup de pied la barrière. Il y a vingt ans c'était une construction de fortune ; aujourd'hui ce n'est plus qu'un assemblage tordu de planches pourries accroché à un gond rouillé. Plus symbolique que fonctionnel.

Puis il se dirige droit vers les pentes en dessous de la lande d'où les éoliennes surveillent la ferme et projettent sur elle des ombres en mouvement perpétuel. Leur vrombissement s'insinue jusque dans son sommeil.

Il part vers la gauche. Sa carabine est plaquée sur sa poitrine maintenue par les sangles de son sac à dos. Il s'enfonce dans la vallée de plus en plus étroite. Remonte dans sa gorge.

Il a parcouru un peu plus d'un kilomètre quand il atteint le premier tunnel de drainage en béton.

Il y en a une douzaine répartis sur la circonférence d'un vaste cercle autour de la lande. Séparés d'environ un kilomètre et demi ils se situent en contrebas du lac artificiel. Ces orifices en ciment sont creusés dans le versant. Certains habitants les appellent les « portes »

– un nom inquiétant qui a déjà trouvé sa place dans la mythologie de la vallée supérieure.

Chacune de ces portes est une entrée surmontée d'une carapace en béton. Des marches également en béton descendent à l'oblique sous la tourbe du Yorkshire et débouchent sur d'étroits corridors humides menant aux bassins de décantation recouverts de grilles métalliques. Le système a été installé en même temps que la retenue d'eau pour servir de trop-plein aux conduites enterrées profondément sous la lande. En cas de crue il permet d'évacuer le surplus loin des étendues planes au sommet. Ces mares invisibles sont filtrées via un réseau complexe de canaux avant de rejoindre ruisseaux et rivières beaucoup plus bas dans la vallée. La gravité fait le reste.

Au printemps et à l'automne quand les pluies sont les plus persistantes une eau couleur de cuivre circule dans ce réseau et monte jusqu'aux portes qui dégorgent alors des flots saumâtres chargés de tourbe et d'épais dépôts. Ils inondent les marches et forment rus ruisseaux et cascades qui dévalent les pentes.

Les entrées sont interdites au public. Les premières années où elles étaient ouvertes des gosses du coin se mettaient au défi de s'engager dans ces escaliers de plus en plus sombres et de patauger dans les eaux stagnantes en faisant attention à ne pas s'écorcher les jambes sur les bouts de métal tordus et les pierres en dessous. Inévitablement des accidents se sont produits. Les parents sont devenus plus protecteurs et les enfants sont de moins en moins nombreux à s'aventurer sur les hautes terres ou sur la lande et à construire des campements dans les cuvettes ou des cabanes dans les bosquets. Ils ont été effrayés par les adultes inquiets aujourd'hui soulagés que leur progéniture préfère la sécurité de la télévision et des ordinateurs.

Alors les portes ont été fermées au monde. Condamnées. Barrées. Scellées verrouillées barricadées. Toujours utilisées mais infranchissables. Gardées par des panneaux marqués DANGER et PROPRIÉTÉ PRIVÉE DÉFENSE D'ENTRER.

La neige du petit matin s'est accumulée en congères. Charriées par le vent elles bloquent ces bouches noires édentées. Les flaques à l'intérieur ont verglacé et des dépôts minéraux ont donné naissance à de fragiles stalactites sur les plafonds rocheux.

Le sol aussi a gelé tout autour et les bouches béantes semblent pincer les lèvres et se refermer légèrement.

L'homme longe le premier tunnel. Il a l'impression de se voir de loin et prend conscience de ce qu'il est : une minuscule silhouette se déplaçant en crabe sur une immense toile blanche. La porte est cadenassée et en partie bouchée par une congère. Il aperçoit à l'intérieur un morceau de bois qui émerge de la glace sur le sol. Et au-delà – les ténèbres.

Un kilomètre et demi plus loin il atteint l'entrée suivante.

*

Quand elle a fini de fumer et glissé le mégot du joint dans sa boîte en fer-blanc – elle a lu un jour qu'un mégot peut mettre jusqu'à six cents ans à se décomposer – Melanie Muncy fait des boules de neige et les envoie dans la pente. Le chien s'élance derrière et revient haletant l'œil vif pour en réclamer d'autres.

Comme elle a la bouche sèche elle ramasse encore un peu de neige qu'elle suce jusqu'à ne plus sentir ni sa langue ni ses joues.

Elle n'a pas envie d'affronter de nouveau le silence de la maison et la vue de sa mère assise dans la cuisine se comportant de manière bizarre disant des choses décousues ou parfois ne disant rien du tout. Est-ce l'effet des nouveaux médicaments qu'on lui a prescrits ou d'une dégradation de son état ? Elle a aussi du mal à supporter la sincérité feinte de son père le sourire plaqué en permanence sur son visage qui ne parvient pas à dissimuler la crispation de sa mâchoire et le désespoir dans ses yeux.

Lorsqu'elle est en cours elle a la nostalgie du chien et des grands espaces mais ses parents ne lui manquent pas. Si autrefois elle se sentait seule sans frères ni sœurs elle a maintenant des amis et des alliés. Des personnes qui ont grandi entourées d'autres êtres humains normaux et non d'animaux et de fermiers crasseux rongés par l'inquiétude. Des personnes capables d'avoir de vrais échanges et pas seulement des discussions sur les prévisions météo.

Sans compter qu'elle est aujourd'hui à deux pas de la civilisation quand auparavant elle en était séparée par une longue marche un trajet en bus et un voyage en train. À l'extérieur de la salle de classe il y a des magasins des pubs des garçons des drogues et de la musique pour la distraire. L'envoyer en pension est la meilleure chose que ses parents aient faite pour elle. Ils lui ont offert la liberté.

En quittant la cabane de berger Melanie Muncy décide de poursuivre sa promenade afin d'évacuer un fond d'angoisse sourde. Elle veut planer encore un peu parce qu'elle sait qu'elle va devoir rester ici dix jours entiers avec seulement une petite quantité de hasch. La perspective de passer le nouvel an avec ses parents lui semble insurmontable.

À la sortie du champ elle prend le chemin qui grimpe à flanc de colline. Le chien court devant elle. Le ciel presque aussi blanc que le paysage promet encore de la neige. De même que le froid mordant. Les routes qui montent de la ville durciront verglaceront et les congères gèleront et personne ne pourra plus accéder au village ni le quitter tant que les chasse-neige n'auront pas déblayé les voies de circulation.

Elle sera coincée là. Piégée par la neige – et pas pour la première fois. Dans les jours à venir elle ne pourra se déplacer qu'à pied.

Melanie Muncy a le sentiment qu'elle emmènera souvent le chien en balade.

*

Il continue vers le sommet. Longe l'extrémité de la retenue d'eau et s'engage sur la lande avant de redescendre en décrivant un cercle pour atteindre le bord d'Acre Dale Scar.

Il y a toujours des cervidés dans le coin. Souvent des hardes entières. Le mâle la femelle les petits. Ce sont des créatures solitaires mais en hiver elles ont tendance à se regrouper. Dans sa vie il en a vu de toutes sortes par ici.

Il a vu des chevreuils et des chevrettes. Il a vu des cerfs. Il a vu un jour deux grands mâles en rut tenter de se taillader mutuellement la face.

Il en a abattu quelques-uns au fil des ans. Tués pour la plupart sans même qu'ils s'en rendent compte. Morts avant de toucher le sol.

L'air est vif et glacé mais il ne le sent pas. Il a superposé ses habits de fermier. Caleçon long gilet T-shirt chemise matelassée. Bonnet. La marche le réchauffe.

À l'approche d'Acre Dale il s'arrête. La pente recouverte de neige immaculée qui descend jusqu'à la cuvette cède brusquement la place au vide. Comme si on avait arraché d'un coup de dents un morceau de l'épine dorsale de la vallée. Certaines des excavations ne mesurent guère plus de quinze mètres de diamètre mais celle d'Acre Dale doit bien faire huit cents mètres de largeur à son point le plus étroit et encore plus en longueur. Elle est également profonde : trente à quarante-cinq mètres en dessous du niveau du sol.

Si les promeneurs de chiens et les randonneurs ont creusé des pistes sur le pourtour aucune trace de pas n'est visible à l'intérieur de la cuvette elle-même. Il suit une série d'empreintes jusqu'à un escarpement qui lui offre une vue dégagée sur les rochers et les coulées de boue parmi les arbres en contrebas.

Il déblaie un peu de neige et s'allonge à plat ventre pour scruter le fond de la vaste cavité boisée.

Patiente tandis que le froid s'insinue dans ses genoux sa poitrine ses coudes.

En l'absence de feuillage la visibilité est bien meilleure. Il distingue des zones cachées en été par des frondaisons denses permettant aux animaux de se mettre à couvert.

Des arbres morts à moitié pourris sont figés par la glace là où ils sont tombés et leurs branches dénudées semblent se tendre les unes vers les autres comme des ossements cherchant désespérément une union fugace. Il aperçoit deux écureuils grassouillets qui filent le long des ramures. Remarque leur dos arrondi et leur ventre distendu lorsqu'ils traversent Acre Dale sans toucher le sol. Quand il était gosse il les abattait pour le plaisir. Pour leur fourrure. Mais plus aujourd'hui. Aujourd'hui ce sont des cibles trop faciles trop évidentes. Aujourd'hui il attend quelque chose de plus gros. Une proie plus noble.

*

Il fait le tour de la carrière jusqu'à l'endroit où la lande disparaît et donne sur une falaise à laquelle s'accrochent des arbres. Au pied s'entassent les énormes rochers entraînés depuis des décennies par les chutes de pierres.

Il descend en se frayant un chemin à travers les ajoncs rendus cassants par le givre. Quand le sol s'aplanit il dérape sur une plaque de verglas.

Alors il ôte son sac à dos coince la carabine dans les sangles et trouve un solide bâton pour assurer son équilibre.

Il est maintenant sous la ligne des arbres. À l'affût. Dans son élément.

Il aperçoit des empreintes gelées : les traces nettes d'un ongulé à deux doigts. Il s'accroupit pour les examiner. Regarde à gauche regarde à droite. Une ligne se dessine parmi les feuilles mortes. Une piste. D'un côté elle grimpe dans la pente et de l'autre descend vers le fond de la cuvette.

Les traces se chevauchent et sont de tailles différentes. Elles ont été laissées par plusieurs animaux.

Plus bas il repère d'autres signes : une touffe de poils. Un bourgeon à moitié grignoté. Une branche cassée dont l'écorce parcheminée a été arrachée. Les bêtes sont tout près. Il le sait. Le sent.

Au-dessus de lui s'élève un promontoire constitué de gros rochers arrêtés dans leur dégringolade et contre lesquels de plus petits se sont accumulés.

Il remonte pour pouvoir l'escalader. Récupère la carabine et sort une bâche de son sac à dos. L'étale s'en enveloppe et s'allonge sur la dalle de pierre. S'installe s'établit s'implante. Se transforme en statue et laisse ses pensées s'égarer.

*

C'est un chevrillard qui apparaît ; une récompense pour sa patience.

L'animal s'est aventuré sur la lande hors du couvert des arbres. Il se tient sur le chemin en contrebas. Il est insouciant il est inconscient il est dans sa ligne de tir.

L'homme inspire. Retient son souffle.

Puis : une légère pression une détonation une chute lente.

Les pattes de l'animal se plient sa tête s'incline ses yeux deviennent vitreux. Il est à terre.

L'homme exhale.

Le chevreuil est maintenant à lui. Grâce à la balle. Elle a dépossédé la forêt de ce chevreuil et lui en a transféré la propriété. La mort est un bien qui se monnaye. Une marchandise susceptible d'intéresser un homme des Dales prêt à payer sans poser de questions sinon pour demander à quel moment en prendre possession et s'il est possible d'en obtenir plus. Un homme qui sait comment la traiter. Comment la gérer. Un homme froid de la campagne. Un homme comme lui en fait. Discret agile taciturne. Un maillon parmi tant d'autres dans une chaîne d'événements où les frontières entre la vie et la mort sont estompées par des zones de gris. Un homme de la terre. Il en est ainsi depuis toujours.

Il n'y a pas de morale dans la viande pourtant elle perpétue la vie lorsqu'elle est consommée. Ça tient d'une espèce de magie – qu'une créature morte puisse donner des forces à un humain. Nourrir une famille. Remplir un congélateur.

L'animal est touché au cou. La balle a sectionné l'aorte et provoqué l'arrêt du cœur en quelques secondes. Un beau tir.

C'est un mâle. L'homme voit les bois naissants éclore sur le crâne comme des fleurs fossilisées. Le pelage est en bon état : lisse luisant et si brillant qu'il semble mouillé. La face sombre paraît placide. En paix.

Un filet de vapeur monte de la plaie.

Un bref examen des gencives et des dents lui révèle qu'elles sont saines plantées bien droit propres et solides. Il palpe l'intérieur de la bouche jusqu'à sentir les canines pointues. Il est heureux que ce soit un chevreuil – le plus petit des cervidés qui peuplent la région. Ce sera néanmoins une lourde charge à rapporter. Il le considère un moment en évalue le poids du regard puis décide de le dépecer sur place. Il déplie de nouveau sa bâche pour y étendre l'animal. Sort de son sac à dos une machette un couteau de chasse et un couteau à découper. Se roule une cigarette et la fume. Quand il a terminé il retrousse ses manches saisit le couteau à découper et pratique trois incisions dans le bas de l'abdomen.

Il fend le pelage puis la chair jusqu'à découvrir les intestins enroulés comme un magnifique écheveau. Retire la lame et déplie le crochet d'éviscération à l'extrémité. L'introduit dans l'entaille puis la fait remonter du bas du ventre à la cage thoracique.

Un nouveau monde s'ouvre à lui. La créature fume. Il sent la chaleur sur son visage – celle des ultimes vapeurs de vie qui s'échappent comme un soupir chagrin. Les intestins saillent. Il s'extasie sur l'économie d'espace et l'ingéniosité de la nature.

Il sectionne la graisse et le cartilage gris. Soulève d'une main les intestins chauds coupe autour et en dessous puis extrait leur masse sanguinolente. La laisse tomber à côté de lui sur la bâche. Ce n'est plus qu'une chose informe pareille à un oreiller gonflé de sang. À un accordéon noyé.

Il est encore tôt. Il fait plus froid aujourd'hui. Plus tard il y aura d'autres chutes de neige.

L'homme contourne la carcasse puis s'accroupit plonge son couteau dans la cavité cherche l'œsophage.

Pour un peu il se glisserait à l'intérieur de la bête et y passerait tout l'hiver.

Il tire sur l'œsophage et le dégage du corps.

Le chevreuil est maintenant éviscéré.

Il se lève s'étire reprend son souffle. Attrape la machette et s'emploie à trancher la tête et les membres. Il n'emportera que les meilleurs morceaux – les morceaux de choix – ceux qu'il pourra suspendre fumer sécher ou cuisiner. Les deux cuissots et les deux épaules ; le filet ou les côtes s'il parvient à les découper proprement. Privilège du braconnier. Il fourre dans son sac ce qu'il peut transporter sur son dos et cache le reste pour plus tard. C'est alors qu'il l'aperçoit : une silhouette solitaire indistincte sur fond de ciel sans soleil.

Il se baisse vivement se débarrasse de son chargement puis rampe à travers la bruyère. Dans la neige. Toujours baissé. Il s'arrête. Redresse la tête. La distingue de nouveau. Plus proche à présent elle lui tourne le dos.

Il a vu son visage évoluer vers la maturité mais toujours de loin – comme aujourd'hui : à son insu. Invisible et inconnu d'elle. Aux yeux de cette fille un homme tel que lui n'existe même pas. Il l'a regardée devenir une petite princesse. La plus belle réussite de son père.

Mais elle est arrivée trop tôt. Elle ne devrait pas encore être là-haut sur la lande. Pas aujourd'hui.

Puis soudain il aperçoit un éclair de couleur et un chien surgi de nulle part se jette sur lui en aboyant. Les babines retroussées sur des crocs sales. Les yeux exorbités. L'homme entend claquer les mâchoires du terrier. Il se penche en avant. Lève ses doigts tachés de sang et le chasse d'un revers de main. *Dégage*. Le chasse de plus belle. L'animal saute vers son poignet attrape un bout de manche s'y accroche et le secoue comme si le bras à l'intérieur était une créature captive. Un cou à briser ou des reins à casser. L'homme fait un grand geste pour s'en débarrasser mais le chien resserre sa prise. Trouve la bosse de l'os à la jonction de la main et du bras. Là où la peau est fine. Ses dents perforent la chair et ce qu'il y a dessous. Fulgurance de la douleur. Décharges électriques dans le bras. L'homme n'a jamais rien ressenti de pareil. Son bras son épaule et son cou le mettent au supplice.

Quelque chose de visqueux s'écoule sous lui et autour de lui et sa main tâtonne frénétiquement agrippe l'étui à sa ceinture et quand elle trouve enfin ce qu'elle cherche – ce dont il a désespérément besoin – il tire le couteau pour se défendre mais la plupart de ses coups ne tailladent que le vide tandis que le terrier se cramponne. Et brusquement elle est là. La fille qui manque de se cogner contre lui de trébucher sur lui de faire la culbute au-dessus de lui.

Elle porte des écouteurs. Des gros qui ressemblent à des protège-oreilles. Elle le voit avant de l'entendre. Voit un homme ensanglanté avec un couteau. Courbé comme un troll hideux. Un monstre des collines. Le chien qui l'a lâché se dresse sur ses pattes arrière. Il fait partie de ce tableau effrayant. La fille pousse une exclamation de stupeur titube puis hurle et n'arrête plus de hurler.

Ce n'est pas ce qu'il avait prévu. Elle gâche tout pense-t-il.

Elle se tait subitement elle est hors d'haleine et son souffle forme de petits nuages blancs. On dirait qu'elle essaie de gober l'air mais ça ne dure pas longtemps parce que bientôt elle se remet à crier et sa voix rend un son étranglé et ce n'est pas du tout ce qu'il avait prévu. Non. Pas comme ça.

Il recule. Glisse bat des bras s'étale.

Il se relève d'un bond en disant *chhh* tout va bien mais elle a les yeux agrandis par l'horreur et il y a du sang sur la neige et il entend le martèlement de son cœur résonner à ses oreilles et la lande est une immense étendue blanche et gelée et le couteau est dans sa main.

Entre ses halètements la fille ne veut pas s'arrêter de crier.

Il s'élance plonge vers elle en répétant *chhh* tout va bien arrête mais elle continue elle ne s'arrête pas elle ne veut pas ou ne peut pas alors il essaie de plaquer une main sur sa bouche mais elle chancelle et lui aussi et ils chancellent tous les deux et tombent dans la neige et il la recouvre l'écrase l'aplatit l'enveloppe.

Ils restent quelques instants les yeux dans les yeux. Il y a du sang sur la neige autour d'eux. Le sang du chevreuil ou le sang du chien. Son sang à lui ou son sang à elle. Quand soudain la fille lui mord la main comme l'a fait son chien il la frappe.

Et la frappe encore. Et encore. Ce n'est pas ce qu'il avait prévu. Pas du tout.

Il y a de plus en plus de sang sur la neige.

Le sien.

Celui de la fille.

Il cogne toujours. Et pense : neige glace chair poings os cheveux jambes écartées monstres froids seins sang mord mange tiens touche embrasse amour mère huile merde ecchymose éclate.

La neige. Blanche.

Et il cogne.

Le sang. Rouge.

Et il caresse.

Cogne.

Caresse.

Jusqu'au silence.

*

Avec les ombres du crépuscule arrivent les coups de téléphone. La seule idée de prévenir la police locale révulse Ray Muncy mais il y a maintenant huit longues heures que sa fille est partie il tombe sur sa messagerie chaque fois qu'il l'appelle le chien n'est pas revenu non plus et c'est l'hiver. La température va encore chuter et les prévisions ne sont pas bonnes. Il connaît le terrain là-haut. Sait que la neige peut en dissimuler les embûches. Transformer des tourbières gelées en pièges ou altérer la perception du temps et de la distance. La lande est toute de carrières abandonnées de puits de mine et de bruyère à perte de vue – une étendue scarifiée par les premières industries qui utilisaient la pioche et la dynamite pour extraire roche et plaques d'ardoise. C'est aussi un endroit truffé de secrets : trahisons rendez-vous clandestins mensonges erreurs.

Seuls les lapins les faucons les chevreuils et les souris y prolifèrent à présent.

Elle aussi connaît le terrain. Melanie. C'est bien ce qui l'inquiète : qu'elle le connaisse si bien et qu'elle ne soit toujours pas rentrée. Ça ne lui ressemble pas.

Alors la ville lui envoie des hommes ; les gars de Roy Pinder.

Ils arrivent avec leurs torches électriques leurs bottes et leurs gilets fluorescents. Ils sont trois. Ils ne semblent pas pressés et n'ont pas de plan. Ils demandent du thé à Ray Muncy qui réplique ma fille n'est pas rentrée qu'est-ce que vous venez m'emmerder avec votre putain de thé ? Ils haussent les épaules l'un d'eux sort une flasque ils en boivent une gorgée à tour de rôle et Ray Muncy dit vous avez le droit ? Et l'agent Jeff Temple répond sûr qu'on a le droit. Ici on a le droit. Tu devrais le savoir Ray.

Ils montent ensemble fouiller la lande. Muncy et les trois policiers. C'est lui qui est obligé de suggérer qu'ils se déploient et procèdent avec méthode – en restant alignés pour explorer certaines zones. Ils obéissent mais ne voient rien. Ray qui a pris position à un bout de la rangée crie le prénom de sa fille siffle le chien et balaie la neige avec le faisceau de sa torche. Quand les trois flics s'esclaffent il se demande ce qu'il peut bien y avoir de si drôle à chercher par une nuit glaciale une adolescente disparue. Il les entend. Ils ne restent pas en ligne. La flasque reparaît. Ils se la font passer. Entre gars du coin. Il y a eux et il y a lui. Ray Muncy. Au bout à l'extérieur à sa place. Seul. À l'écart. Exclu.

*

Parfois elle l'enfermait dans le poulailler. Sa mère. Dans le poulailler. Elle l'emprisonnait.

Il découvre seulement maintenant que c'est là que tout a commencé. Avant le cinéma avant les filles avant les pelletées de merde et les bagarres dans la cour d'école. C'est le point de départ de son périple.

Elle le poussait à l'intérieur du plus grand poulailler quand elle recevait du monde. Le cantonnait là lorsqu'elle prévoyait une de ses soirées spéciales. Une des célèbres nuits blanches de Nichons noirs. C'était le surnom qu'ils lui donnaient. Tous ces hommes. Nichons noirs. Ou parfois juste Nichons. Derrière son dos.

Tout provenait d'une rumeur qui avait depuis longtemps intégré la mythologie de la vallée.

Un homme – alors un jeune garçon – était monté à la ferme un jour chercher des œufs pour son père. C'était une ferme en activité à l'époque une bonne ferme qui tournait bien avec du rendement et de la vie ; un lieu de semences et de récoltes ; de naissance d'élevage et d'abattage.

Personne n'avait répondu quand il avait frappé à la porte. Il n'y avait personne derrière non plus. Aucun signe d'une présence autour des dépendances. Il s'était alors approché d'une fenêtre d'où il l'avait vue à l'intérieur le torse dénudé faire sa toilette devant le feu. Une putain au bain. Une croûte de crasse apparaissait sous chacun de ses gros seins affaissés. Deux sourires sombres dessinés par les saletés de la ferme.

Les histoires restent. Alors :

Nichons noirs était née.

Mais pas de quoi décourager les hommes. Oh non. On savait qu'elle se donnait pour presque rien. Une brouette de charbon une demi-cuve de gasoil ou des chaussures pour le gamin et elle s'offrait au premier venu. Ou même juste pour un trajet en voiture depuis la ville. Des faveurs au rabais.

Un deux ou trois à la fois. Elle était accueillante sa mère. Ouverte à tous. En haut dans la carrière ou derrière une grange. Ils se mettaient en cercle et elle s'occupait d'eux l'un après l'autre ou tous en même *temps. Ça ne faisait pas de différence pour elle. Nichons noirs s'accommodait de tout.*

Elle cloîtrait son fils dans une boîte avec les bestioles quand elle voulait se débarrasser de lui un moment. Quand son regard observateur devenait indésirable. Entre là-dedans avec les picoreuses disait-elle avant de le pousser tout au fond vers la merde verte les plumes et les battements d'ailes frénétiques. Elle l'enfermait verrouillait la porte et l'abandonnait à l'agitation ambiante.

Plus tard une fois les volatiles calmés il se glissait sous l'échelle rejoignant les pondoirs enfouissait son nez dans sa manche pour ne plus sentir la puanteur ammoniaquée et se recroquevillait sur lui-même. Yeux fermés poings serrés lèvres scellées.

Après ils arrivaient. Il les entendait. D'abord les moteurs au fond de la vallée ensuite les voix sonores. Des voix d'hommes qui descendaient des voitures et des pick-up. Parfois d'un tracteur. Certains venaient à pied.

Ils s'étaient récurés avant jusqu'à s'irriter la peau et apportaient à manger et à boire. Chemises amidonnées et bottes de travail cirées à la salive. Certains restaient toute la nuit. Parfois même un week-end entier.

Ils débarquaient avec leurs bidons en plastique remplis de cidre ou de bière artisanale avec leurs jambons et leurs cartouches de cigarettes et ils faisaient la fête. Quatre hommes six hommes huit et plus encore.

Des hommes venus de l'autre côté des Dales.

Des journaliers. Des cueilleurs et des lieurs. Des carriers. Des porchers.

Des hommes mariés des célibataires des vieux. Des jeunes aussi.

Et des garçons qu'il reconnaissait parce qu'ils étaient dans son école. Des plus grands mais qui avaient trois quatre ou cinq ans seulement de plus que lui.

Il en était venu à haïr les poules.

Il détestait leur tête toujours en mouvement leur regard vide fixé sur lui leur bec émoussé à force de picorer le sol et le gravier. Leurs petits yeux ronds bordés de rose et leurs caquètements incessants. Foutues bestioles.

Et toujours plus de voitures de camions et de tracteurs. Toujours plus de portières qui claquaient. D'hommes qui saluaient leurs copains perdus de vue depuis des lustres.

Des vieux des jeunes. Des bidons en plastique et des bouteilles de cidre entrechoquées. Du tabac et des rires. Des glaviots crachés dans la cour.

Des jets de pisse contre les portes de la grange.

Elle s'activait toute la nuit et encore le matin. Sa mère.

Quatre hommes six hommes huit. Des conducteurs de troupeaux des ouvriers des laitiers.

Alignés et hilares. Ivres et prêts.

Toi le resquilleur retourne prendre ta place dans la file. Bon. Suivant ?

Et le lendemain il y avait de la viande et il y avait du lait et il y avait des bûches et de l'argent pour la cantine et des bidons de cidre vides partout autour de la maison et aussi des bouteilles de bière vides et du foin pour le cheval – beaucoup de foin – et sa mère endolorie éreintée passait toute la journée à se reposer en silence et lui – lui il était obligé de trimer encore plus dur de nettoyer les cochonneries d'aller chercher de l'eau de ramasser les œufs et tout. Le pull maculé de fientes et des plumes de picoreuses coincées dans les cheveux il arpentait la cour sillonnée de traces de pneus. Les traces de toutes ces allées et venues.

C'est une fille. Disparue. Une adolescente.

Brindle déchante lorsqu'il entend le briefing d'Alan Tate. La poisse. Encore une petite fugueuse pourrie gâtée qui pique sa crise parce qu'on l'a privée d'argent de poche. Il connaît la chanson. Il sait déjà qu'il ne s'agit pas d'un meurtre. Il ne devrait pas avoir à prendre cette enquête en charge. Pas lui. Pas James Brindle. Il sait qu'il vaut mieux que ça qu'il gaspille ses talents sur ce genre d'affaires qu'il se fiche complètement de ce genre d'affaires.

Tate est à son bureau mais refuse de détacher les yeux de son ordinateur portable.

Où ? demande Brindle.

Son supérieur lui tend la feuille de mission. Il la prend.

Là-haut dans les Dales. Vue pour la dernière fois alors qu'elle se dirigeait vers la lande.

Ce n'est pas dans mes attributions.

Vous bossez à la Chambre froide. Vous n'avez pas d'attributions spécifiques.

Brindle regarde la feuille et soupire.

Où exactement dans les Dales ?

Qu'est-ce que ça peut faire ? Dans les Dales. Au fin fond de la cambrousse. C'est partout pareil là-haut. Y a que des crottes de mouton et de la pluie. On a été appelés et je vous y envoie. C'est tout ce que vous avez besoin de savoir.

Brindle le considère sans piper mot.

Que voulez-vous dit son supérieur il faut bien se contenter de l'ordinaire de temps en temps. Je n'ignore pas que vous adorez patauger dans le sang jusqu'à la taille mais ce boulot ce n'est pas seulement des torses décapités ultra-médiatisés et des cadavres de célébrités mineures. Même pour quelqu'un comme vous.

Enfant déjà Brindle avait un côté étrange et pas seulement à cause de sa tache de naissance. L'obscurité le fascinait. Il aimait tirer les rideaux et lire à la lumière de sa lampe électrique. Surtout des romans policiers des récits de crimes et d'horreur. Alors que les autres lisaient de préférence des bandes dessinées de science-fiction ou des romans de fantasy – quand ils lisaient – lui était entré dans l'adolescence en ayant dévoré tous les ouvrages sur l'Éventreur du Yorkshire la Panthère noire et les Meurtriers de la lande ; il avait parcouru tous les articles sur le vrai Hannibal le Cannibale sur Dennis Nilsen sur le Meurtrier au bain d'acide et sur les Tueurs du rail. Tous. C'étaient les mythes de la Grande-Bretagne ; les crimes populaires commis dans l'ombre par des gens ordinaires et devenus ensuite légendaires. Les secrets déterrés.

Je sais réplique Brindle. Mais là ce sera du temps perdu.

Vous ne pouvez pas en être sûr.

Je le sens. Et croyez-moi j'ai du nez.

Vous n'êtes pas brillant au point de refuser les affaires simples.

La Chambre froide a été conçue pour ça ?

James Brindle agite la feuille sous le nez de son chef.

La Chambre froide a été conçue pour permettre de résoudre les crimes plus rapidement et de manière plus efficace en utilisant au besoin les technologies de pointe déclare Tate. Pour adapter le travail d'enquête au vingt et unième siècle. Je ne vous apprends rien. On est les connards privilégiés que tout le monde déteste. Ou faut-il que je vous flatte pour vous faire accepter cette mission ? Ai-je besoin de vous dire encore une fois que la Chambre froide est réservée aux meilleurs d'entre les meilleurs et que James Brindle tient le haut du pavé que c'est l'homme à suivre celui qui est promis aux plus hautes fonctions ? C'est ça que vous voulez ? Que je vous lèche le cul ? Avec le balai que vous vous trimballez là-dedans ça va pas être de la tarte.

Brindle regarde la feuille.

C'est une fugueuse.

Eh bien retrouvez-la. Vous avez peur de quoi ? De patauger dans la boue ?

Vous feriez mieux d'envoyer des agents parce que ce n'est pas un meurtre. Je ne travaille pas sur ce genre d'enquête.

Écoutez dit Tate. Je veux juste que vous fassiez un saut là-haut afin d'évaluer la situation. Vous n'en aurez que pour une journée. Deux maximum. Mettez la main sur cette gamine où qu'elle soit et bouclez-moi ce dossier pour que les parents sachent s'ils doivent se préparer à une joyeuse réunion de famille à Noël ou au pire moment de leur existence. Vous aurez droit à une médaille en contrepartie et à un beau petit cadavre bien suintant pour le nouvel an.

Je pars maintenant ?

Sur-le-champ.

*

Plus tard chez lui Brindle saisit le dernier couvercle et le place délicatement sur la boîte contenant riz et légumes cuits à la vapeur encore tièdes. Après avoir appuyé dessus pour le fermer il pose la boîte sur les autres dans le sac. Y ajoute deux bouteilles d'eau minérale prises dans le frigo. Sort du placard des sachets de fruits secs – canneberges raisins de Corinthe et abricots – et les coince au creux de son bras tandis qu'il réfléchit un instant en fronçant les sourcils. Finit par ouvrir un autre placard pour y prendre une boîte de thé Earl Grey et un passe-thé boule. Et un petit verre à thé. Et sa cuillère – celle dont il se servait déjà étudiant ; celle qu'il doit absolument utiliser sinon le breuvage risque de l'empoisonner ou alors il aura un accident de voiture ou encore le monde disparaîtra après d'immenses éruptions de lave en fusion suivies par des épidémies et la pestilence.

Il emballe le tout dans du papier journal et l'ajoute au contenu du sac qu'il tapote légèrement pour s'assurer que rien ne peut se renverser ni se briser.

Le reste du lait de soja dans la brique au frigo termine dans l'évier et Brindle ouvre le robinet pour en éliminer les dernières traces. Il y a aussi des légumes dans le bac. Brocoli et asperges. Patates douces. Ils devraient se conserver. Il va chercher les plantes sur le rebord de la fenêtre les place dans l'évier et les arrose.

Il se dirige vers sa chambre et s'arrête sur le seuil. Balaie du regard la pièce puis éteint la lumière la rallume et l'éteint de nouveau. Huit fois de suite. Un nombre pair. Il faut que ce soit pair. Pair c'est carré c'est divisible c'est tout en angles et en lignes droites.

Dans la cuisine il vérifie que le bouton de la gazinière est éteint. Il l'est. Il le rallume et le ré-éteint pour en être bien certain. Répète la manœuvre huit fois. Huit c'est un nombre pair. Un nombre pair c'est carré c'est bien. Huit c'est bien aussi parce que huit plus huit égale seize et huit fois huit égale soixante-quatre. Six plus quatre ça fait dix. Un nombre pair. C'est bien. C'est carré. C'est bien.

Il saisit le sac de provisions et va le poser près de la porte à côté de sa valise. Procède ensuite à une rapide inspection de chaque pièce. Y jette un bref coup d'œil sans trop savoir ce qu'il cherche. Des anomalies peut-être. Des oublis. Il se déplace dans l'appartement en même temps qu'il le sent se déplacer à travers lui. Sa respiration s'accélère à présent. Dehors. Il sera bientôt dehors.

Revenu devant la porte d'entrée il l'ouvre et regarde à l'extérieur mais décide soudain de revérifier la gazinière. Il presse l'interrupteur à huit reprises avant de s'assurer que le robinet de l'évier est bien fermé. Pour peu qu'il goutte pendant son absence et que les plantes bloquent la bonde il pourrait y avoir une inondation. Pour peu qu'il y ait une fuite de gaz tout pourrait sauter.

S'il laissait une lumière allumée un coin de rideau replié une lampe mal orientée le téléviseur en veille ses CD et ses disques pas rangés ou ses chaussures mal alignées alors l'univers tout entier risquerait de sombrer dans l'anarchie. Et s'il ne devait jamais revenir que révélerait de lui cet espace abandonné ?

Brindle marche vers la porte et balaie du regard le vestibule.

Il sera de retour demain.

Il s'en va.

2

Des coups à la porte. Des bruits de pas et de voix derrière la maison.

Quelqu'un crie son nom.

Rutter. T'es là Steven Rutter ?

Il est à l'étage. Il jette un coup d'œil en bas et voit une silhouette mettre une main en visière pour regarder par la fenêtre de la cuisine à l'arrière. Il n'y a qu'une personne mais il entend deux voix. Un brouhaha. Son nom répété à plusieurs reprises : Steven Rutter. Il ne lui paraît pourtant pas familier – comme si les visiteurs cherchaient quelqu'un d'autre. Un homme qu'il a vaguement connu autrefois.

Il descend et va ouvrir. Sa carabine à la main.

Tu vas commencer par me poser ça.

C'est son plus proche voisin. Ce foutu Ray Muncy. Muncy et un policier en veste de haute visibilité.

Steven Rutter ? demande ce dernier.

Évidemment que c'est Steven Rutter réplique Muncy.

Qu'est-ce que vous voulez ?

D'abord que tu poses ton arme répète Muncy.

D'accord.

Rutter se détourne et appuie la carabine contre l'encadrement de la porte.

Agent Temple se présente le policier. J'espère pour vous que vous avez un permis.

Il est réglo Jeff dit Muncy. Ce tromblon est aussi vieux que les collines. Regarde bien. Il l'a depuis tout gosse.

À l'adresse de Rutter il ajoute : Notre Melanie a disparu. Tu l'as vue ?

Rutter fait non de la tête.

T'es sûr ? Tu l'aurais pas aperçue en te baladant ? Elle était avec le chien. Sur les hauteurs peut-être ?

Non.

Vous êtes sorti aujourd'hui ? intervient Temple.

Ouais.

Où ?

Rutter hausse les épaules.

Je me suis occupé des picoreuses.

Le policier scrute l'intérieur de la maison.

Des quoi ?

Des poules traduit Muncy.

Vous vivez tout seul ici ? interroge le policer.

Bien sûr qu'il vit tout seul répond Muncy. Tu le sais très bien Jeff. C'est Rutter.

C'est à lui que j'ai posé la question.

Ouais dit Rutter.

Ça ne vous dérange pas qu'on jette un coup d'œil ?

Rutter hausse de nouveau les épaules et s'écarte.

Temple entre. S'arrête pour examiner la carabine. L'effleure puis se dirige vers la cuisine. Muncy sur les talons.

Écoute Steve elle n'est pas rentrée de la journée explique Muncy. Je ne serais pas monté chez toi si ce n'était pas grave. Ça ne lui ressemble pas. Je me fais un sang d'encre.

Vous me soupçonnez ? lance Rutter.

De quoi ? réplique Temple.

De ce que vous soupçonnez.

Qui vous a dit qu'on soupçonnait quelque chose ? rétorque l'agent. Vous êtes toujours aussi méfiant ? Il est toujours aussi méfiant Ray ?

Un flic va arriver de Londres Steve déclare Muncy.

Alors pourquoi vous avez besoin de moi ?

Ils sont tous les trois dans la cuisine à présent. Le policier examine un angle du plafond.

C'est quoi là-haut ? demande-t-il. Un nid ?

Ouais répond Rutter. Celui d'un troglodyte.

Il niche dans la maison ?

Ben ouais c'est ce que j'ai dit.

Et comment il fait pour entrer et sortir ?

Par le haut de la porte explique Rutter en montrant l'endroit. Là où c'est tout pourri.

Temple se tourne vers la porte de derrière.

Et ça ne vous dérange pas ?

Pourquoi ça me dérangerait ?

À cause des chiures partout dit le policier.

Un tressaillement agite la lèvre supérieure de Rutter qui garde cependant le silence.

Temple secoue la tête marmonne bon Dieu puis longe le couloir jusqu'au salon à l'avant. Il doit se baisser pour ne pas se cogner la tête contre l'épais linteau de pierre en franchissant l'ouverture dépourvue de porte. Rutter lui emboîte le pas. Suivi par Muncy. Le policier s'approche de la fenêtre et passe un doigt sur le carreau crasseux.

Chouette vue j'imagine. De jour. À travers des vitres propres.

Rutter se tait toujours.

Je parie qu'on aperçoit ta baraque d'ici Ray ajoute Temple. Putain qu'est-ce que ça schlingue.

*

Les effectifs squelettiques ne savent pas trop sur quel pied danser.

En général les rôles sont bien établis mais la quantité de piquette éclusée n'est pas encore suffisante pour balayer les inhibitions professionnelles et estomper les frontières même si elle a déjà permis à certains de dénouer leur cravate et de monter le son de la radio. Les incidents regrettables surviendront plus tard dans la soirée.

C'est la saison des fêtes. La soirée organisée pour une force de travail démoralisée par les coupes budgétaires imposées à un journal agonisant.

Ils ne sont même plus assez nombreux pour partager leurs griefs ou faire des tentatives de drague car le *Valley Mercury* est en pleine déroute et pour compléter une équipe réduite à une demi-douzaine de salariés n'engage que des pigistes à temps partiel – principalement des secrétaires de rédaction et des maquettistes. La fabrication est aux mains d'une diplômée désespérée et de deux vieux briscards ayant renoncé à leur retraite après avoir fait toute leur carrière dans les bulletins d'information du Women's Institute ou la revue destinée aux membres du National Trust ou encore les gratuits que les facteurs sont payés pour fourrer dans les boîtes aux lettres. La plupart des collaborateurs n'habitent même pas la vallée et viennent en voiture depuis leurs lointaines banlieues. Récemment ce sont des stagiaires qui ont fourni des articles. Les anciens contacts n'existent plus et le média se meurt ; on chuchote que la presse papier est finie.

Ils ont envoyé à l'impression une heure plus tôt aujourd'hui. Le pot annuel de Noël – quatre caisses de vin tiède et des bâtonnets de fromage ; Classic FM à la radio – a commencé. Dennis Grogan a pioché dans la caisse commune.

On est le 22 décembre.

Au fond de la pièce un téléphone sonne. La directrice de la fabrication Anne Byron répond puis brandit le combiné en balayant la salle du regard.

Roddy ? Je crois que c'est pour toi.

C'est quoi ?

Peut-être quelque chose.

Il soupire et marmonne : Fait chier.

Quand les choses s'étaient dégradées pour lui à Londres Roddy Mace avait écumé le marché du travail. Envoyé son CV à des dizaines de journaux et décidé de prendre la première offre qui se présenterait. À condition qu'il s'en présente une.

On lui avait proposé un poste de titulaire dans les Dales ; une place inattendue dans une petite ville reculée. Apparemment l'expérience acquise dans un tabloïd comptait encore. Avait-il jamais entendu parler de cette région ? Il ne s'en souvient plus. Ce qu'il savait en revanche à l'époque : le salaire qu'il toucherait au *Valley Mercury* serait moitié moins élevé que celui auquel il était habitué à Londres mais les loyers seraient plus modérés et – du moins l'espérait-il – la pression aussi.

De l'air pur. C'était ce qu'il lui fallait. De l'air pur et un boulot pépère.

Le travail et la faune de Soho l'avaient laminé en l'espace de dix-huit mois. Avaient fait de lui une loque. La machine à broyer londonienne avait bien failli le bousiller corps et âme et il s'était dit que ce changement constituerait une parenthèse bienvenue dans sa vie. La sobriété et des aventures sexuelles moins fréquentes seraient bénéfiques et lui donneraient une chance de poursuivre le roman qu'il écrivait. Oui. Il se retrouverait et se ressourcerait. Oui. Peut-être en profiterait-il pour dissimuler ses frasques passées et se réinventer légèrement. Oh oui.

À Londres il avait touché le fond mais là-bas il bosserait la journée et s'attellerait à son roman le soir. Ferait des promenades dans les collines le week-end pour s'éclaircir les idées et se remettre en forme. Mènerait une existence plus saine et tout et tout. S'accorderait ainsi un répit de quelques mois puis penserait à la prochaine étape. Dans la capitale il était considéré comme le blaireau du Nord qui avait eu un coup de pot mais là-haut dans les Dales il pourrait devenir qui il voulait. Il retrouverait ses repères à la campagne se disait-il sans trop y croire et ferait un retour triomphal. Il était encore jeune. Il avait juste besoin d'attendre que la niaque revienne.

Il avait accepté l'offre du *Mercury* et à peine jeté un coup d'œil à son roman depuis.

Il prend l'appel. Tient d'une main le téléphone de l'autre le verre de piquette tiède.

Allô ?

Roddy ?

Oui.

C'est Les à l'appareil.

Les Bunker. Un de ses nouveaux copains de biture au Magnet. Couvreur de son métier et buveur invétéré.

Salut Les. Ça va ?

J'ai peut-être un truc pour toi.

Je suis au pot de Noël là.

T'es pas intéressé par un tuyau alors ?

Bien sûr que si. Plutôt deux fois qu'une.

56

Je viens d'apprendre que la gosse de Ray Muncy a disparu.

Ray Muncy ?

C'est ça. Il habite là-haut au milieu de nulle part et il a pas mal de fric. À une certaine époque il faisait partie de tous les comités de toutes les commissions. Des conneries comme ça.

Oui j'ai entendu parler de lui.

C'est un chieur qui se croit supérieur à tout le monde. En attendant c'est un sale coup pour lui.

Vas-y je t'écoute dit Mace.

Sa gamine Melanie est pas rentrée chez eux et les flics sont à sa recherche.

Ça fait longtemps ?

Suffisamment pour qu'ils prennent ça au sérieux à en juger par le nombre de gyros qui sont montés chez lui. Je suis étonné que tu les aies pas vus passer.

Je suis toujours au bureau. Quel âge la gamine ?

Je sais pas. Quatorze ou quinze ans je dirais. J'en suis pas sûr. Ils l'ont envoyée en pension. Elle était revenue pour les vacances.

Elle a disparu depuis combien de temps ?

Tôt ce matin.

Donc ce n'est pas encore officiel ?

Je saurais pas te dire.

Comment t'es au courant ? demande Mace.

Notre copine vient de croiser Sheila.

Et elle c'est qui ?

Sheila Laidlaw. Sa cousine. Celle qui tient le bureau de poste là-haut.

Et ?

Et rien Roddy. À toi de voir. Fait un froid de canard noir comme dans un four y a une couche de neige pas possible et une gosse a disparu en allant se balader sur la lande. Ils ont lancé les recherches et tout. Qu'est-ce qu'il te faut de plus ?

Tu ne m'avais pas parlé de la lande.

Je t'en parle maintenant.

Peut-être qu'elle s'est juste perdue ? Qu'elle était partie rejoindre son petit copain ?

J'en doute Roddy. Je suis pas flic mais crois-moi les gens du coin se perdent pas là-haut. Y a que les crétins qui se paument. Ça grouille de flics et Ray Muncy pète un câble.

Mace soupire.

D'accord Les. Merci pour l'info. Je te dois une pinte.

Ou deux.

D'accord.

Écoute Roddy peut-être qu'elle va bien mais peut-être qu'on va la retrouver morte. Tu sais comment c'est là-haut en pleine tempête.

OK Les.

*

Il n'y a qu'une chaise alors ils sont tous les trois debout. Rutter Muncy et Temple. Des photos sont accrochées aux murs. Des médaillons de harnais aussi. Tout est poussiéreux. La cheminée n'est qu'une explosion de noir sur le mur du fond. Une bouche grimaçante pleine de suie. L'agent Temple tord le nez.

C'est quoi cette odeur ? demande-t-il.

Rutter hausse les épaules en signe d'ignorance. Le policier se tourne vers Muncy.

Ray ? Qu'est-ce que t'en penses ?

Ça sent pas bon c'est sûr. Je dirais que c'est un truc plus que mûr.

C'est infect déclare Temple. Vous ne sentez pas ? demande-t-il à Rutter.

Ben non je sens que dalle répond Rutter. J'ai pas d'odorat.

Sérieux ?

C'est vrai confirme Muncy.

Comment ça se fait ? interroge Temple.

C'est arrivé après des chocs à la tête quand j'étais gosse.

Ah bon ? Qu'est-ce qui s'est passé ?

Une fois je suis tombé d'un arbre. Et une autre fois d'un toit. J'ai perdu mes tifs et mon odorat. Les tifs ont repoussé. L'odorat est pas revenu.

Vous pouvez vous estimer heureux parce que ça pue autant qu'une poubelle pleine de barbaque avariée. Faudrait aérer.

Arrête tes conneries Jeff intervient Muncy. Melanie a disparu.

Vous êtes bien sûr de ne pas l'avoir vue ? demande le policier à Rutter. Dans les un mètre soixante. Cheveux châtains.

Je sais à quoi elle ressemble déclare Rutter.

Comme Ray m'a dit que vous étiez toujours en train de rôder dans le coin j'en déduis qu'il y a de bonnes chances pour que vous ayez remarqué quelque chose.

Comment ça rôder ?

Rôder oui. Là-haut. Comme un type pas net.

Rutter garde le silence.

En tout cas je suis certain que d'ici il a une vue plongeante sur l'arrière de ta baraque Ray insiste Temple.

Possible.

Mon chef Roy Pinder dit que vous êtes réglo mais moi j'en suis pas si sûr poursuit l'agent.

Quel rapport avec Pinder ? lance Rutter.

Tout ce qui se passe dans cette vallée a forcément un rapport avec Roy Pinder affirme Muncy. Tu devrais le savoir depuis le temps.

Vous ouvrez toujours la porte avec un flingue à la main ? reprend le policier.

Seulement quand on tape dessus comme un sourd répond Rutter.

Vous chassez ?

C'est pas un crime.

Qu'est-ce que vous chassez ?

Les nuisibles.

Genre ?

Tout et rien.

Vous braconnez ?

Non.

Qu'est-ce que vous avez fait de vos foutus meubles ?

Quels foutus meubles ?

L'agent est incrédule.

Quels foutus meubles répète-t-il. Ceux qu'on utilise pour s'asseoir pauvre tache.

Rutter se raidit sous l'insulte et soutient le regard du policier planté dans son salon.

La chaise là ça suffit pas ?

Elle a connu des jours meilleurs observe le policier. Comme votre baraque d'ailleurs.

Y a rien qui cloche avec ma baraque.

Vous êtes complètement barré. Il est complètement barré Ray.

Il est comme ça Jeff. La ferme était différente du temps de ta mère – pas vrai Steve ? T'as pas trop l'habitude de t'en occuper seul voilà tout.

Rutter hausse les épaules et cherche son paquet de tabac.

Et pour les bâtiments derrière ? demande Temple.

60

Ben quoi ? dit Rutter.

Permettez qu'on aille jeter un coup d'œil ?

Faites comme vous voulez.

Un silence.

Pas de femme ? interroge Temple.

Rutter renifle bruyamment ravale des glaires et fait non de la tête.

Quand Muncy consulte sa montre Rutter la regarde aussi. Elle est grosse. Trop grosse pour le poignet de son voisin.

Vous n'avez jamais été marié ? poursuit Temple.

Un muscle tressaille près de l'œil de Rutter.

Le célibataire le plus convoité de la vallée hein ?

Rutter se contente de le dévisager.

Alors qu'est-ce que vous foutez de vos journées ?

Doucement Jeff intervient Ray Muncy. Il t'a répondu. Ça ne nous mènera nulle part.

Je cultive mes terres marmonne Rutter. Ça se voit pas ?

Ah oui ? Et vous cultivez quoi ?

Des noix de coco.

Vous voulez jouer au plus malin ? Il veut jouer au plus malin Ray ?

Je te l'ai dit Jeff il est comme ça. Et tu lui poses des questions idiotes.

Rutter allume une cigarette.

Un autre silence s'ensuit. Rutter souffle la fumée avant de s'adresser à ses pieds.

Elle a quelqu'un ? marmonne-t-il.

Quoi ? demande Temple.

Ta fille Ray – elle fréquente quelqu'un ? Un gars je veux dire.

Non déclare Muncy. Pas que je sache. Elle n'a que quinze ans.

Vous croyez qu'on n'y a pas pensé ? lance Temple. Et puis c'est moi qui pose les questions pas vous Norman Bates.

Des fois les filles font n'importe quoi ajoute Rutter.

Pas elle rétorque Muncy. Pas notre Melanie. Non.

Ils demeurent de nouveau silencieux quelques instants.

Vous auriez peut-être intérêt à fouiller la lande suggère enfin Rutter.

On a déjà… commence Muncy qui se reprend aussitôt et pointe un doigt sur Rutter. J'espère pour toi que t'as rien à voir avec ça Steve. C'est pas des paroles en l'air. Sinon crois-moi je creuserai moi-même ta tombe.

*

Brindle se faisait déjà une idée assez précise de la situation. Depuis qu'on lui avait remis le dossier contenant la photo de la fille et les informations sur sa famille. Ainsi que des indications sur la dernière fois où on l'avait vue vivante et d'autres renseignements.

Il n'imaginait que trop bien comment allaient se passer les choses. Ces bouseux de flics avaient dû se contenter du strict minimum. Ça au moins c'était une certitude. Une enquête au porte-à-porte et à la rigueur une battue sur la lande. Ainsi qu'une vérification auprès des gares ferroviaires et routières les plus proches. Autant d'actions purement symboliques destinées à rassurer les proches.

Mais ils n'avaient sans doute rien fait d'autre. Rien qui dépasse le cadre de la procédure standard. Il était d'ailleurs prêt à parier qu'ils avaient bousillé l'affaire au cours des premières vingt-quatre heures cruciales. Ces types-là – les enquêteurs affectés à l'affaire Muncy –

vivaient encore au siècle dernier. Il suffisait de lire les notes entre les lignes pour le comprendre.

Il avait rencontré quelques-uns de ces culs-terreux au cours de sa carrière. Des purs produits du nord du Yorkshire. Le genre à ne jurer que par la bière artisanale et les parties de golf. Des reliques ; les ultimes représentants de l'espèce. Comme les meurtres étaient aussi rares que les bons steaks là-haut dans les Dales les flics se la coulaient douce quand lui-même faisait des cauchemars à propos d'affaires qui leur auraient donné des cheveux blancs.

Voilà pourquoi ils avaient demandé de l'aide. Et pourquoi il se retrouvait maintenant dans un réduit à peine plus grand qu'un cercueil au-dessus d'un pub cradingue où il allait devoir aller à la pêche aux infos sans rien d'autre qu'un ordinateur portable un téléphone un maigre dossier de notes et affronter la perspective d'un dîner composé de dinde froide suivi d'une nuit à batailler avec la multitude de ses démons. Et merde. Noël c'était bon pour les autres. Et merde.

*

Alors qu'il remonte vers la lande dans le noir il songe que déjà à l'époque – des années plus tôt bien avant toutes ces histoires d'Internet – l'Odeon X était l'un des derniers cinémas du genre dans le nord de l'Angleterre. Un vestige. Un anachronisme. Un endroit pour les hommes englués dans un passé sordide. Des hommes comme lui.

Des hommes pas tout à fait finis ni capables d'avoir un comportement normal.

Une fois par mois il faisait ce pèlerinage à la Mecque de la chair. Tous les mois et toujours un samedi. Un samedi de répit loin de la ferme.

Le samedi on pouvait rester toute la journée. Il y avait de l'action. Ça permettait d'atténuer un peu la solitude et d'évacuer en partie la tension. D'oublier. Ça leur permettait à tous d'oublier.

Il avait vingt ans la première fois où il y avait mis les pieds. Moitié moins qu'aujourd'hui. Il était tellement jeune alors. Tellement ignorant.

Un jour entier loin des seaux de grain des pelletées de fumier des eaux grasses du lisier de l'ensilage du braconnage et de la chasse. C'était l'une des promesses de l'Odeon.

Il ne se laissait jamais distraire une fois arrivé en ville ; il n'avait même jamais envisagé d'aller ailleurs. Rien d'autre ne l'intéressait ni les magasins ni les galeries marchandes ni les parcs. Non. Pas lui. Oh non. Pas là-bas.

Il connaissait le trajet le plus rapide pour descendre des hautes terres jusqu'au parking le plus proche du cinéma et il s'y garait invariablement. Il connaissait le tarif horaire et le chemin le plus court pour rejoindre l'Odeon à pied en passant par les petites ruelles. Il ne s'en écartait jamais. Et il n'en avait jamais parlé à sa mère.

Tout en marchant il se plonge dans les souvenirs de ces années-là.

Quand il fallait être membre.

Une fois inscrit on recevait une carte plastifiée à son nom et les films projetés à l'intérieur étaient des productions importées montrant des corps-à-corps sur grand écran. Les sons – les halètements et les gémissements – étaient amplifiés et les lumières toujours tamisées pour créer une atmosphère irréelle comme dans un rêve et les sièges rabattables en velours avaient été rachetés en un seul lot à l'un des anciens vrais cinémas de l'autre

64

côté de la ville quand il avait fermé – l'Alhambra peut-être ; ou le Rex. Ils étaient usés et élimés. Constellés de taches indélébiles.

Il y avait des box dans le fond à l'époque et la salle n'était jamais nettoyée – seulement aspergée de désodorisant bon marché deux fois par jour.

Parfum fraise chimique.

L'entrée coûtait cinq livres et le thé était gratuit mais il fallait payer pour les sodas.

L'Odeon X était un endroit pour les hommes. Des hommes comme lui. Accros au porno.

Des solitaires des frustrés des refoulés.

Et aussi des hommes qui s'habillaient en femmes.

Un endroit pour regarder rôder et se branler dans le noir. Il s'y était tout de suite senti à l'aise. Il était devenu un habitué. Et c'est ainsi que tout avait commencé.

Il avance toujours dans l'obscurité de la lande et lorsqu'il rejoint enfin la fille Muncy il distingue un tintement cristallin semblable aux craquements d'une fine couche de glace. Un bruit léger et assourdi comme des gouttes d'eau tombant sur une roche gelée.

Il écoute et s'accroupit. Le son s'échappe des écouteurs. Il les ramasse et en plaque un contre son oreille. Entend un écho métallique et une voix d'homme qui chante.

L'eau dans le tunnel a verglacé. La vue du cadenas brisé lui révèle qu'il a dû le forcer avant de hisser une nouvelle fois la gamine sur son épaule pour la transporter à l'intérieur. Mais des éraflures sur la surface gelée du sol et de minuscules copeaux de glace semblent indiquer qu'elle a été traînée. C'est à peine s'il se souvient de ce qui s'est passé.

Il espère qu'il neigera encore. Il le faut.

Des choses se sont produites il le sait ou le comprend intuitivement. Se rappelle que galvanisé par l'adrénaline la douleur la peur et le sang il l'a d'abord étendue sur la grille recouvrant le bassin de décantation avant de l'appuyer contre la paroi.

Se rappelle aussi que ses yeux ont mis quelques secondes à s'habituer à l'obscurité.

Et qu'il la croyait morte alors qu'elle ne l'était pas. Mais maintenant elle l'est peut-être.

Maintenant elle est bâillonnée. Ligotée.

Pieds et poings liés.

Entravée et ensanglantée.

Ils sont dans le corridor de béton sous la colline qui descend dans les entrailles du Yorkshire.

Ça fait plus de vingt heures qu'elle est là et l'ecchymose sur sa tempe gonfle à vue d'œil et vire au pourpre. Peut-être qu'elle a aussi des dents ébréchées. Et qu'elle souffre d'une commotion cérébrale. Ce qui est sûr c'est qu'elle a le nez cassé. Elle est vivante mais inconsciente.

S'il y a du sang il ne provient pas uniquement d'elle ; il a lui-même une vilaine coupure à la main. La fille ne saigne pas beaucoup à vrai dire. Elle est enflée – oui. Contusionnée – oui.

Et vivante – tout juste. Il lui semble voir une veine battre sur sa tempe.

On pourrait presque la croire endormie. Oui se dit-il. Il est possible qu'elle soit seulement fatiguée. Comme lui. Un jour ils se raconteront la scène et ils en riront. Oui c'est ça. Dans quelques années quand ils seront en couple ils riront de la façon dont ils se sont rencontrés.

La panique menace. Il s'efforce de ne pas y céder.

Il faut garder les idées claires. Établir un plan précis.

Ce n'était pas censé arriver pense-t-il.

Un plan précis. Les idées claires.

66

Ne pas paniquer.

Bon Dieu.

Ça recommence.

Il fait noir là-dessous il fait froid là-dessous et c'est loin de tout là-dessous. Mais il n'y a pas de vent pas de neige et...

Oh bon Dieu. La panique. Encore.

Respire.

Ils ne sont que tous les deux. Seuls. Un homme et une fille.

Elle a un nom. Il le sait.

Tâche d'avoir l'esprit pratique se dit-il. Oublie les noms et sers-toi de ta cervelle même si tout le monde pense que t'en as jamais eu.

Il a néanmoins bien conscience que la décision a été prise pour lui. Il ne peut pas – absolument pas – la laisser vivre.

C'est exclu.

Impossible.

Quelle idiote pense-t-il. Non mais quelle idiote. Débouler comme ça. Lui tomber dessus sans prévenir ni rien. De quoi vous coller une putain de crise cardiaque. Et tellement jeune avec ça. Une gosse. Une gosse idiote qui n'a rien trouvé de mieux à faire que de se balader sur la lande de flanquer la frousse aux gens dans cette foutue neige par ce foutu froid au beau milieu de ce foutu hiver au lieu de se mêler de ses foutues affaires.

Elle porte une belle veste. Belle épaisse chaude et bien enveloppante.

Et le chien. C'est sa faute. Pourquoi a-t-il fallu qu'il se jette sur lui comme s'il voulait l'égorger ? C'est lui le responsable de tout.

Il considère la fille à présent. La regarde. Se mordille la lèvre. Ils sont tous les deux sous terre et il tend la main vers elle. La touche.

Des gémissements des grognements des échos émanent d'elle. Des sons étouffés qui se répercutent sur les parois en béton de cet espace humide et sombre.

Nom de Dieu. Oh nom de Dieu.

Elle n'est pas morte.

Il joue avec les boutons de ses vêtements.

Et fredonne.

*

Il se revoit à deux ans. À trois ans.

Dans l'abattoir. Dans la cour.

Petit nu assoiffé et trempant un doigt dans un serpentin d'essence arc-en-ciel à la surface d'un résidu de flaque sale.

Y trempant le doigt le remuant puis le goûtant. Avant de tousser et de cracher.

Le soleil d'été tape dur le soleil d'été cogne fort le soleil d'été brûle tout. Il n'y a pas de nuages ni d'ombre ni d'eau fraîche à boire. Un cochon est suspendu par une patte. De grosses gouttes de sang tombent de sa gorge ouverte. S'accumulent sur le sol et forment une mare qui s'étale et stagne. Une large tache rouge virant au noir ronde comme une cible et rendue indélébile par les milliers de quartiers de viande suspendus qui l'ont précédée.

Un autre porc gît sur le couvercle fermé d'un congélateur cassé. La tête séparée du corps semble avoir été abandonnée au beau milieu d'un tour de magie. Le groin est infecté. Deux des pieds ont pourri.

Et il y a les mouches. Arrivées par nuées entières comme si elles s'étaient donné le mot. Elles pondent dans les plaies béantes et tièdes des cochons ; dans leurs poches de chair chaude.

Il se revoit gamin famélique. Se revoit rouler dans la poussière et boire l'eau croupie tant il a soif.

Puis lever les yeux vers la fenêtre derrière laquelle se découpent des silhouettes. Des bruits s'élèvent de la maison.

Des choses chutent se fracassent volent en éclats. Des corps se bousculent et des voix résonnent. Des voix d'hommes et des rires d'hommes. Les fêtes de sa mère.

Il y a un cri aigu puis des vociférations graves puis du verre brisé puis le silence et le soleil d'été tape dur le soleil d'été cogne fort le soleil d'été écrase la cour de ferme bétonnée.

Il en sent la brûlure sur lui. Comme un fouet lui lacérant le dos.

Les chats maigres sont étendus de tout leur long. Les chiens hagards halètent.

Moutons et vaches sont sous-alimentés décharnés pelés. Et les cochons égorgés pourrissent.

Suspendus écartelés démembrés éviscérés. Infectés. Sur leur groin mousse une écume rose ; leurs pieds suppurent.

Et il y a ce goût d'essence dans sa gorge desséchée et aussi ce goût d'une soif inextinguible. Et le soleil.

Ardent. Impitoyable. Flagellant sa peau pâle.

Et la douleur de la solitude se grave à jamais dans la mémoire de Steven Rutter comme une marque au fer rouge.

*

Mace n'est monté qu'une fois au bourg. C'était pour l'une des premières missions confiées par le *Mercury*. On l'avait envoyé passer une matinée assommante au lac artificiel en compagnie du chargé de relations publiques du service des eaux et d'une demi-douzaine de défenseurs de l'environnement et de blogueurs. Il s'agissait d'une réunion en rapport avec des projets d'aménagement encore à l'étude sur lesquels il fallait communiquer auprès des habitants. Un non-événement. En plus ces rapiats n'avaient rien servi à manger ni à boire.

Pour autant Mace n'avait pas eu spécialement envie de quitter cette étendue d'eau noire inquiétante pour redescendre vers le village au pied de la colline. Si la ville voisine était déjà éloignée de la civilisation le village l'était encore plus. Tapi au fond de la vallée il était battu par les vents qui giflaient le lac. Pour lui qui arrivait de la capitale cette immense retenue sombre avait quelque chose d'effrayant. Peut-être à cause des bouquets de roseaux aplatis sur la rive semblables à de gros pains en forme de gerbe. Ou de la brise qui chuchotait à travers les ajoncs. Ou de l'écume crémeuse qui flottait dans les anses peu profondes. Ou encore des touffes de duvet de canard éparpillées à la surface comme après un massacre. Autant d'éléments qui lui étaient apparus comme des signes de mauvais augure en cette première visite.

Arrivé au bourg il se gare et attend. Laisse tourner le moteur met le chauffage et patiente. Alors qu'il frissonne dans sa voiture il se rappelle où il était à la même époque l'année dernière. À Londres. D'abord un déjeuner de Noël à l'Oxo Tower. Ensuite quelques bars. Plusieurs verres. Et de la poudre. Un taxi pour se rendre à l'ouest. D'autres verres. Encore de la poudre ; trop de foutue poudre. Puis plus tard une porte qu'il avait franchie en titubant et des marches qu'il avait descendues d'un pas mal assuré. En dessous du niveau de la rue. Sous les trottoirs. Des ombres et des arches. Des hommes. Des recoins sombres et la puanteur de l'amyle. D'autres portes d'autres marches. D'autres hommes. Peau contre pcau dans des échanges sans paroles. Appétits insatiables de Noël.

Plus tard encore : un autre homme. Un taxi.

Des réverbères défilant derrière les vitres.

Au réveil un rideau miteux inconnu transpercé par le soleil matinal.

Des boursouflures étranges et des vagues de nausée. Le retour habituel à la réalité accompagné de regrets et de dégoût.

Il aperçoit trois policiers qui viennent vers lui. La neige tombe de nouveau dru et il n'est qu'en chemise pantalon et chaussures. Plus une vieille veste en tweed. Il baisse sa vitre et ils semblent surpris de le voir. Soupçonneux même. C'est seulement quand il explique qu'il travaille pour Dennis Grogan que l'un d'eux dit ah oui je vous connais et lui demande ce qu'il veut. Ce qu'il lui faut pour quitter le village.

Des informations répond Mace.

Dans ce métier il est toujours en quête d'informations.

Le policier le regarde. Mace descend de voiture. Les flocons se déposent sur leurs cheveux. Se déposent sur tout. Le bourg est silencieux. Il est presque beau.

*

Larry Lister officier de l'ordre de l'Empire britannique – plus connu sous le surnom de l'Aimable Larry par tous ceux qui ont grandi sous son regard pétillant et promis d'après son agent à être honoré dans les six mois du titre de chevalier (levez-vous sir Larry est devenu son mantra matinal devant le miroir) – quitte le centre commercial que lui-même et un acteur de la série *Emmerdale* – ou était-ce un membre du groupe Black Lace ? – ont ouvert une trentaine d'années plus tôt et s'arrête dans un café Costa où on lui prépare sa commande habituelle : un simple café au lait. Pas de mousse ni de sucre – vous savez bien que je suis déjà moi-même en sucre mesdames dit-il avec un clin d'œil au personnel exclusivement féminin – ni d'arômes ajoutés ni de sirops ni aucune de ces fantaisies italiennes ; juste un bon vieux café au lait tout bête comme il en a toujours bu. Il paie avec un billet de cinq livres et dit à l'employée de garder la monnaie et alors qu'il retraverse le centre commercial tout en soufflant sur sa boisson chaude les passants le saluent de la tête ou de la main et l'appellent par son nom. Hello répond-il à tous. Souriez – et la chance vous sourira.

Il prend le temps de signer un deux puis trois autographes avant de sortir et de monter dans sa Jaguar Type E son café toujours à la main. Il a beaucoup grossi depuis qu'il a abandonné les courses de natation trans-Manche sponsorisées et il doit se tasser dans l'habitacle.

Il attend d'être arrivé sur le périphérique pour tirer sur sa cigarette électronique. Arôme cerise. Il a arrêté le tabac il y a des années au moment de l'interdiction de fumer dans les lieux publics. C'est du politiquement correct poussé trop loin disait-il alors à tous ceux qui voulaient l'entendre. Du politiquement correct qui disjoncte.

Ses cheveux roux renard raidis par la laque d'une bombe d'Elnett grosse comme un extincteur et sa cigarette de substitution coincée entre ses doigts boudinés Larry Lister allume sa stéréo. La musique du CD déjà à l'intérieur jaillit presque à plein volume. C'est *God Bless Tiny Tim* l'album de son vieux copain ; sorti en 1968 chez Reprise Records il contient non seulement son tube « Tip-Toe Thru' the Tulips with Me » mais aussi une version tendre et assez passionnée de « I Got You Babe ». Bien meilleure que l'originale. Larry Lister monte encore le son et prend la direction du nord. Ce bon vieux Tim pense-t-il en roulant vers les Dales. Sacré bonhomme.

Il conduit les vitres ouvertes bercé par le ronronnement du moteur et la voix de Tim susurrant *I got you babe* sur les accords décousus du ukulélé. Alors qu'il quitte la ville et traverse les banlieues les gens le reconnaissent et lui font signe. Même à cette vitesse il lui semble entendre prononcer son nom *Larry Lister* comme un écho qui l'a accompagné toute sa vie. Il le voit se former sur les lèvres des inconnus et agite la main en retour et lève le pouce. Crie : La chance vous sourira.

Le pays de Dieu pense-t-il – voilà où il se rend. Les Dales du Yorkshire. Une pure merveille. Il n'y a rien de comparable dans le Sud. Qu'ils gardent donc leurs Cotswolds. Le week-end quand il va voir de vieux potes là-bas – Fluff Ray et Kenny – il ne se sent jamais à l'aise. Les Cotswolds sont comme un parc à thème pour les riches mais sur les hautes terres du Yorkshire l'isolement et les paysages sauvages existent encore. Il est possible de s'y perdre et c'est ce qu'il cherche depuis toujours.

Il emprunte des routes secondaires et des chemins escarpés qui grimpent à flanc de colline et voit apparaître l'ancienne pinède. Il s'enfonce alors dans le tunnel sombre formé par les arbres jusqu'à son refuge – le cottage d'un bûcheron solitaire – acheté au milieu des années quatre-vingt lorsque sa cote de popularité était au plus haut. À l'époque où il passait en prime time le samedi soir et touchait trois mille livres pour une heure d'apparition en public : inaugurations de supermarchés ou invitations dans les discothèques ou encore éclairage des décorations de Noël dans les villes industrielles du Nord mal en point. Certaines semaines il assurait une bonne dizaine de prestations. Insistait pour être payé en liquide. Trente mille livres pour sourire et fumer des cigarettes – oui les années quatre-vingt l'avaient gâté. Une chance qu'il devait à la Dame de Fer. Cette bonne vieille Maggie.

Il entend le gravier crisser sous ses pneus. Il en a fait répandre sur le chemin parce que le gravier annonce les arrivées imprévues.

Larry Lister se gare va pisser au milieu des arbres – il a toujours pensé que c'était l'un des petits plaisirs de la vie – puis entre dans la maison. À l'intérieur flotte une odeur de renfermé et les rideaux sont tirés. C'est ainsi qu'il aime retrouver le cottage. Une douche un cognac et sa robe de chambre l'aident à se mettre en condition pour profiter du week-end. Après il déverrouille la trappe du grenier et fait descendre l'échelle. Grimpe. Referme derrière lui.

*

Dans sa tête il a eu un frère. Pour un temps du moins.

Un jumeau pour un temps. Une présence si réelle qu'il la sentait en permanence à ses côtés.

Ils étaient les Rutter. Les Gars de la Ferme. Tout le monde ne pouvait qu'aimer les Gars de la Ferme.

Son frère imaginaire s'appelait Mike. Mike c'était un chouette prénom. Un prénom qui sonnait bien. Le prénom de quelqu'un de normal.

Mike et Steve. Ils se ressemblaient comme deux gouttes d'eau.

Un jour ils auraient leur propre émission de télé. C'était ce qu'il imaginait. Ils l'appelleraient les Gars de la Ferme tout simplement.

Il leur en arriverait de belles dans ce programme. Des gags burlesques. Les roues de leur voiture se détacheraient. Des pianos tomberaient des fenêtres et les manqueraient de peu. L'un d'eux balancerait exprès par inadvertance une tarte à la crème à la figure de l'autre. Rien que des farces innocentes. Jamais de méchanceté juste deux frères sympathiques aimant faire rire le public. Les gosses comme les adultes. Ils tourneraient les sketchs à la ferme mais leur mère n'en ferait pas partie. Certainement pas. Dans leur émission elle n'existerait pas.

Et ils deviendraient célèbres les Gars de la Ferme.

Quand ils descendraient à la ville tout le monde les reconnaîtrait. Les gens voudraient leur parler les toucher leur payer des milkshakes avoir un autographe.

Ces deux-là ? dirait-on dans les petites villes dans les grandes et aussi dans les journaux. Des types formidables. Ils ont grandi dans une ferme. C'étaient des porchers. Humbles. Rien de ce qui concerne l'agriculture ne leur est inconnu.

Et maintenant regardez-les à la télé dans les journaux c'est une fille à chaque bras des voitures de sport flambant neuves des piscines de beaux vêtements et des vacances dans des pays exotiques.

Séparément ils n'étaient pas drôles. Séparément ils perdaient leur pouvoir. Steve Rutter seul n'intéressait personne. Steve Rutter seul ne savait pas raconter les blagues ; quand il suscitait des rires c'était à ses dépens.

Puis sa mère l'avait surpris un beau jour en train de parler dans la cour. Elle lui avait demandé avec qui il bavassait comme ça et lorsqu'il avait répondu son jumeau elle l'avait regardé comme s'il était fou lui avait dit qu'il était fêlé et lui en avait allongé une bonne. Avec tant de force qu'elle l'avait mis K-O et pas pour la première fois. Il avait dormi à l'endroit où il s'était effondré dans la cour et à son réveil la nuit tombait son cou lui faisait mal et sa mâchoire aussi. Il n'avait vu le monde qu'en noir et blanc pendant deux ou trois jours et il n'avait plus jamais reparlé à son frère. Du moins pas à voix haute.

Mais Mike était là. Il l'accompagnait à l'époque et se manifeste encore aujourd'hui quand la solitude ouvre en lui un gouffre qui menace de l'aspirer comme l'énorme bonde au fond du lac artificiel fait tourbillonner l'eau avant de l'absorber. Il l'accompagne toujours.

*

La ferme Rutter ou ce qu'il en reste se situe haut sur le versant de la vallée juste en dessous de la lande balafrée. Elle n'a pas d'autre nom que la ferme Rutter. Aucune carte ne l'indique.

Devant le bâtiment le relief descend en pente abrupte jusqu'au village.

Au-delà – derrière – après la clôture qui délimite la propriété familiale il n'y a que la lande et la retenue qualifiée d'ouvrage d'ingénierie audacieux : le plus grand lac artificiel du Nord. Six années pour le creuser et encore une pour le remplir. Une année entière à faire couler de l'eau dans le bassin.

Rutter se souvient du jour où ils ont apporté drapeaux et banderoles et organisé une fête sur la rive. Ils avaient fait venir en car les habitants des villages de l'autre côté des Dales et les avaient encouragés à s'amuser en les bourrant de hot-dogs froids et de jus d'orange tiède. Des photos avaient été prises pour la presse. Une équipe de la télé locale s'était déplacée et avait tourné un reportage avec une jeune journaliste qui avait perdu à la courte paille. Les images diffusées le soir même aux informations nationales la montraient essayant de se faire entendre malgré les grondements du vent tandis que plusieurs familles des Dales en imperméable et le visage inexpressif formaient un demi-cercle derrière elle.

Dans les semaines qui avaient suivi l'inauguration le service des eaux avait organisé des visites guidées de l'ouvrage à but pédagogique et abreuvé les participants de statistiques qui leur passaient au-dessus de la tête. Précisant que la retenue contenait cent millions de litres d'eau et que des doubles turbines permettaient de produire et de stocker de l'électricité. Que l'endroit abriterait une riche faune et flore aquatique dans les années à venir.

On leur avait parlé de conduits de voies d'eau de canaux et d'aqueducs cachés. Il y avait eu des discours vantant les systèmes complexes. Les techniques d'ingénierie de pointe. Les progrès de l'avenir.

Et Rutter se rappelait les photos de la bonde : une sorte d'immense entonnoir d'un rayon de douze mètres. Il se rappelait un vaste trou noir ouvert sur le néant ; des abysses sans fond. Cette vision l'avait à la fois fasciné effrayé et excité. C'était l'image de ce qu'il ressentait en lui.

Aujourd'hui plus aucun bus ne vient se garer près du lac. Le rêve d'un lieu foisonnant de vie n'était que cela : un rêve. Le gel et la pluie ont érodé la route et la gare la plus proche se trouve à quarante kilomètres.

Il n'y a ni boutiques ni cafés ni centre d'accueil pour les touristes.

Pas de camionnettes de glaciers pas de toilettes. Pas d'équipes de journalistes.

Rien qu'une immense fosse remplie d'eau et cernée par la lande. Un petit ponton désolé d'un côté où sont amarrées quelques barques mal entretenues et tachées par les algues. Le vent qui souffle avec violence fait jaillir l'écume qui vient s'ajouter aux pluies quotidiennes s'abattant sur le petit bourg des Dales tapi dans l'ombre au pied de la colline et crée une anomalie météorologique avec des averses de neige fondue au printemps et de la grêle en été.

Il y a néanmoins plus d'arcs-en-ciel ici que partout ailleurs dans le pays. C'était la promesse faite aux villageois en compensation du bouleversement introduit par la retenue d'eau : Vous aurez de beaux arcs-en-ciel.

*

Rutter sort par-derrière. Il plonge la main dans un sac et lance quelques croquettes aux chiens en ordonnant ça suffit les pleurnicheries.

Il longe l'enclos des cochons et les granges puis laisse son regard parcourir la pente jusqu'au bourg et l'aire de stationnement pompeusement appelée la Place.

Une dizaine de maisons la bordent. Derrière il y en a une autre rangée accessible par de petits passages de chaque côté et encore derrière une bonne dizaine possédant de plus grands jardins. Au-delà s'étendent des fermes plus vastes.

Il jette un coup d'œil à droite après la dernière maison du village en direction de la propriété des Muncy. Massive et luxueuse. Voyante. Les briques ne s'intègrent pas du tout dans le paysage. Bien sûr. C'est typique de Muncy.

Parce que Muncy a du fric Muncy est une grande gueule Muncy se croit tout permis. Il s'offre un nouveau 4 x 4 tous les deux ans et se prend pour un seigneur. Il a racheté la moitié de la vallée au fil des ans. Il possède la ferme les pâturages les bois et cette partie de la lande – essentiellement des tourbières – qui n'appartient pas au service des eaux.

Le sentier de randonnée Coast-to-Coast traverse la propriété de Muncy et quand ses nerfs tiennent le coup sa femme à l'air revêche vend des sandwichs et des galettes d'avoine par la porte d'un box et l'été ils ouvrent la prairie derrière qui descend en moutonnant jusqu'à la première cascade. Ce n'est rien d'autre qu'un champ en pente jonché de bouses de vache mais au mois de mai les tentes colorées des randonneurs et des cyclistes de passage y fleurissent.

Muncy a fait installer des toilettes dans ce pré. Il serait même question de tables de pique-nique et d'un dortoir. N'importe quoi songe Rutter.

Et aujourd'hui Ray Muncy a une Merco dans son garage et aussi des quads et deux fois par an il confie la ferme à des remplaçants et part en vacances à l'étranger. Revient bronzé et plus content de lui que jamais.

Tu devrais élargir tes horizons et partir au soleil lui avait-il dit un jour et Rutter lui aurait volontiers expédié son poing dans la gueule. Pour lui faire avaler ses dents.

Mais ce n'était pas la peine. Parce qu'il sait sur lui des choses que personne d'autre ne sait. Muncy peut toujours le prendre de haut participer à tous les conseils d'administration et appartenir à tous les clubs secrets et lustrer sa bagnole tous les putains de dimanches ça n'y changera rien. Ils ont un passé commun. Et Muncy a beau avoir la baraque la bagnole les vacances et le bronzage ce qu'il n'a plus aujourd'hui c'est sa fille. Même si ce n'était pas censé arriver c'est comme ça songe-t-il en marchant.

Et il repense ensuite à ce passé qu'il revisite souvent. Aux nuits interminables dans le cinéma porno parmi les exhibitionnistes. Ceux qui aimaient bien faire le show pour épater les hommes. Les hommes comme lui.

Quand c'était le cas – quand eux-mêmes allaient s'asseoir ensemble au milieu de la salle – les autres rôdaient autour d'eux comme des charognards. Soupirs gémissements et tripotages dans la pénombre. Dans ces moments-là tous étaient égaux. L'obscurité gommait les différences ; les chauffeurs de taxi les travelos les arabes et les vieux cochons – tous n'aspiraient qu'à la même chose : évacuer la pression et s'échapper.

Le silence et l'atmosphère du lieu lui rappelaient ceux d'une église. Ils avaient quelque chose de quasiment sacré. Sanctifié. Après une semaine sur les hautes terres il aimait venir s'asseoir dans le noir tandis que les lueurs de l'écran éclairaient son visage et ceux de tous les spectateurs muets et fascinés.

Outre les deux salles de projection il y avait deux pièces privées dans le cinéma. L'une était appelée la salle des Couples. Dans les deux on diffusait des films en boucle et on y trouvait des canapés des mouchoirs en papier et des poubelles.

Il ne s'agissait pas de productions récentes. La plupart dataient des années soixante-dix et quatre-vingt ; parfois même des années soixante. C'étaient des vieilleries. Des classiques vintage. Bien différents des nouveaux navets californiens aux couleurs vives que Rutter jugeait bruyants vulgaires et gnangnans. Il ne les aimait pas. Trop de peau bronzée et de faux seins.

Il appréciait en revanche les films venus d'Allemagne. Ou de Suède.

De Grande-Bretagne aussi.

Les Danois ne se débrouillaient pas trop mal non plus.

Le X se spécialisait dans le porno hardcore. Images de culs poilus et de grands jets de foutre.

Les trucs normaux – l'image d'un sein ou d'une fesse – on pouvait les voir dans tous les magazines chez le marchand de journaux. Les magazines c'était ennuyeux c'était trop mièvre. Une fois feuilletés ils finissaient au bord des chemins de campagne où était leur place.

Mais les femmes sur l'écran de l'Odeon X lui appartenaient. Toutes jusqu'à la dernière. Depuis le temps il connaissait leur nom leurs façons de faire et chaque centimètre de leur corps. Quand il rentrait à la ferme elles occupaient ses pensées. Elles montaient avec lui sur le tracteur et l'aidaient à pelleter le fumier. Elles réparaient les clôtures avec lui ; elles dormaient mangeaient avec lui et prenaient son parti contre sa mère.

Et chaque samedi il allait s'asseoir sous le couvert de l'obscurité tandis que le jour cédait la place à la nuit et il glissait peu à peu dans une sorte de transe – un état favorisé par un crépuscule artificiel permanent.

Marilyn Caramel. Gloria Scoops. Bambi Bigheart.

Au pensionnat. Cul sec ! Démarcheur au porte-à-porte.

Il les connaissait toutes intimement.

Mitzi Brown. Cathy Dee. Diane Drinkwater.

Leçons de français. Tentation chez les jeannettes. Crosses de hockey en folie.

Tous les titres.

Insatiables. Agent très spécial. Un petit goût de minou.

Il adorait les pornos. Il aimait toutes les filles sans réserve et sans discrimination. Âge couleur de peau grosse ou mince peu importait. Il s'enorgueillissait de ne pas faire de favoritisme.

Parfois dans la salle il déboutonnait sa salopette de travail et se masturbait paresseusement. Prolongeait le plaisir tout un après-midi. Parfois aussi il prenait ses aises et laissait les autres s'occuper de lui.

Il apprenait des choses dans la pénombre de l'Odeon X. Parce qu'il n'avait que vingt ans et personne pour le guider. Pas de frères pas d'amis pas de père. Seulement ce qu'il avait vu des soirées de sa mère ou des animaux de la ferme dans la cour faisant ce que les bêtes font entre elles.

Il les aimait à l'époque toutes ces filles et il les aime encore aujourd'hui même si elles ne sont plus que de lointains souvenirs ; des visages estompés qui remontent au temps de sa jeunesse – avant qu'il soit trop impliqué et que la vie devienne comme une grande cape sombre drapée sur ses épaules.

*

Il se lève de bonne heure en cette veille de Noël. Il a un mal de crâne épouvantable. Avant il lui suffisait de dormir pour faire passer une bonne gueule de bois mais plus maintenant. Quand il était étudiant et au début de sa carrière à Londres Roddy Mace pouvait quitter un lit inconnu après deux ou trois heures de sommeil seulement et arriver en cours ou au bureau à l'heure. Un café un croissant des cigarettes à la chaîne et le tour était joué. Aujourd'hui les gueules de bois le réveillent à l'aube et lui sabordent lentement toute sa journée. Anéantissent l'espoir. Paralysent ses bonnes résolutions.

Il est plus près de trente ans que de vingt mais déjà les gueules de bois lui font l'effet d'une punition. Comme si l'âge d'or des cuites sans conséquence était définitivement derrière lui. C'est sûrement à cause de la bière locale se dit-il. Un breuvage costaud. Brassé pour des fermiers à l'estomac d'acier. Elle descend toute seule ne s'élimine pas et au matin donne l'impression d'avoir été trépané à vif.

Il se douche et passe quelques coups de téléphone pour savoir s'il y a du nouveau du côté de la gamine disparue. Appelle le poste de police local. Ensuite le service de presse au siège dans le nord du Yorkshire. Et aussi un copain qui travaille dans la production à la BBC. *Look North*. Puis il se prépare un œuf à la coque et un café qu'il boit en regardant la neige tomber mollement.

C'est trop tranquille ici. Après des années à vivre parmi les hurlements des sirènes les grincements des portes de bus les vrombissements d'hélicoptères et les cris dans les rues du sud de Londres il trouve étrangement perturbant le silence de cet appartement en étage situé au bout d'une ruelle latérale proche de la place municipale d'une petite ville.

En quittant la capitale il rêvait de vivre sur une péniche. Malheureusement il n'y a pas de canaux dans les Dales. L'ère industrielle des filatures de coton et des mines de charbon n'était pas arrivée jusqu'ici : les reliefs étaient trop accidentés et les villes trop éloignées. La région ne se prêtait qu'à l'élevage des moutons et à la production d'ardoise. Il allume la radio. Slade chante Noël. Ta gueule.

Il saisit son iPod. Iggy.

Sweet sixteen in leather boots.

Mieux mais plutôt le genre de musique à écouter la nuit. Défoncé de préférence. Et dans une grande ville. *Pretty faces beautiful faces. Body and soul I give to you.*

Il cherche des morceaux de folk. Il détestait le folk avant de monter dans le Nord. Le méprisait. Jusqu'au jour où un artiste peintre qu'il connaissait lui avait compilé un CD. Aujourd'hui il est complètement accro à ce courant noir. Comus. Pentangle. Mr Fox. Young Tradition. Des groupes qui font une musique hantée par la mort violente et la misère rurale. Un peu comme ces chanteurs de métal qu'il aimait quand il était ado sur son skate sauf que ceux-là parlent de crimes de chasse de bains de sang de cruauté et d'adultère parfois même sans être accompagnés d'instruments. Ici dans les Dales cette musique prend tout son sens. Dans cet environnement de lande à perte de vue et de fermes isolées elle est au diapason du paysage. Qu'en penseraient ses amis dans les bars et les clubs de Londres ? Il l'ignore. Et s'en fout. Il est ici et eux là-bas. Et la vie s'écoule d'un salaire à l'autre. D'un verre à l'autre.

Il termine son petit déjeuner puis fait le point avec Dennis Grogan. Partage avec lui le peu d'informations qu'il a réussi à obtenir : aucune trace de la fille ; l'hypothèse d'une fugue est improbable. Les scénarios possibles plus sinistres les uns que les autres. On évoque un accident. Un enlèvement. Mais ce ne sont que des rumeurs. Des spéculations.

Paraît que le chien a disparu aussi dit Grogan.

Muncy essaie de pousser les flics à agir. Il a beaucoup neigé cette nuit mais apparemment il n'y avait pas d'empreintes sur les hauteurs.

Tu vas y aller quand même ? demande son patron.

Sûr répond Mace. Je pars dans cinq minutes.

Tâche de recueillir des déclarations. De mettre la main sur quelque chose. Peu importe quoi. Cette histoire va plus loin qu'il n'y paraît je le sens.

Ouais confirme Mace. Moi aussi.

Ils raccrochent.

Mace va chercher sa valise au fond de sa penderie. Rassemble T-shirts pantalons et sous-vêtements puis les fourre à l'intérieur. Il se souvient soudain de la bouteille de whisky offerte par Grogan et s'étonne de la découvrir vidée d'un tiers depuis la veille. Il l'ajoute au contenu du bagage. Il en aura besoin pour affronter un Noël en famille. Il n'a aucune envie de s'entendre demander une fois de plus pourquoi il a renoncé à un super boulot un super appart et une super petite amie imaginaire à Londres ; il n'en a aucune envie parce qu'il ne se l'explique pas lui-même.

C'est le bazar dans son appartement. Il y a des papiers partout. De vieux exemplaires du *Mercury* et des feuillets de son manuscrit froissés et disséminés dans tous les coins. Des tasses de café. De la vaisselle dans l'évier. Tous les signes évidents d'une existence de célibataire. Il consulte sa montre. Ça attendra.

Il s'habille chaudement verse le restant de café dans un gobelet hermétique et sort de chez lui. Il a emporté son iPod qu'il branche dans sa voiture. Pousse le chauffage au maximum. Il lui faut dix minutes pour gratter le givre sur son pare-brise dix autres pour s'extraire de sa place de stationnement et faire le tour du rond-point sur la chaussée transformée en patinoire.

À la sortie de la ville la circulation est ralentie. La neige fraîche craque et crisse sous ses pneus tandis que la route en lacets grimpe à l'assaut de la colline. Il n'y a rien d'anguleux dans le paysage ; tout est arrondi. Les corniches des maisons et le sommet des murets de pierre – tous les reliefs sont adoucis. Comme s'il les contemplait sous l'effet d'un opiacé se dit-il. Il boit son café et le sent dissiper légèrement sa gueule de bois. Les lignes téléphoniques ploient sous le poids de tout ce blanc et le silence lui fait du bien.

Il traverse des hameaux dont les maisons blotties autour de la route s'ornent de couronnes de houx sur la porte d'entrée. Aperçoit des scènes de vie.

Il vérifie l'heure et décide d'abréger sa visite au maximum. Il passera cinq minutes à poser des questions à droite à gauche puis enverra notes et déclarations à Grogan. Ensuite – direction la gare. Noël. La famille. Les obligations annuelles.

Il monte le chauffage. Monte le son.

*

Sa mère était malade depuis peu quand Rutter s'était fait coincer devant le bureau de poste des Laidlaw par Ray Muncy qui voulait lui parler de la ferme. Lui suggérer de tirer profit de sa terre familiale. Un endroit pareil avait-il dit. Tout cet espace. Tout ce potentiel. T'as combien d'hectares là-haut ?

. Rutter avait haussé les épaules grogné refusé de croiser son regard. L'after-shave de Muncy lui piquait les sinus.

Ces pâturages-là sont excellents. Ils pourraient te rapporter un beau paquet de fric Steve. C'est trop grand pour toi tout ça. Tu devrais réfléchir à reconvertir les granges. À construire des bungalows pour touristes. Penses-y. Et si ça ne t'intéresse pas je veux bien te faire une offre.

M'en fous avait répliqué Rutter.

Muncy avait néanmoins enchaîné sur les jardins maraîchers et la rotation des cultures ; sur le prix de l'agneau britannique et les subventions du gouvernement ; sur les aides qu'il était possible d'obtenir pour réparer le toit et les dépendances. Mais Rutter avait hâte de partir aussi avait-il répondu qu'il ne voulait pas d'une intervention du gouvernement. Qu'il n'en avait rien à cirer des randonneurs et des cyclistes parce qu'ils étaient tous dingues à s'agiter comme ça sous la pluie.

Pour finir il avait dit à Muncy que la ferme Rutter resterait en l'état et qu'il serait bien avisé de s'occuper de ses oignons. À aucun moment il n'avait mentionné la clause – celle qui le liait à la propriété jusqu'à ses cinquante ans même s'il voulait vendre avant. C'était l'œuvre de sa mère. Elle l'avait fait inscrire dans l'acte de propriété au cas où elle aurait un problème de santé se retrouverait impotente ou décéderait. C'était son dernier pied de nez. Une malédiction cruelle qu'elle lui avait lancée. Sa conception d'une mauvaise blague. Une revanche sur l'existence même de ce fils. La vengeance de Nichons noirs.

Dans sa jeunesse Aggie Rutter était crainte Aggie Rutter était imprévisible Aggie Rutter n'avait pas la langue dans sa poche. On savait qu'elle avait du mordant. Les hommes s'assuraient qu'elle n'entendait jamais les blagues qu'ils racontaient sur ses mamelles sales ou sa demi-douzaine de dents. Ceux de la vallée continuaient pourtant de venir et quand le lac artificiel avait été creusé pas mal d'ouvriers lui avaient rendu visite aussi.

Parfois elle l'obligeait à regarder. Lui le gamin aux pieds nus. Son Steven. Certains des visiteurs appréciaient la présence du garçon. La réclamaient même.

Ils aimaient avoir un public. Deux frissons pour le prix d'un à la ferme Rutter.

Ouvre les yeux et apprends disait-elle. C'est pareil que pour les vaches dans le pré et de toute façon faudra bientôt que tu saches comment t'y prendre avec les filles.

Le jeune Rutter ne voulait pas regarder mais elle lui collait une raclée s'il refusait. S'il grimaçait ou se détournait. Elle menaçait de le gifler à lui décrocher la mâchoire.

Alors il les regardait avec leur pantalon sur les chevilles et leurs genoux qui craquaient dans la fraîcheur de l'automne. Se branlant et tripotant Aggie Rutter et se tordant pour exécuter d'étranges contorsions et adopter des positions inconfortables. Grognant soufflant suant et même pleurant pour certains tandis qu'ils s'escrimaient sur le gros derrière pâle de sa mère pareil à celui d'une truie à l'abreuvoir.

Elle avait les chaussettes en accordéon sur ses chevilles enflées.

Tous ces hommes. Un sur une meule de foin et deux dans la carrière. Un de chaque côté et un autre qui matait. Dans les bois sur la lande dans la cabine d'une pelleteuse jaune vif.

Le vieux est parti depuis longtemps qu'ils disaient. Y a plus qu'elle le gamin et les cochons retournés à l'état sauvage.

On dirait pas comme ça mais c'est une suceuse de première. Ça peut durer toute la journée qu'ils disaient.

Suffit de se laisser guider par l'odeur de la merde de cochon qu'ils disaient.

Tu peux l'avoir pour un brochet un pull en laine qu'ils disaient. Tu peux l'avoir pour un sac de petit bois.

*

Crimes populaires. Écrits dans la terre. Squelettes.

Autant de pensées qui occupent l'esprit de James Brindle alors qu'il suit la route sinueuse à travers la vallée. Toutes ces choses qu'on enterre. Noirceur des actes accomplis et sang versé mis au secret. Crimes gravés dans la mémoire collective et crimes des gens ordinaires unis dans des mythologies muettes. De celles qui font le folklore de la région.

Il compte les poteaux de clôtures sur le bas-côté puis les cottages et les fermes qu'il voit sur les versants. Il recherche un ordre dans les chiffres et dans cet ordre il espère trouver le silence. Parfois il y parvient. Brièvement. Mais ça ne suffit jamais.

Que d'histoires pourraient raconter toutes ces collines et landes pense-t-il. Chaque vallée est ou a été une scène de crime. Chaque maison trapue en pierre ou carrière désaffectée aujourd'hui envahie par la végétation a été témoin de la violence. Peut-être pas aujourd'hui ni l'année dernière ni celle d'avant mais à un moment ou un autre dans le temps.

On cite parfois Richmond et Ripon dans les journaux. Grassington et Skipton aussi. On peut lire leurs noms dans les magazines et les voir dans l'émission *Countryfile*. Pareil pour Appleby Leyburn ou Hawes mais que se passe-t-il dans les zones reculées entre ces bourgades – les terres oubliées au sommet des collines ou au fond des gorges ?

Noël approche. Une nouvelle fois Brindle se demande si on l'a envoyé ici parce qu'il est le meilleur ou parce que c'est la saison des fêtes. On sait en haut lieu qu'il n'a ni femme ni gosses susceptibles d'être déçus par son absence. Que James Brindle est tellement pitoyable qu'il ne manquera à personne quand tout le monde s'attablera devant la dinde. Et qu'il est assez ambitieux pour ne pas dire non.

On sait aussi qu'il est parfaitement conscient de ce que ça lui rapportera s'il résout l'affaire – et vite.

Il est DS aujourd'hui. *Detective Sergeant.*

DS. C'est une blague qui circule à la Chambre froide : DS pour Dossiers Sordides.

Duplicité des Suspects. Dépouilles au Secret. Disparitions – quoi déjà ?

Il ne s'en souvient plus et s'en fiche parce qu'il ne restera pas DS longtemps.

La route serpente et la vue du paysage le met mal à l'aise. Il tente de compter les flocons mais ça lui donne le tournis.

Il regarde le compteur kilométrique le compteur de vitesse la jauge à essence.

Et de nouveau le compteur kilométrique. Calcule combien de kilomètres il a parcourus – cent un dont la plus grande partie sur des routes secondaires – puis se lance dans des calculs avec le dix et le un. Les additionne. Les multiplie. Joue avec. Cherche des récurrences. Tente d'imposer la rationalité.

Les faits. Les faits sont la religion de Jim Brindle. Il leur voue un véritable culte. Les faits la science et les nombres. Les preuves et les indices. Les déclarations et les phrases. L'ordre.

Et dans cet ordre il essaie de trouver la paix le silence et la finalité mais en vain. Il y a des choses qu'il a vues des bruits qu'il a entendus et des odeurs qu'il a senties dont il ne pourra jamais effacer le souvenir.

Il demeure cependant un retourneur de pierres et ils le savent – eux les pontes qui l'ont envoyé ici. Ils savent qu'il est froid flegmatique pragmatique malgré les expériences traumatisantes vécues lors d'enquêtes passées.

Il compte les plaques réfléchissantes que ses phares font briller. La neige forme à présent d'épaisses congères sur les bas-côtés. Les murets de pierre disparaissent. Quand il tombe sur un nombre qui lui convient il le multiplie par deux par trois par lui-même puis le décompose.

Confrontés à certaines affaires les autres enquêteurs ont tendance à agir de façon irrationnelle. Ils désapprennent ce qu'on leur a enseigné et se mettent à la place de la victime ou de ses proches quand c'est dans l'esprit du criminel qu'il faudrait entrer. Pas question d'oublier les victimes évidemment. Mais il faut devenir le tueur. Demander comment quand où et qui. Le pourquoi est rarement important. Seul le résultat compte. Il est DS aujourd'hui mais il ne le restera pas longtemps. DS. Comme dans Dévastation Sanguinaire. Destinées Saccagées. Détresse Silencieuse.

Il obtiendra bientôt du galon. Sera promu DI. *Detective Inspector*.

DI. Comme dans : Décapitation d'un Inconnu.

Dissimulation d'Inceste.

Détruit à l'Intérieur.

La route en pente déporte la voiture vers la gauche mais ensuite elle s'aplanit et le GPS révèle à Brindle qu'il est au milieu de nulle part. Ce constat lui noue l'estomac alors il recommence à compter et à contrôler sa respiration.

*

Ils avaient beaucoup plus de cochons quand il était petit. Destinés à fournir de la viande du bacon – à finir sous la lame du boucher. Ils étaient une bonne centaine à se bousculer dans les enclos.

Le père de Steven Rutter ne faisait pas partie du décor. Inconnu au bataillon. Il n'avait jamais été là et Aggie Rutter n'avait jamais exprimé de regrets. Elle n'avait le temps de penser qu'aux moyens d'assurer leur survie.

Ce n'était qu'un de ces salopards qui participaient à ses soirées. Elle élevait seule son fils et veillait à ne pas reproduire son erreur.

On racontait pour blaguer que si ces cochons se portaient si bien c'était grâce au père du jeune Rutter. Qu'il leur avait servi de pâture. Déchiqueté mastiqué recraché. Transformé en poussière d'os.

Quoi qu'il en soit la ferme appartenait à Aggie. Rutter c'était son nom. Cette terre était un héritage familial et reviendrait un jour à Steven. Mais pas avant ses cinquante ans. Jusque-là elle le contrôlerait. Le posséderait.

Ils avaient aussi des moutons. Le lait de brebis était une rareté à l'époque mais il avait néanmoins ses adeptes et pendant un certain temps un homme venu de Skipton avait acheté leur production une fois par semaine par bidons entiers. Aggie Rutter vendait aussi la laine quand elle pouvait et lorsque les brebis avaient mis bas et n'étaient plus bonnes à rien l'été venu elle tranchait leur gorge vieillissante et vendait leur viande.

Elle était dure la viande des Rutter. Grise blême nerveuse. De gros gigots en quantité.

Nombreux étaient les clients qui l'évitaient lorsqu'elle apparaissait dans la vitrine du boucher. Ils disaient qu'il fallait la laisser mariner au moins une journée rien que pour la débarrasser de l'odeur.

Aujourd'hui la ferme n'est plus qu'une forme affaissée dans le paysage. Une carcasse toute de poutres pourries et de plaques d'ardoise manquantes. Les squelettes tordus des dépendances en tôle ondulée ressemblent à des cadavres à moitié décomposés émergeant de la terre. Des fantômes de bâtiments ; les tristes vestiges d'une propriété jadis prospère. L'histoire de ses anciens occupants a sombré dans l'oubli.

Rutter l'appelle toujours la ferme mais elle ne remplit plus cette fonction depuis longtemps. Ne subsistent qu'une demi-douzaine de chiens quelques poules et plusieurs pommiers rabougris qui ne donnent des fruits que tous les trois ans à peu près. La chasse le braconnage et l'abattage des arbres accaparent ses journées. Ce n'est pas un lieu où la vie s'épanouit.

Rutter suspend sa chemise de travail à une patère derrière la porte à côté de la laisse. Pose son barda dans la cuisine. Tisonne les braises rajoute du petit bois puis monte dans sa chambre. Déboutonne sa braguette et s'allonge sur le matelas crasseux défoncé.

Dehors les chiens gémissent dans leur enclos mais Rutter ne bouge pas. Il pense fumée ombres célébrités vidéos enveloppes photos yeux écarquillés ongles cassés peau cheveux et sueur. Il pense aussi à cette chambre funéraire isolée. Poussière et glace. Pouls de plus en plus faible.

Quand il a terminé il jette le chiffon sale dans le feu où il se consume en crépitant et en sifflant. Contemple la vallée par la fenêtre.

Il neige. Les flocons sont plus gros à présent. Ils tombent en diagonales brisées et lorsqu'ils s'écrasent sur la vitre il distingue leur forme individuelle. Le ciel est bas. On pourrait croire que le jour vient à peine de se lever pourtant il fera bientôt nuit.

*

L'Aimable Larry Lister déverrouille le secrétaire et consulte les archives à l'intérieur. Tout est là : les meilleurs moments de sa vie capturés sur celluloïd. Les plus grandes réussites de sa carrière. Collectivement elles présentent une brève histoire des émissions britanniques de variétés. Il survole du regard les cassettes aux étiquettes décolorées. Il y a *Uncle Larry's Party* qui a duré douze ans et *Uncle Larry's Party Xmas Specials* – dont la spéciale Noël 1981 diffusée juste après un discours de Sa Majesté qui avait réuni vingt et un millions de téléspectateurs ; c'était alors le seul show capable de rivaliser avec le duo comique formé par Eric et Ernie. Il y a aussi non pas un mais deux épisodes de *This Is Your Life* et les images de ses apparitions en invité vedette dans *Around with Aliss* et *Bullseye* et *Harty* et *Celebrity It's a Knockout*. Ainsi qu'une compilation des plus belles séquences de la cérémonie annuelle du *Melody Maker Poll Winner* tout au long des années soixante. Et une dizaine de ses interventions lors de la Royal Variety Performance – dont cinq soirées qu'il avait lui-même animées – et la collection complète des épisodes en noir et blanc de *Get Down and Groove* (avec la formule estampillée Lister : « Alors les jeunes on est à la cool ce soir ? ») que la société de production avait réussi à conserver (des rumeurs avaient circulé selon lesquelles les bobines qui composaient les deux premières séries avaient servi de remblai et se retrouvaient maintenant ensevelies sous la M4) plus quelques-uns de la suite *Get Up and Groove* qui avait eu une durée de vie éphémère. Il y a également l'interview largement applaudie de la Dame de Fer – apparemment la première fois qu'elle se rendait dans un parc à thème. Et des enregistrements où il se faisait entarter par Edmonds et chanter la sérénade par Shirley Bassey.

Il s'accroupit devant le secrétaire et ouvre le compartiment fermé à clé sous les étagères bien rangées. Il y a d'autres cassettes à l'intérieur. Sans titre celles-là mais identifiées par des bandes de couleur au feutre. Rouge. Bleu. Jaune. Vert. Il se souvient parfaitement de ce que chacune représente. L'une est rouge et bleu ; une autre bleu et vert. Violet. Noir.

Un jour il aimerait transférer leur contenu sur CD ou peut-être même au format numérique mais il ne sait pas comment s'y prendre et il ne tient pas à courir de risques inutiles. La seule personne à qui il pourrait demander c'est M. Hood or celui-ci ne s'est pas manifesté depuis longtemps. La dernière fois – ça remonte maintenant à plus de trois ans – c'était par l'intermédiaire de M. Skelton qu'il avait chargé de lui livrer sa part des dividendes du club en même temps qu'un message : le réseau n'existe plus. Il est démantelé. Le bâtiment a été vendu. La fête est terminée. Ce temps-là est révolu. On reste en contact. Ou pas.

Quelques mots qui marquaient la fin d'une ère.

Plus tard l'Aimable Larry avait offert à une association de protection pour l'enfance une grosse part de ses actions occultes dans l'établissement et sa filiale de divertissements très spéciaux. Une juste compensation en somme. Savoir donner quand on a pris. Toujours chercher à maintenir l'équilibre. Toujours sourire. Pour que la chance vous sourie.

Il suffit de suivre ces règles pour s'en sortir aimait-il dire à ses amis proches et associés même s'il avait bien conscience que la chance n'avait rien à voir là-dedans. Rester au-dessus de la mêlée ; c'était ça qui comptait. Et pour y parvenir il fallait s'arranger pour tenir les nuisibles à l'écart.

L'utilisation du vieux magnétoscope lui apporte un certain réconfort. Il aime retrouver les sensations familières procurées par le bourdonnement des grosses cassettes. Par le grain de l'image. Par la possibilité d'accélérer ou de ralentir le déroulement de la bande. De figer une scène pour pouvoir la graver dans sa tête. Ce n'est que de la nostalgie évidemment puisque les cassettes sont des reliques qui ont été remplacées d'abord par les DVD ensuite par la technologie numérique mais il se surprend avec l'âge à s'y complaire de plus en plus souvent. La nostalgie. Un sentiment que seuls parviennent à faire naître en lui ces vieux films sans titre dont aucun de ses biographes n'a jamais parlé et dont l'existence et la création ne sont connues que d'un nombre restreint d'individus. Les regarder et les re-regarder. Se souvenir et revivre. Il a figuré dans des centaines et des centaines d'heures d'émissions de télé et de radio pourtant il considère que ces cassettes contiennent certaines de ses productions les plus remarquables. Les chefs-d'œuvre de sa carrière parallèle secrète. Le yin obscur complétant son yang public éternellement souriant.

Il ne dispose pas d'une telle pièce dans son appartement de Bayswater ni dans le cottage de Kirkcudbright ni dans la maisonnette de Horsforth ni dans le mobile home de Withernsea. Il n'y a qu'ici.

Il choisit une cassette. Rouge et noir. On ne peut pas aller plus loin. Il est d'humeur ; il a dû dispenser moult sourires fatigants cette semaine.

Il l'insère dans le magnétoscope puis s'installe sur le vieux canapé offert par – qui déjà ? Un présentateur de talk-show lui semble-t-il. Frank peut-être. Certainement pas Selina vu qu'elle le détestait. Elle passait son temps à le dénigrer auprès des dirigeants mais ça ne lui avait pas réussi. Sa carrière n'avait jamais décollé.

Larry Lister dénoue sa robe de chambre et appuie sur Play. Il a toujours ses tennis aux pieds.

Il se les fait envoyer de New York. Du siège. Par un de ses contacts.

Le film commence et il se retrouve soudain transporté là-bas. Dans cette salle. Des années auparavant. Au temps glorieux des caves du X.

Les cris de la fille sont assourdis. Comme atténués par les années. Pourtant elle crie toujours. Sur ces images elle sera toujours en train de crier.

*

Il sort à peine de l'adolescence et il est toujours puceau. Ce samedi-là il y a du monde dans le cinéma. Les sièges craquent les hommes toussent tandis qu'un film se termine qu'un autre commence et que personne ne quitte sa place. C'est une vieille production ce coup-ci. En noir et blanc avec des coiffures typiques des années cinquante. Une antiquité. Ce n'est pas la première fois que le X glisse dans la programmation un truc qui date. Ça fait un drôle d'effet de voir les gens s'envoyer en l'air et de les imaginer vieux ou morts aujourd'hui.

Un travelo est assis dans la même rangée que lui. Un costaud en bas résille et talons hauts la queue à l'air. Il n'a même pas pris la peine de se raser. Il a beau être corpulent il a une petite bite. Comme un champignon sauvage songe Rutter.

Il reporte son attention sur les images en noir et blanc à l'écran. Une femme a pris dans sa bouche un homme dont la tête est hors champ. La musique qui accompagne la scène semble avoir été ajoutée après coup. On dirait un morceau préenregistré sur un clavier pour enfant.

Il se perd de nouveau dans ses pensées quand une vague de murmures parcourt la salle. Il se retourne et voit un couple avancer dans l'allée puis s'asseoir. Il fait de nouveau face à l'écran mais sent l'atmosphère autour de lui changer alors il pivote encore une fois et découvre la femme les jambes levées écartées les doigts enfoncés.

Les vautours commencent à se rassembler et l'homme qui l'accompagne les regarde observer la scène.

Il y a bientôt un cercle de corps autour d'eux – cous tendus bras en mouvement.

La femme est grosse. Ses épaisses cuisses blanches débordent de ses bas. Elle a fourré la moitié d'une main dans son con.

Les hommes bougent se déplacent.

Les chauffeurs de taxi les travelos les arabes. Les routiers les fermiers les tantouzes. Un deux trois individus déguisés. Masque sur les yeux et culotte à volants. Rutter lui est en tenue de travail : salopette bottes de sécurité bonnet de laine.

Certains hommes se touchent et se sucent devant le couple.

Rutter se lève lentement s'engage dans l'allée s'approche.

Il glisse une main dans son pantalon mais au même moment la femme s'arrête son compagnon aussi et ils se rajustent tous les deux. Puis ils se redressent et sortent de la salle pour se diriger vers celle des Couples. Seuls quelques hommes leur emboîtent le pas. Les autres continuent de se peloter et de grogner dans la pénombre.

Rutter suit le couple. Suit les hommes.

La pièce aveugle est petite sombre et rendue étouf-
fante par le chauffage central. Une odeur écœurante
de renfermé y flotte comme si elle venait de se vider de
ses occupants après une longue réunion assommante.

La grosse femme est maintenant à genoux occupée à
sucer l'homme et les vautours se rassemblent de nou-
veau. S'organisent cette fois.

Un film passe sur un petit écran. Un téléviseur en
fait. Ce n'est pas celui qui est projeté dans la salle
principale. Il est plus brutal. Le son est baissé.

Rutter ouvre sa braguette. Les rejoint. Entre dans
le cercle.

C'est comme dans les films pense-t-il.

C'est tante Judy c'est Sally l'écolière.

C'est Mitzi c'est Cathy c'est Bambi.

Il se prépare en pensant Waouh. Quelle suceuse.

Il fait partie de tout ça maintenant. Il est en transe.
Captivé.

Oui.

La femme prend dans sa bouche un autre homme
qui grogne gémit et Rutter se rapproche. Le cercle se
resserre.

Oui.

Il regarde les hommes. Leurs visages sont figés par
la concentration. Il baisse les yeux.

C'est une grosse femme une femme grasse assoiffée
affamée vicieuse.

Aucune parole n'est prononcée. Il n'y a qu'un cercle
d'hommes et de panses velues. Ils se penchent tour à
tour vers elle pour tripoter machinalement ses gros seins
ou pincer ses mamelons comme s'ils vérifiaient la matu-
rité d'un fruit à cueillir et ils lui caressent maladroi-
tement les cheveux tandis qu'elle va de l'un à l'autre.

Oui.

Il a l'impression de se trouver à des années-lumière de la ferme.

La femme s'active toujours. Engloutit aspire gémit. Oui. À part un raclement de gorge ou un mot d'encouragement chuchoté de temps à autre on n'entend que le bruit de sa bouche et celui de la télé en arrière-fond. Le frottement des pieds. Oui. Des semelles qui chuintent sur la vieille moquette. Oui. Et les sons du mécanisme interne des corps.

Elle est maintenant devant un maigrichon en bas résille et escarpins d'aspect coûteux. Il porte aussi une perruque. La tenue complète du travesti. Tous les regards convergent vers eux tandis qu'elle se démène et qu'il renverse la tête déglutit et grogne. Sa pomme d'Adam tressaute dans son cou de poulet.

Rutter a le pantalon aux chevilles. Le tissu plisse sur ses bottes dans la pénombre.

Elle sera bientôt devant lui sa bouche humide est presque sur lui il est le suivant. Oui. Le suivant. Il est le suivant. Oui. Il attend.

Elle se tourne vers lui s'immobilise un moment lui jette un coup d'œil à travers ses cils épaissis par le mascara et se couvre le nez du dos de sa main.

Elle tousse fronce les sourcils et passe au voisin de Rutter.

Il ne comprend pas. Hé dit-il. Hé minute.

Elle lui coule un regard de biais. Fait non de la tête. Non.

Elle a déjà la bouche pleine. Les yeux écarquillés. Les narines frémissantes.

T'aurais intérêt à te laver mon gars dit un homme – le compagnon de la femme. Faut d'abord que tu la nettoies.

T'as saisi ? lance un autre en face de lui. Je la sens d'ici.

Sûr lâche le travelo à côté de lui. Tu la savonnes avant. Question de respect.

La femme s'écarte pour le regarder et ensuite ils le regardent tous et on entendrait une mouche voler même la télé est silencieuse parce que sur l'écran une femme fait exactement ce qu'ils font ici sauf qu'à la télé personne ne le regarde et personne ne dit vaudrait mieux que tu dégages mon gars vaudrait mieux que tu te barres et quand il les dévisage tour à tour il se rend compte qu'ils le poussent à partir et sur l'écran de télé ils ne se sont pas arrêtés et il pique un fard débande remonte son pantalon et quitte la pièce avec l'impression d'être une bouteille de cidre bouchée sur le point d'exploser.

*

Au retour Mace s'arrête sur une aire de repos et rappelle Grogan.

Dennis c'est Roddy.

Roddy. Quelle heure il est ?

Très tard et demie. Désolé de te déranger.

T'es où ?

Mace regarde par la vitre. Il neige toujours. De gros flocons tombent mollement et tiennent au sol.

Aucune idée.

Ça va ?

Tout va bien Dennis. Je suis quelque part sur West Kellerhope Road.

C'est la petite Muncy ? T'es sur le coup ?

Oui. J'ai fait un saut là-haut pour fouiner un peu.

Du nouveau ?

Ils ne l'ont pas retrouvée si c'est ce que tu me demandes.

Comment ça se présente ?

Deux ou trois de nos chers représentants de l'autorité sont montés jusqu'au lac mais rien n'a réellement été mis en œuvre. Tu sais comment ils sont ; tout juste bons à s'agiter comme une bande de vieilles femmes. Les flics ont alerté les gares ferroviaires et routières et appelé toutes les copines de la gamine. Si tu veux mon avis ils préféreraient être au pub.

Tu penses qu'elle a fugué ?

Qui sait ? réplique Mace. Quoi qu'il en soit j'ai un mauvais pressentiment.

Et Muncy ?

Tu le connais ?

Oui répond Dennis Grogan. Tout le monde connaît Ray Muncy.

Tu le décrirais comment ?

Propre sur lui. Mais il manque d'assurance. Et pour les recherches ? T'as appris quelque chose ?

Ils parlent de les élargir. D'organiser une vraie battue.

Ce soir ?

Demain matin.

Pourquoi demain matin bon sang ? lance Grogan. Seigneur. Faudra casser la glace autour d'elle si elle passe encore une nuit dehors.

C'est ce que je pense aussi.

Tu peux y retourner demain ?

Où ça ?

Au village. Ou sur la lande. Ce serait bien qu'on ait quelqu'un sur place pour observer les recherches.

C'est Noël demain Dennis.

C'est le journalisme Roddy. Ça ne s'arrête jamais. Je croyais que tu l'avais compris.

Mace soupire.

T'as des projets ? demande Grogan.

J'en avais. Je devais prendre le train pour aller chez mes parents.

À quelle heure ?

Dans l'après-midi.

Donc t'as ta matinée de libre.

Je suppose.

T'es notre reporter attitré.

Je sais.

Il n'y a personne d'autre à qui je puisse demander ça. Tous les free-lance m'enverront paître.

Mace soupire de nouveau.

Tu te rappelles ce que tu m'as dit pendant l'entretien d'embauche Roddy ? Que tu ferais tout ce qu'il faudrait.

Ouais je me rappelle.

Crois-le ou non j'ai reçu une cinquantaine de CV pour ce poste. Et j'ai convoqué une bonne dizaine de gars. Tous prêts à venir s'installer ici dans le trou du cul du monde parce que sur le marché du travail ça ne rigole pas. Toi t'étais le diamant du lot. Tu saisis ? Ils étaient cinquante couillons à vouloir bosser pour ma petite publication. C'est dire à quel point le journalisme n'est pas un métier facile.

C'est bon Dennis j'ai compris. Je serai dans le coin demain. J'y monterai de bonne heure pour avoir le temps de pondre mon papier et après j'irai prendre mon train.

Bien. J'ai tout de suite su que t'étais un pro – au premier regard.

Vas-y caresse-moi dans le sens du poil dit Mace. Je m'en lasse pas.

Le silence se prolonge à l'autre bout de la ligne jusqu'au moment où Roddy se rend compte que Grogan a déjà raccroché.

Au poste de police en ville ils voient arriver un petit homme à l'allure impeccable en chemise cravate et manteau épais. Une mallette à la main. Une coupe de cheveux genre Première Guerre mondiale ; soignée mais d'une autre époque. Sur un adolescent elle pourrait passer pour une imitation stylée mais sur un homme dont l'âge est difficile à estimer elle semble archaïque. Désuète.

Ils voient aussi une marque de naissance en forme de fraise couvrant la moitié de sa joue et de sa mâchoire. Elle est marbrée et d'aspect rugueux comme de la chair brûlée par une flamme de l'acide ou un fer à repasser et désormais desséchée tavelée couleur d'un mauvais bordeaux.

Tous leurs regards convergent vers la marque de James Brindle et ils voient un type prétentieux qui se croit supérieur à eux.

Lui voit un repaire de bouseux qui n'a pas été repeint depuis le début des années quatre-vingt. Un musée dédié à l'échec des méthodes policières.

Après de brèves présentations Brindle est briefé. On lui montre les notes prises par l'agent Jeff Temple. Nom âge description de la jeune disparue. Aperçue pour la dernière fois le tant. Quelques renseignements sur le contexte. Une carte de la région est étalée sur une table dans l'une des pièces du fond. Brindle sent la contrariété le gagner : elle montre que dans un rayon de trois kilomètres autour de la maison de la gamine il y a un lac artificiel et des bois. Des marécages et des tourbières.

Où est votre supérieur ? demande-t-il avant de jeter un coup d'œil à son calepin. Où est Roy Pinder ?

Sorti dit l'agent Temple.

Allez le chercher ordonne Brindle qui tapote la carte avec son stylo. C'est quoi là ?

Des cicatrices.

Hein ?

Des excavations. Comme des carrières. Mais boisées.

Elles ont une utilité ?

Pas de réponse. Juste un haussement d'épaules.

Il s'y attendait. C'est toujours pareil. Il n'a pas été chargé d'établir de bonnes relations avec les flics locaux ; il est ici pour faire le travail qu'ils sont incapables de faire. Alors à partir de maintenant c'est lui qui dirige les opérations.

Il regarde de nouveau la carte. Remarque des crevasses et des rochers. Des ruisseaux et des rivières.

Si la topographie n'est déjà pas un cadeau en soi elle ne rend pas compte des soixante centimètres de neige qui la recouvrent. Ni de la température glaciale. Ni des sons. Ni du sang.

Vous avez exploré tout ça ? interroge-t-il. Vous avez rassemblé les habitants du coin ?

Encore un haussement d'épaules.

On a fouillé les abords du lac.

Les premières vingt-quatre heures sont cruciales dit Brindle. Vous savez qu'elles déterminent la tournure d'une affaire j'imagine ?

L'agent hoche la tête. Il est jeune. Il a l'accent de la région. Son visage est celui d'un obèse mais il n'en a pas la corpulence. Un jour il sera chauve.

Quand l'a-t-on vue pour la dernière fois ?

Je ne sais pas. À la louche je dirais trente-six heures.

On ne joue pas aux devinettes rétorque Brindle. Soyez précis.

Trente-six heures. Non. Attendez.

Décidez-vous bon sang.

Sans doute plus. Peut-être quarante-huit heures ?

Alors c'est foutu.

Pas forcément…

Oh si forcément l'interrompt Brindle. Trente-six heures plus des températures au-dessous de zéro multipliées par la lande égale c'est foutu. Alors à partir de maintenant il s'agit juste de limiter les dégâts dans l'intérêt de ma réputation. Et de mon service.

Vous êtes en train de dire que la fille est…

Je dis qu'à ce stade le mieux que vous puissiez espérer c'est qu'elle soit en ce moment même victime d'une tournante dans un squat au fond d'une cité. Si vous avez de la chance elle débarquera boitillante et en sang dans un poste de police pour le nouvel an. C'est le scénario le plus optimiste. Mais je n'y crois pas.

Pourquoi ?

L'expérience.

Mais en l'absence de corps…

En l'absence de corps vos collègues et vous allez vous gratter la tête en vous demandant quel film passera à la télé pour Noël et moi comme d'habitude je ferai tout le boulot. Et le père ?

Ray Muncy.

Des antécédents ?

Ray ? Non. Il est réglo. Un brave type.

Vous le connaissez ?

Bien sûr répond l'agent Temple. Tout le monde le connaît par ici. Il est né dans la vallée. Il en fait partie.

Vous êtes suffisamment intimes pour qu'il vous raye de sa liste de cartes de vœux quand vous l'arrêterez ?

Vous voulez arrêter Ray ?

Si on doit en arriver là oui.

Vous pensez qu'il a pu faire du mal à sa fille ?

C'est plus que probable.

Mais vous n'avez pas de preuves proteste l'agent. Vous ne l'avez même pas rencontré.

J'ai des statistiques.

Des quoi ?

Brindle lève les yeux au ciel.

Bon sang mon gars c'est le B.A.-BA. Dans la plupart des cas la victime connaît son agresseur. Parfois ils sont apparentés. En général père et fille.

Vous ne pouvez pas être sûr qu'elle a été tuée.

Vous ne pouvez pas être sûr du contraire.

L'agent regarde Brindle qui reporte son attention sur la carte et secoue la tête.

Vous êtes toujours comme ça les flics de la ville ? lance l'agent.

Les autres je ne sais pas répond Brindle. Mais moi oui.

*

Ray Muncy intercepte Roy Pinder au moment où celui-ci retourne au poste avec une barquette de frites sauce curry fumant dans l'air froid.

Alors ? dit-il.

Pinder s'arrête sur les marches à l'entrée et pivote vers lui.

Alors quoi Ray ?

Du nouveau ?

Le policier empale une frite avec une fourchette en bois qui semble ridiculement petite entre ses doigts boudinés puis la porte à ses lèvres. Elle est sans doute trop chaude car il la fait tourner un moment dans sa bouche avant de la mastiquer.

Mes hommes sont sur le coup.

Y a un truc qui va pas là.

Et mes hommes sont sur le coup répète Pinder.

Vous avez peut-être besoin de plus d'encouragements ?

Pinder sourit. Empale une autre frite qu'il pointe vers Muncy. Une goutte de sauce curry tombe sur la neige entre eux.

T'essaies de me soudoyer Ray ?

Non. Ce n'est pas le terme que j'emploierais.

Et tu décrirais ça comment alors ?

Je veux que vous retrouviez Melanie c'est tout. Vous devez accélérer les choses. Parce que pour l'instant vous ne me donnez pas vraiment l'impression de vous bouger le cul.

Faux. On cherche. Mes meilleurs éléments sont en ce moment même en train de fouiller la lande.

Ça ne suffit pas. J'ai besoin de garanties.

Pinder enfourne deux autres frites. Sourit sans cesser de mastiquer révélant la bouillie dans sa bouche.

Des garanties hein ?

Oui.

T'as de la chance Ray figure-toi qu'ils ont envoyé quelqu'un. Une espèce de connard gominé. L'as des as apparemment.

Il fait tourner les frites dans la sauce. Se sert de sa fourchette pour bien les imbiber puis en avale une autre.

Un silence s'ensuit que Ray Muncy est le premier à rompre :

Au fait tu vois toujours ton vieux copain ?

Qui ça ?

Tu sais très bien de qui je parle Roy.

Non je crois pas Raymond.

Ton copain célèbre.

Une ombre fugace voile le regard de Pinder. Il pose la fourchette sur le bord du plateau et descend d'une marche pour se rapprocher de Muncy.

Qui ça ? insiste-t-il.

Le type qui doit être fait chevalier.

Pinder étudie le visage de son interlocuteur sans piper mot.

Muncy baisse d'un ton pour ajouter :

Ce n'est pas à toi que je vais apprendre que je suis capable de garder un secret.

C'est une menace Raymond ? D'abord les pots-de-vin maintenant les menaces ?

Il est à la retraite pas vrai ? Larry Lister je veux dire. On ne le voit plus trop à la télé. Les temps changent j'imagine. Mais il en a laissé des secrets. Des histoires.

Le regard de Roy Pinder se durcit.

C'est malheureux pour ta Melanie lâche-t-il.

Muncy le dévisage.

T'as une idée de l'endroit où elle pourrait être Roy ?

Pinder garde le silence. Remue de nouveau les frites dans la sauce. Les noie. En mastique une sans se presser et en faisant délibérément du bruit.

Je te jure que si c'est le cas je balancerai tout déclare Muncy.

Le policier prend le temps d'avaler avant de parler.

Si je me souviens bien tu m'as déjà sorti ça une fois. Et regarde où ça t'a mené.

C'est-à-dire ?

Là où t'en es répond Roy Pinder. À me supplier de t'aider parce que ta gamine a disparu.

Il lève les yeux scrute la rue puis se penche pour murmurer :

Rappelle-toi qui fait la loi dans cette vallée avant d'ouvrir ta grande gueule.

Je n'ai rien à perdre rétorque Ray Muncy. Et si Lister tombe tu tombes aussi.

Pinder pointe sa fourchette sur lui.
Si je tombe tout le monde tombe.

*

Plus tard ce même soir après l'humiliation subie au X il se saoule dans un pub – un pub tranquille un pub oublié un pub où l'espoir vient se recroqueviller pour mourir – à la sortie de la ville. Un de ces vieux établissements sans aucune des fioritures qu'on trouve dans les bars franchisés. Un simple cocon enfumé où les buveurs vaincus sont avachis contre les murs encrassés et où même un récurage quotidien ne peut venir à bout de la saleté sur le sol. Rutter est seul dans son coin. L'impression de sécurité et de réconfort procurée par l'Odeon X n'est plus qu'un souvenir et à présent l'alcool circule dans ses veines pour la première fois. L'alcool c'est du whisky qui lui brûle le gosier mais il l'avale parce que c'est ce que font les hommes les vrais.

Il boit et il est heureux d'avoir perdu le goût et l'odorat parce que du coup l'alcool descend plus facilement.

Un verre puis un autre. Un double puis un autre.

L'alcool chauffe son estomac sa gorge et son cou ; un cou de poulet à tordre a dit sa mère un jour. Un cou flasque comme une bourse vide.

Il termine son verre le contemple un instant puis se lève et fait un pas de côté. Il a le tournis. Il heurte une table inoccupée et quelqu'un crie holà matelot ça tangue et il fouille dans ses poches laisse tomber quelques pièces sur le plateau et s'en va.

Il marche au hasard finit par se perdre et se met à courir. À un moment quelqu'un essaie de lui faire un croche-pied – un groupe de jeunes en chemises à manches courtes qui rigolent et se moquent – et il y a des femmes qui titubent s'accroupissent et urinent dans les petits passages. Il tourne à un coin de rue puis à un autre et s'engage dans une ruelle pour s'apercevoir qu'il a enfin retrouvé le parking. Il reconnaît sa voiture mais quand il s'en approche il voit une femme plus loin près d'un véhicule ses clés à la main et elle est grosse et il se dit que c'est peut-être la salope du X qui l'a rejeté – ou peut-être pas – mais le sol s'incline brusquement et ses jambes ne lui obéissent plus et l'emportent et soudain il est sur elle il est en elle et...

Plus tard il ne se rappellera pas grand-chose à part les bruits de lutte et l'imperméable qu'elle portait. Et ses escarpins. Il se souviendra de ses escarpins.

Le reste n'est qu'une série de photos définitivement hors de portée. Des instantanés. Chocs et morsures. Grondements et crachats. Talons qui frappent le ciment tandis que le corps est traîné jusqu'à un endroit froid et silencieux.

Puis un claquement étouffé et régulier comme le tic-tac d'une horloge et un foulard noué sur sa bouche pour la bâillonner. Son foulard à elle. Un machin fantaisie parfumé sur lequel il tire comme sur les rênes d'un cheval. Pour la refréner la dompter. Étalon et jument. Taureau et vache.

Et de penser boue lande arbres vent chiens eau chair toucher terre hommes huile sang mère gravier caniveaux os porcs pierres.

Après il les emportera chez lui à la ferme. Le foulard et le corps.

La femme inerte à l'arrière. Les escarpins posés sur elle. Il conduira ivre en pleine nuit sortira de la ville et remontera vers l'enclos des cochons dans l'obscurité de la vallée.

Mais pas avant d'avoir été vu ; pas avant d'avoir été regardé surveillé repéré.

Si les collines ont des yeux la ville aussi.

*

Il n'y a pas de cordon de sécurité. Il pensait en voir un mais évidemment il n'y a aucune raison. Pas de corps. Pas de scène de crime.

Pas de cordon de sécurité.

Cependant les flics sont partout dans le village. Leurs fourgonnettes et leurs voitures bordent le rayon de braquage et bloquent la route. Roddy Mace se gare et avale le reste de son café qui dans l'intervalle a refroidi. Éteint la musique.

Il repère rapidement l'agent Elaine Stonehouse – elle-même une habituée du pub. Il la salue d'un geste. Elle hoche la tête en retour et tape des pieds pour se réchauffer.

Mace se dirige vers elle.

Joyeuses fêtes Elaine lance-t-il. Frisquet aujourd'hui hein ?

Salut Roddy. C'est le reporter qui se met en chasse c'est ça ?

Dennis Grogan voulait que je vienne aux nouvelles. Ça avance ?

Elle secoue la tête.

Tu ne peux rien me dire Elaine ?

Tu prépares un papier ?

Mace relève le col de sa veste et les yeux plissés scrute le versant de la colline.

Possible répond-il.

On se parle à titre officieux ou officiel ?

C'est toi qui décides Elaine. Pour le moment je me contente de rassembler des infos. Quoi qu'il en soit c'est Noël alors rien ne partira à l'impression.

Tant mieux parce que je ne veux pas voir mon nom dans le journal. Et de toute façon il n'y a rien à dire.

Derrière elle d'autres agents s'équipent. Gilets fluo et matraques. Il y a aussi des chiens. Mais tous les hommes présents ne sont pas des policiers. Mace reconnaît certains visages. Des habitants du coin. Des hommes qui aident les secours en montagne. Pour qui les précipices les carrières les crevasses et les tourbières – tous mortellement dangereux par ce temps – n'ont aucun secret.

Il y a toujours quelque chose à dire réplique-t-il. C'est la première règle du journalisme Elaine. Même s'il ne s'est rien passé il y a toujours une histoire à raconter : une gamine disparue est retrouvée en train de faire ses achats de Noël à Leeds du coup les équipes de recherche sur la lande sont rappelées et l'agent Stonehouse paie une tournée générale pour la première fois de sa vie. Ou un truc dans ce goût-là.

Je ne crois pas que ce soit aussi simple.

Ah bon ?

Tu ne m'as pas répondu : c'est une conversation officieuse ou officielle ?

Si on disait officieuse ?

Elaine Stonehouse lance un coup d'œil derrière elle puis vérifie la radio glissée dans sa poche de poitrine.

Officieusement je dirais qu'il est arrivé quelque chose à Melanie Muncy. Quelque chose de pas sympathique. On n'a rien découvert qui pourrait suggérer une fugue. Son portefeuille ses clés et son argent sont chez elle et son téléphone a été récupéré. Perdu ou jeté. Elle est juste sortie promener le chien. On a visionné les enregistrements des caméras de surveillance dans les gares

113

ferroviaires et routières et aussi les stations-service. Aucune trace.

Elle a un petit copain ?

Pas qu'on sache.

Ce qui ne veut pas dire qu'elle n'en a pas.

Exact. Sauf que ses copines ne sont pas au courant.

Là encore ça ne veut pas dire que…

Je sais Roddy.

Les fêtes de Noël font toujours remonter pas mal d'émotions.

Exact.

C'est une période de conflits. De stress et de tension.

À qui le dis-tu.

Et du côté de la famille ? Vous avez quelque chose ?

On cherche. La mère est dans tous ses états. June Muncy. Apparemment elle est en vrac.

J'ai cru comprendre qu'il lui manquait une case.

Ce n'est pas à moi de me prononcer.

Et le père ?

Ray ? Difficile à cerner. Drôle de personnage.

C'est aussi ce que j'ai cru comprendre.

Il semble étrangement calme. Persuadé qu'on va la retrouver.

Pas toi ?

En guise de réponse Elaine Stonehouse hausse les épaules. Fronce les sourcils.

Alors si elle n'a pas décidé de partir vers le sud attirée par les lumières de la grande ville…

C'est qu'il lui est arrivé quelque chose répète-t-elle.

Genre ?

Je ne fais pas de suppositions Roddy. Ça c'est ton boulot.

Mace réfléchit quelques instants.

Je me considère plutôt comme un artisan qui se sert des mots pour tisser des trames mêlant faits et poésie. Un chroniqueur de son époque quoi.

T'es surtout un connard prétentieux.

Mace regarde le village – les quelques maisons accrochées à la pente plongée dans l'ombre perpétuelle et l'assemblage disparate de vieux cottages ciselés par le vent et de constructions récentes aux façades de pierre plus claire.

Si on se fie aux critères qui ont cours par ici je serais assez d'accord admet-il.

Ils demeurent silencieux un moment.

Des suspects ? demande Mace.

Il y a toujours des noms qui circulent.

Par exemple ?

Par exemple M. Dégage-maintenant et Mme Mêle-toi-de-tes-oignons réplique Elaine Stonehouse. Je suis sûre que tu seras le premier à le savoir quand on aura du concret. Des éléments susceptibles d'être publiés.

Mace lève les mains paumes vers le haut.

Je fais mon job Elaine. C'est tout.

Et moi je fais le mien. Du moins j'essaie. Franchement tu ne serais pas mieux chez toi en train de farcir un truc ?

Alors c'est tout ? Attendre c'est ça la stratégie de la police locale ?

Elle regarde de nouveau autour d'elle et baisse d'un ton.

Bon écoute entre toi et moi on nous a envoyé quelqu'un.

De Londres ?

J'en sais rien. Peut-être pas. Mais quelqu'un de l'extérieur.

Qui ?

Aucune idée.

Tu peux te renseigner ?

Donne-moi une minute.

Elaine Stonehouse se dirige vers un de ses collègues. Un de ceux qui sont accompagnés d'un chien. Ils parlent un moment puis Mace les voit se tourner tous les deux vers lui. Il tape des pieds en patientant. Tasse la neige jusqu'au retour de Stonehouse.

Un inspecteur du nom de Brindle.

Brindle répète Mace. Jim Brindle ?

Elle hausse les épaules.

Tu le connais ?

J'ai entendu parler de lui déclare Mace. Un peu borderline apparemment mais il a bossé sur de grosses affaires. Les plus grosses du Nord. Meurtres et pire.

Il y a pire que le meurtre ?

Oh oui. On dit qu'il ira loin. Des tas d'histoires circulent sur son compte.

Genre ?

Mace hausse les épaules.

Bah juste des anecdotes. Et il est jeune lui aussi.

On avait bien besoin de ça ici tiens. Encore un petit jeunot qui s'y croit.

Oh il n'est pas aussi jeune que moi riposte Mace. Et surtout il est loin d'être aussi beau gosse.

Il lève les yeux vers le ciel. Elaine Stonehouse suit la direction de son regard.

J'ai l'impression qu'on va encore avoir de la neige dit-elle. Beaucoup de neige.

Je peux citer cette déclaration-là ?

T'as foutrement pas intérêt.

*

116

La chambre exiguë sent toujours le tabac froid des années après l'interdiction de fumer dans les lieux publics. L'odeur imprègne encore le tapis et les meubles. S'y accroche. Elle appartient au passé pense Brindle. Un jour plus rien ne sentira comme ça.

Il ouvre la fenêtre regarde la place du marché et reporte son attention sur la pièce. Le décor est vieillot. Pas au sens de pittoresque ni de typique d'une époque ; plutôt de fatigué et de négligé. Les touristes en quête du Yorkshire authentique ne trouveraient qu'un matelas affaissé et du papier peint Anaglypta. Un tapis aux motifs psychédéliques propres à donner la migraine. Des rideaux orange foncé dont l'un est orné d'une grosse tache sombre en bas.

Une surface en formica court sur toute la longueur d'un mur. Une chaise pliante en plastique est appuyée à côté.

D'un doigt Brindle ouvre le tiroir de la table de chevet. À l'intérieur se trouve une bible bon marché dans une édition du Reader's Digest. *Condensée à partir de la version originale* annonce-t-elle.

Un immense écran plat fixé à un support est la seule concession à la modernité. Il a fallu l'incliner et le placer de biais pour le faire tenir dans un coin de la chambre.

Brindle a déjà rencontré Roy Pinder qui dirige le minuscule poste de police du bourg. Il est persuadé que c'est un crétin de première. Il le sait au plus profond de lui.

Et il sait aussi que Pinder pense la même chose de lui.

Brindle et Pinder songe-t-il. On dirait le nom de – de quoi ?

Un duo de patineurs artistiques. Une référence de papier peint. Les ingrédients de la recette d'un désastre annoncé.

Le pub local s'appelle le Magnet et Brindle imagine sans peine quel genre de clientèle il attire.

Il est encore tôt pourtant il entend à travers les lattes du plancher les bruits qui montent de la salle. Le cliquetis des verres qu'on lave. La vibration d'une voix grave et sonore. Des traces d'un accent marqué. Des rires. Plus loin dans le couloir pas tout à fait droit une porte claque.

Brindle soulève sa valise pour la poser sur le lit puis ouvre la fermeture à glissière. Inspecte le contenu. Tout est soigneusement plié bien rangé mais pas assez à son goût. Il entame alors le long processus méthodique consistant à trouver la bonne place pour chacun de ses effets personnels. Puis il compte les nœuds du bois les motifs en spirale sur le tapis et il compte les secondes entre chaque respiration qu'il retient le plus longtemps possible comme un nuage de vapeur apaisant au centre de son être.

*

Dans son refuge de la vallée supérieure Larry Lister ne mange que du *shepherd's pie*. Ou presque. De temps en temps il s'accorde un petit plaisir en ouvrant une boîte Fray Bentos.

Il est seul pour Noël – et alors ? Il a un congélateur rempli de plats préparés un four à micro-ondes du chocolat une bouteille de cognac et un bon stock de cigarettes. De cassettes aussi. Il pourrait rester des semaines s'il le voulait ; ça lui est déjà arrivé. Il s'est fait oublier. La première fois c'était un an ou deux après que son comptable eut acheté le cottage. Des allégations avaient commencé à circuler et s'ils avaient réussi à les cacher à la presse il se sentait néanmoins contraint de ne pas se montrer pendant un moment. Et puis à force de sourire il avait mal à la mâchoire.

En son absence – qu'il considère comme un exil – il avait perdu un contrat pour présenter un téléthon. Le programme était diffusé sur une chaîne secondaire mais quand même ; c'était du travail et on le voulait. Il n'était rentré à Londres qu'après avoir passé deux jours à enchaîner les séances d'UV. Il avait raconté à tout le monde qu'il revenait des Caraïbes. Sainte-Lucie : un vrai petit paradis.

Quand son plat est prêt il le dispose sur une assiette et monte au grenier. Il se sent toujours euphorique et angoissé après le film. La fin ne manque jamais de le surprendre. Conserve toujours le pouvoir d'affoler ses battements de cœur.

Il va chercher une autre cassette dans ses archives. Pas dans sa collection spéciale cette fois mais une normale. Il en prend une au hasard et la glisse dans le magnétoscope.

Ces cassettes-là il les transférera sur DVD dès qu'il en aura la possibilité. Mieux : il pourrait appeler la société de production et demander à quelqu'un de s'en charger. Une jeune stagiaire aux formes appétissantes par exemple.

Il appuie sur Play et s'assoit pour attaquer sa tourte. Se relève tire une salière de sa poche la tapote au-dessus de son assiette et se rassoit.

La vidéo rassemble plusieurs de ses apparitions sur les plateaux – une compilation qui se rappelle-t-il a été réalisée justement par une jeune stagiaire aux formes appétissantes des années plus tôt. La cassette englobe différentes périodes ; elle retrace l'évolution de la télévision depuis l'innocence en noir et blanc du tout début des *Swinging Sixties* (Cathy et Rosko et Cilla et Diddy) jusqu'au lustre des années quatre-vingt-dix en passant par les couleurs vibrantes du Technicolor des années soixante-dix (Tarrant et Tarby et Cliff et le Cornflake) et l'anarchie des années quatre-vingt (Noel et Wrighty et Rod et Timmy).

C'était durant les années quatre-vingt-dix que les choses avaient vraiment changé. Quand la nouvelle espèce était arrivée. Ses représentants semblaient tous se prénommer Jamie ou Robbie ou Kat ou Zoe. Les gosses de Maggie avaient grandi mais n'avaient malheureusement pas hérité de son bon sens. Oh non. Ces zigotos-là venaient du camp adverse : les givrés de gauche adeptes du politiquement correct. Pour la plupart des petits cons sortis d'une école d'art dramatique. Les autres étaient des tapettes. Tous des enfoirés. Larry savait de source sûre qu'ils avaient essayé plus d'une fois de le faire virer mais il était toujours une personnalité et apparemment les téléspectateurs (bénis soient-ils) avaient encore voix au chapitre. Impossible de se débarrasser du vieux Tonton Larry. Oh que non. Il y aurait eu un beau tollé. Il y aurait eu des pétitions. Et des éditoriaux dans un ou deux des journaux dont il tenait les rédacteurs en chef par les couilles. Il y aurait veillé.

Le premier clip le montre dans *The Good Old Days*. En direct du City Varieties à Leeds. Ça c'était une sacrée bonne émission. Et il s'était bien amusé. Il se voit vêtu d'un costume vert qu'il ne se rappelle pas avoir possédé mais qui situe la séquence aux alentours de 1978-1979. Il fait irruption en plein milieu d'un numéro de magie et marche sur la scène comme un poulet. En grimaçant pour la caméra. Le magicien est écroulé de rire. C'est tout juste s'il ne se pisse pas dessus. Pourtant il y a de la peur dans ses yeux. Celle d'être éclipsé. Parce que c'est la spécialité de l'Aimable Larry Lister. Faire son show. Rendre fou le régisseur. Sauter sur les genoux d'un petit vieux au premier rang puis filer à l'anglaise par la porte de derrière. Où une voiture l'attendait.

C'était dans les années quatre-vingt-dix qu'ils avaient tous entrepris de lui voler son style et qu'il s'était mis à séjourner de plus en plus souvent dans le Nord. Il avait alors renoué avec M. Hood. Ranimé quelque chose qui remontait aux dancings et aux clubs de jeunesse. Autres temps autres mœurs. Hood était déjà puissant à l'époque mais contrairement à lui n'aimait pas se trouver sous le feu des projecteurs. C'était un homme de l'ombre. Un marionnettiste dans les coulisses. Un instigateur puissant – et craint. Nombre d'individus étaient tombés à ses pieds sans qu'il ait eu à lever le poing. La peur était son instrument et il en jouait bien. Larry avait vu la même chose chez Ronnie et Reggie Kray environ une décennie plus tard quand il les rejoignait pour des soirées débridées dans l'un de leurs cabarets – quand ils étaient tous les trois assis là avec chacun une belle petite poupée sur les genoux et un cigare à la bouche. Bien sûr Ronnie préférait l'autre sexe mais chacun ses goûts.

Sur la vidéo le magicien le fait entrer dans une boîte. Ils improvisent sur le bon vieux numéro des épées. Ils font durer la scène en racontant des blagues et pendant tout ce temps lui-même a une cigarette entre les lèvres. Ensuite il est en position allongée et il souffle des ronds de fumée tandis que le magicien glisse les épées dans les fentes et que les spectateurs se régalent – ils adorent ça – parce que c'est juste du divertissement c'est inoffensif c'est en première partie de soirée et c'est ce qu'ils méritent ce qu'ils réclament et il n'y avait pas toutes ces conneries de mesures de sécurité à l'époque et alors que la dernière épée entre dans le caisson il tourne la tête et adresse un clin d'œil à la caméra. Alors qu'il mâche une bouchée de viande et de pommes de terre tièdes devant sa télé Larry se surprend à répéter les mots en même temps que son image à l'écran et que le public du studio : Souriez et la chance vous sourira.

Hood s'était bien occupé de lui. Il s'était montré bon avec lui. Quand il avait vu que la carrière de Larry déclinait il lui avait tendu la main et l'avait invité à bord en tant qu'associé occulte à condition de pouvoir se servir de ses relations dans le showbiz et les œuvres caritatives. En retour Larry avait bien profité des services spéciaux que M. Hood était capable de fournir. Il en avait même abusé pendant un temps.

Un bruit s'élève soudain du magnétoscope – un bourdonnement suivi d'un cliquetis – et la bande se bloque. L'image arrêtée sur l'écran tremblote. C'est un plan du public – visages à jamais jeunes figés dans l'instant. Son cher public hilare et payant. Larry pose son assiette et se lève. Il donne un coup de poing sur le magnétoscope et le temps reprend son cours.

*

Après s'être garé Brindle se promène dans le village. S'arrête et regarde. Passe devant chaque maison et emprunte les chemins de derrière – ceux qui coupent à travers champs montent à l'assaut des collines et disparaissent dans des gorges. Il s'arrête de nouveau grimpe sur un échalier et observe les alentours. Un petit vent souffle et il sent le froid s'insinuer sous ses vêtements. Le ciel lui fait penser à un écran de télévision envahi par la neige. Le désordre de la nature est perturbant. Il préférait être chez lui assis dans le noir à boire du thé.

Il contemple les pentes contemple la vallée. Son regard revient sans cesse se poser sur la maison des Muncy.

Quand ses pieds commencent à s'engourdir il en prend la direction.

Il y va seul. Au poste on lui a suggéré de se faire accompagner par un agent en uniforme – un gars du coin ; quelqu'un que Ray connaît – mais il a refusé. Surtout pas quelqu'un du coin. C'est la dernière chose dont il a besoin.

Lorsque Ray Muncy lui ouvre il est évident pour Brindle qu'on l'a prévenu de son arrivée. Il savait que quelqu'un allait venir. Quelqu'un de la capitale. Un enquêteur. Lui.

En entrant il est surpris de découvrir un intérieur moderne tape-à-l'œil avec faux piliers et décoration ostentatoire. On dirait le foyer d'une épouse de footballeur transporté brique par brique depuis l'Essex ou le Cheshire jusqu'à ce recoin perdu du bout du monde. La maison détonne dans un paysage de vieilles fermes en pierre de bergeries et de cottages. Transplantée est le premier mot qui lui vient à l'esprit. Tapageuse en est un autre. Une pompe à fric tapageuse transplantée.

Elle est également sens dessus dessous. Des vêtements sont disséminés partout des serviettes humides traînent ici et là ainsi que des assiettes contenant encore des restes de repas. La vue de ce désordre superficiel le rend nerveux. Il aimerait tout réaligner. Essuyer toutes les surfaces. Imposer l'ordre. Stériliser.

Muncy le conduit jusqu'à un salon spacieux. Sur les murs sont accrochées des maximes encadrées énonçant des platitudes qui se veulent inspirantes comme L'ÉCHEC EST UNE LEÇON ; SACHEZ EN TIRER PARTI et IL N'Y A PAS DE « JE » DANS UNE ÉQUIPE ; SEULEMENT UN « NOUS » et UN HOMME NE DEVRAIT JAMAIS NÉGLIGER SA FAMILLE AU PROFIT DE SES AFFAIRES – WALT DISNEY. Elles sont inscrites en grandes lettres enfantines aux couleurs de l'arc-en-ciel. En caractères Comic Sans note Brindle.

Je vous offre un verre ? propose Muncy.

Brindle fouille dans sa poche intérieure.

Pourriez-vous plonger ceci dans une tasse d'eau chaude s'il vous plaît ?

C'est quoi ?

De l'Earl Grey.

On en a vous savez.

Il s'agit d'une infusion particulière précise Brindle.

Muncy considère le sachet dans la main de son visiteur comme s'il s'agissait d'un minuscule oiseau mort ou d'une convocation au tribunal.

Une infusion ?

Certaines variétés d'Earl Grey me donnent des crises d'asthme explique Brindle.

Resté seul dans la pièce il regarde par la fenêtre puis examine les photos de Melanie Muncy. Melanie enfant sur une plage. Melanie sur un cheval. Melanie sur les épaules de son père dans ce qui semble être le jardin de cette même maison.

La vue depuis le salon est époustouflante. Le site domine la longue vallée étroite et permet d'apercevoir l'endroit où elle s'élargit et accueille la ville quatre ou cinq kilomètres plus loin. C'est maintenant un tunnel blanc dont l'uniformité est interrompue par les lignes des vieux murets de pierre et la route qui serpente sur le versant. Ray Muncy revient avec l'infusion.

Dans quel service travaillez-vous ? demande-t-il.

Brindle hésite. Il voudrait dire la vérité. Le service de l'ombre. La Chambre froide – l'antre des mutilations et des meurtres. De la folie poussée à son paroxysme. Des horreurs contre lesquelles il faut se blinder. Des bébés enterrés vivants et des prostituées utilisées comme rats de laboratoire. Des salles de torture dissimulées dans les locaux de sociétés de taxis. Des membres et des organes éparpillés sur des centaines de kilomètres depuis l'East Riding jusqu'à Pendle. Des *snuff movies* et pire encore.

Les personnes disparues répond-il.

Bien. J'ai entendu dire que vous êtes l'un des meilleurs.

Je ferai tout mon possible pour retrouver votre fille. Où logez-vous ?

J'ai pris une chambre hier soir dans un pub du village. Lequel ?

Sur la place.

Le Magnet ?

C'est ça.

Le bar de Bull Mason. Avez-vous déjà rencontré Roy Pinder ? C'est lui qui fait la pluie et le beau temps par ici.

Plus maintenant pense Brindle. Il se contente néanmoins de déclarer :

Oui je l'ai vu. Brièvement.

Les traits de Muncy se crispent. Brindle tente en vain d'interpréter sa réaction.

Vous allez participer aux recherches ? demande Muncy.

Non.

Pourquoi ?

Je ne suis pas là pour ça. C'est du ressort de Roy Pinder et des policiers sur place – ceux qui connaissent le terrain. Il faut bien sûr être méticuleux mais au bout du compte je crois que ça implique aussi une bonne dose de chance. L'aiguille dans la botte de foin.

Attendez…

Ne le prenez pas mal monsieur Muncy. Mon rôle consiste à rassembler des informations et à les organiser. Je m'appuie sur les faits plutôt que sur la chance. Pourquoi chercher une chose avant même de savoir si elle est effectivement là ? Je préfère me fier à la logistique et à l'approche scientifique. Le travail de terrain est important évidemment mais j'estime nécessaire de m'écarter du microscope de temps à autre pour avoir une vue d'ensemble.

Il n'y a aucune raison pour que ma fille ait fugué affirme Muncy. J'en suis certain. Aucune explication pour qu'elle ne soit pas rentrée. Et je devine ce que vous pensez. Vous me soupçonnez n'est-ce pas ? Je ne suis pas stupide. Vous m'observez. Vous vous posez des questions.

Brindle souffle sur son thé. Muncy a laissé le sachet dans la tasse.

C'est mon boulot d'observer dit-il.

Je parie que vous avez fait vos devoirs hein ? Je connais les statistiques ; le pourcentage de cas où un membre de la famille est impliqué.

Impliqué dans quoi ?

C'est au tour de Muncy d'hésiter.

Vous voyez ce que je veux dire. Les actes criminels. Les disparitions. Les meurtres.

Eh bien rien ne laisse supposer un acte criminel monsieur Muncy. Par égard pour votre femme et vous le meurtre n'est pas un mot que j'utiliserais à ce stade. D'autant qu'il n'est pas justifié.

Tant mieux réplique Muncy qui se penche en avant. Maintenant je vais être clair : je n'ai rien à cacher contrairement à d'autres. Demandez dans le coin. Tout le monde me connaît dans la vallée. J'ai des ennemis bien sûr mais qui n'en a pas ?

Je ne sais pas dit Brindle. Vous croyez ?

On a tous des ennemis.

Brindle regarde le mur au-dessus de la tête de Muncy. Une autre maxime encadrée y est accrochée. RAISONNER À COURT TERME EST UN CRIME.

Je n'en suis pas certain monsieur Muncy.

Jugez-moi à mes ennemis. Roosevelt. J'imagine que vous avez dû vous en faire quelques-uns dans votre partie.

Ma partie ?

Le crime.

Pour en revenir à vos ennemis...

Je me suis mal exprimé s'empresse de rectifier Muncy. Je parle ici de relations professionnelles. De différends mineurs entre hommes d'affaires. Rien à voir avec ça. Rien à voir avec ma Melanie. Je suis nerveux c'est tout. Je ne dors plus. Certains veulent garder leurs secrets mais moi je préfère jouer franc-jeu.

Dans quel domaine êtes-vous monsieur Muncy ?

J'ai commencé il y a des années avec un garage qui faisait centre de contrôle technique en ville. À la sortie de la ville plus précisément. On ne penserait jamais qu'il y a du fric dans la région pourtant il y en a. Proposer un service unique dont les gens ne peuvent pas se passer c'est ça la clé de la réussite. La spécialisation. Alors après j'ai ouvert une station-service à côté. L'essence c'est une garantie de revenus. Tout le monde en a besoin. Depuis j'ai investi dans d'autres projets : deux ou trois cafés et des biens immobiliers. Et on a aussi le terrain de camping derrière. Même si ça ne rapporte que des cacahouètes c'est une occupation pour June. Mais est-ce pertinent ce que je vous raconte ?

Tout est pertinent monsieur Muncy. Vous avez des associés ?

Non.

Brindle avale une gorgée de thé puis ajuste le nœud de sa cravate.

Donc vous pensez qu'elle n'avait aucune raison de fuguer ?

Muncy hausse les épaules.

Non aucune confirme-t-il.

Brindle sort son calepin et le feuillette.

Et elle va en pension à...

À Ripon.

Ah oui. Le collège pour filles Slater. Comment décririez-vous vos relations avec Melanie ?

Excellentes.

Et avec sa mère ?

Vous voulez parler de mes relations avec June ou de celles de Melanie avec elle ?

Les deux.

Bonnes répond Muncy. Melanie a quitté la maison maintenant alors les choses ont changé bien sûr. Elle est interne. Elle a changé elle aussi.

Qui ? Melanie ou votre femme ?

Muncy réfléchit à la question.

Les deux je crois.

Mme Muncy est-elle là ?

Elle se repose. C'est une rude épreuve pour elle.

J'ai cru comprendre que votre femme était déjà souffrante avant ?

June est extrêmement sensible c'est tout. Elle est d'une constitution fragile. Écoutez – sans vouloir vous offenser – vous en êtes encore là ? J'ai déjà vu tout ça avec les gars d'ici.

Ah oui ?

Oui confirme Muncy. Pinder a envoyé quelques-uns de ses gorilles me cuisiner sans trop me brusquer. Mais vous je croyais que vous étiez venu pour faire enfin bouger les choses.

Brindle regarde le cadre sur le manteau de la cheminée. SACHEZ RECONNAÎTRE VOS ERREURS POUR AVANCER. Il feuillette de nouveau son calepin.

Et du côté des habitants de la vallée ? demande-t-il. Vous vous entendez bien avec eux ?

Bah la plupart sont des moutons.

Brindle arque un sourcil.

Comment ça ?

Ils ont toujours vécu ici. Ils se contentent de faire ce que faisaient leur père et le père de leur père avant eux. Moi j'aspire à plus. Et j'ai voyagé. Je suis allé en Amérique du Sud. En Extrême-Orient. Et trois fois en Floride.

Certaines personnes vous paraissent-elles suspectes monsieur Muncy ? Dans le sens de bizarres je veux dire.

Muncy ricane. Rit sans sourire.

On est tous bizarres par ici inspecteur. Je pensais qu'on vous avait averti.

Et Steven Rutter ? Vous le connaissez ?

Évidemment que je le connais.

Son nom a été mentionné.

Dans quel contexte ?

Ce contexte particulier monsieur Muncy. Celui de cette enquête. De la disparition de votre fille.

Muncy se lisse les cheveux. Les tapote nerveusement.

Vous reprendrez du thé inspecteur ?

Non merci. Comment le décririez-vous ?

Rutter ? Réservé. Il se tient à l'écart et ce n'est pas plus mal parce que ce n'est pas un maniaque de l'hygiène. C'est un gars de la vallée. Il fait partie du paysage quand on sait où regarder. Un ours mal léché et l'odeur de fauve qui va avec. Mais inoffensif.

Vous en êtes sûr ?

Non répond Muncy. Pas plus que je ne pourrais me prononcer sur votre compte. En attendant je vais vous dire une chose : je le connais depuis plus longtemps que vous et je n'ai rien à lui reprocher. D'accord il ne me viendrait pas à l'idée de l'inviter à prendre le thé ni de l'encourager à devenir membre du Rotary mais il s'occupe de ses affaires et moi des miennes. Vous croyez qu'il pourrait être impliqué dans la disparition de Melanie ?

Pour moi tous les habitants dans un rayon de cent cinquante kilomètres sont potentiellement impliqués tant que je ne les aurai pas éliminés de la liste répond Brindle. Bien. Pourriez-vous me montrer la chambre de votre fille ?

Vous arrivez trop tard. Les gars l'ont déjà fouillée. June les a laissés entrer ; personnellement j'aurais préféré qu'ils ne mettent pas les pieds chez moi.

Pourquoi ?

Muncy hausse les épaules et se détourne.

On ne peut pas leur faire confiance explique-t-il. Surtout à Roy Pinder. Un bon conseil : méfiez-vous de lui.

Est-ce qu'ils ont touché à quelque chose ?

Aucune idée. C'est un vrai foutoir.

J'aimerais quand même y jeter un coup d'œil.

La mâchoire de Muncy se crispe. Il s'éloigne sans un mot et Brindle lui emboîte le pas. Il remarque au-dessus de l'escalier incurvé une fenêtre permettant à la lumière naturelle d'éclairer le vestibule.

Il faisait trop sombre sinon déclare Muncy.

C'est une chambre d'adolescente typique : vêtements et posters partout. Une valise ouverte posée par terre dégorge d'autres effets. Il y a aussi une coiffeuse avec un miroir du maquillage et des photos encadrées.

Brindle examine l'une d'elles.

C'est qui le jeune là-dessus ?

Muncy hausse les épaules.

Un chanteur pop. Mais elle est trop vieille pour ce genre de bêtises maintenant. C'était encore une gosse quand elle est partie en pension et à son retour c'était une jeune femme. Depuis cet été. Elle est moins impressionnable. Plus difficile à comprendre.

Je croyais que vous vous entendiez bien.

C'est vrai souligne Muncy. Mais vous savez comment sont les adolescentes.

Brindle ne répond pas.

Vous avez des enfants inspecteur ?

Non.

Vous êtes marié ?

Non.

Vous avez des projets de mariage ?

Non.

L'idée ne vous attire pas ?

Non.

Churchill a dit un jour que sa plus grande fierté était d'avoir réussi à persuader quelqu'un de l'épouser. Mais bon il n'avait pas vraiment un physique avantageux hein ?

Brindle qui examine la chambre remarque un objet par terre. Se baisse pour le ramasser. C'est un inhalateur.

Votre fille est asthmatique ?

Légèrement.

Mais son inhalateur est là.

C'est ce que je vois.

Brindle ouvre les tiroirs et commence à en inspecter le contenu. Il s'arrête soudain pour jeter un coup d'œil à Ray Muncy.

Vous permettez ?

Son interlocuteur se tourne vers la fenêtre. Laisse son regard se perdre dans la vallée.

Faites ce que vous avez à faire.

Brindle poursuit ses recherches. Fouille méthodiquement boîtes et trousses de maquillage. Feuillette les cahiers. Secoue les magazines et ouvre les portes de la penderie. Retourne les chaussures. S'accroupit de nouveau devant la valise ouverte et palpe son contenu.

Sa main se referme sur quelque chose. Il se redresse.

Votre fille est-elle sexuellement active monsieur Muncy ?

Ce dernier se retourne.

Quoi ?

Désolé mais je dois vous poser la question.

Elle a quinze ans nom d'un chien.

Et ?

Quinze ans répète Muncy.

Beaucoup de jeunes filles ont déjà une vie sexuelle active à cet âge.

Pas ma Melanie.

Vous seriez peut-être surpris.

Le visage de Muncy s'assombrit.

Écoutez-moi bien inspecteur…

Brindle soutient son regard sans broncher.

Je n'aime pas vos questions.

Je suis obligé de vous les poser. Elles sont nécessaires. Désolé.

Je n'aime pas non plus votre ton.

Muncy élève la voix à présent. Fronce les sourcils. Son front se plisse au-dessus de ses yeux. Sa mâchoire est de nouveau crispée.

Brindle cille.

Alors ?

Alors quoi ?

Les garçons monsieur Muncy. Les hommes. Les femmes. Votre fille est-elle sexuellement active ?

Qu'est-ce que ça change ?

Brindle ouvre la main. Il tient un test de grossesse.

Potentiellement tout.

*

La voiture part en glissade sur la route et commence à chasser. Mace écrase la pédale de frein. Le système antiblocage lui permet néanmoins de garder le contrôle et en tournant le volant dans le sens du dérapage il parvient à éviter la collision avec un mur. L'incident se reproduit à trois reprises sur les quatre kilomètres et demi depuis le village. Il lui faut quarante-cinq minutes pour les parcourir. Une fois arrivé il laisse la voiture sur le parking et patauge dans la neige en traînant sa valise mais quand il entre dans la gare tout est silencieux. Mort. Il n'y a pas de passagers rien que de la neige sur les rails et les quais. Et même sur les lignes électriques. Tout est paralysé. Manifestement la seule activité récente a été la chute des flocons.

Il retraverse le minuscule hall jusqu'au guichet. Le rideau est baissé. Il consulte le tableau d'affichage. Le message ***TRAFIC INTERROMPU*** est inscrit en travers. Mace le contemple plus longtemps que nécessaire avant de tourner les talons et de sortir.

*

Rutter à dix ans.
Tout seul dans son coin. Dans la cour de récréation.

*Cinq ou six garçons sont assis sur le mur. Des gar-
çons du village des garçons des fermes qui chantent
une chanson.*

Ta mère la catin. Elle aime se vautrer au pieu. Elle
l'a fait avec le laitier et avec toi au milieu.

*Les mots lui sont destinés. Jetés à la figure. Toutes
ces railleries chantonnées avec du venin dans la voix.*

*C'est lui la cible. Lui tout seul dans son coin. Lui dans
ses frusques. La cible des garçons sur le mur ils sont
cinq ou six. Des grands des costauds des durs à cuire.*

Des garçons du village. Des garçons des fermes.

Ils entonnent un autre couplet.

Ta mère la catin. Elle aime se vautrer au pieu. Elle
l'a fait avec le charbonnier et avec toi au milieu.

*Ils se moquent ils ricanent et font semblant de se
branler.*

Ta mère la catin. Elle aime se vautrer au pieu. Elle
l'a fait avec un Noir et avec toi au milieu.

Il se lève à présent il est debout il avance.

*Il marche vers les garçons. Les garçons qui chantent
une chanson ricanent et se moquent. Une chanson qui
ne veut rien dire. Non. Rien du tout. Une chanson qui
n'a pas de sens.*

*Ils sont cinq ou six assis sur ce mur. S'il l'un d'eux
dégringolait...*

Ta mère la catin. Ce qu'elle préfère c'est qu'on la
prenne par-derrière.

*Rutter est tendu Rutter est gonflé à bloc et il respire
fort. Il s'avance vers eux. Il lui semble que ses bras
sont deux marteaux et ses mains des têtes d'acier. Ça
lui fait une drôle de démarche.*

*Il respire fort s'avance vers eux et s'approche du
plus grand du plus costaud du plus vicieux du groupe.*

Et lui expédie son poing dans la figure.

Et le grand – le plus grand le plus costaud le plus vicieux le plus puant – tombe du mur.

Se cogne la tête. Un choc sourd. Ce foutu Humpty Dumpty s'est cassé la gueule pense Rutter.

Mais il se relève le costaud. Se redresse effleure son crâne du bout du doigt et sourit.

Parce que c'est un dur à cuire qui a l'habitude de se colleter avec les animaux toute la journée.

Ensuite c'est Rutter qui mord la poussière. Qui se fait dérouiller. Ça n'aurait pas dû se passer comme ça.

C'est lui au milieu. Au milieu d'une avalanche de coups de botte de coups de poing.

Elle l'a fait avec un Noir.

Une chanson qui n'a pas de sens. Une chanson absurde.

Il est tout seul dans son coin il est près du mur il est roulé en boule et ça n'aurait pas dû se passer comme ça. Pas du tout.

*

Brindle décide de monter jusque chez Rutter dans la lumière déclinante.

Sous la neige le chemin est creusé d'ornières et inégal et sur une courte distance il semble s'enfoncer dans le versant tandis que des buissons d'aubépine noirs se pressent de chaque côté comme pour le piéger.

Une femme lui a dit un jour – à lui James Brindle – qu'il avait des lèvres inconsistantes.

C'est l'expression qu'elle avait employée : des lèvres inconsistantes.

Il se trouvait dans une discothèque. Il buvait encore à l'époque ; il avait encore une vie sociale à l'époque – et dans le vacarme ambiant il avait cru avoir mal entendu alors il lui avait demandé de répéter. Elle l'avait fait. Cette fois il avait parfaitement compris. Des lèvres inconsistantes.

Il s'est toujours interrogé sur le sens de cette remarque. Avoir des lèvres inconsistantes. Encore aujourd'hui des années plus tard chaque miroir lui rappelle ce moment cruel ; un commentaire négatif parmi mille autres sur sa tache de naissance si voyante. Il a essayé de comprendre pourquoi il y attachait tant d'importance et en quoi c'était révélateur de sa personnalité. S'est dit que toutes les réussites professionnelles – les prix les promotions les tueurs traduits en justice – ne pourraient jamais rien y changer et que c'était peut-être lié à son profond sentiment de solitude. Ces lèvres quasi inexistantes étaient au centre de tout. Et avec elles la tache de naissance le besoin irrépressible de toucher les surfaces l'aversion pour la poussière la sensation d'avoir des bulles dans les veines et des serpents dans les bras et tout le reste.

Il s'arrête pour prendre du recul. Regarde le village en bas avec ses maisons qui semblent s'accrocher à la route puis lève les yeux de l'autre côté en direction de la propriété de Muncy et ses terres derrière qui descendent jusqu'à la rivière et aux arbres. Puis il se tourne vers la ferme de Rutter au sommet de la colline et poursuit son ascension.

*

Au moment où il quitte le cinéma une main lui effleure le bras. Des doigts se referment sur son coude et apparemment pincent un nerf. Une douleur aiguë fuse dans le bras de Rutter. Une voix glaciale ordonne tout près de son oreille :

Venez avec moi.

Il essaie de se détourner mais la main exerce maintenant une pression sur ses reins. Le guide.

Avancez. La porte là-bas à droite. Pas de conneries.

Il ne peut pas résister. La main a trop de force.

Ils arrivent devant la porte et l'homme l'ouvre.

Entrez.

Rutter est jeune et effrayé. L'inconnu est très maigre. Ses pommettes sont saillantes et la peau de son visage semble tendue à craquer. Dans la faible lumière elle prend un aspect cireux et il y a quelque chose qui cloche avec la bouche. La lèvre du haut est tordue comme si elle avait été fendue un jour jusqu'au nez puis mal recousue. Avec des points trop serrés.

Ses cheveux lissés en arrière sont durcis par du gel à effet mouillé. Il porte une chemise et une cravate. Des lunettes aussi.

Qu'est-ce que vous me voulez ? demande Rutter. Qu'est-ce qui se passe ?

M. Hood veut vous voir.

C'est qui M. Hood ?

Quelqu'un qu'il vaut mieux ne pas contrarier.

Le maigre s'écarte et d'une poussée lui fait franchir le seuil. Rutter se retrouve en haut d'un escalier sombre. Il sent toujours la main dans son dos – qui d'une pression légère et d'autant plus troublante l'incite à avancer.

Parvenus au pied de l'escalier ils tournent à droite puis descendent d'autres marches. Arrivent devant l'issue de secours. Ils sont dans les entrailles du cinéma.

Non pas là dit l'homme.

De la tête il indique le sol.

Ici.

Rutter ne comprend pas mais déjà l'autre s'accroupit soulève un tapis et attrape un anneau métallique. Une trappe s'ouvre.

Il indique l'espace à leurs pieds.

Allez-y.

Rutter scrute la cavité et distingue une échelle. S'y engage. L'homme le suit et referme la trappe au-dessus d'eux. Ils s'enfoncent plus profondément dans le cœur du bâtiment. Traversent une succession de caves voûtées au plafond bas. Certaines sont remplies de rebuts – tapis élimés vieilles chaises journaux humides bouteilles pièges à rats casiers en plastique – et d'autres sont vides.

Au détour d'un couloir il découvre un grand écran et des hommes assis autour qui boivent et regardent un film. La fumée de leurs cigarettes plane au-dessus d'eux. Le film est muet et en noir et blanc pourtant il n'est pas vieux. Ce sont les images d'une caméra de surveillance.

Il voit une lutte. Il voit un homme sur une femme il voit un homme dans une femme. Qui l'écartèle. Pris de folie.

Il voit sa propre silhouette.

C'est lui sur l'écran. Steven Rutter. Possédé.

Ça se passe sur le parking dehors – le parking du X – et c'est comme un rêve étrange.

Le maigre lui sourit et dit : Les caméras jeune homme. On les a fait venir spécialement d'Amérique. Là-bas on les appelle les yeux du ciel. Elles capturent tout.

Rutter se concentre de nouveau sur les images. Il voit la femme tituber et tomber il voit ses jambes dépasser de derrière une voiture et les siennes les écarter.

Les hommes regardent toujours en silence.

Puis la séquence s'arrête brusquement et les lumières se rallument. Les hommes – sept huit ou neuf en costume le genre à avoir portefeuille épouses et photos des enfants bien en évidence sur leur bureau – posent leurs boissons et commencent à applaudir. Le maigre lui jette un coup d'œil de biais. Rutter constate que les verres de ses lunettes se sont assombris quand la salle s'est éclairée.

Venez dit le maigre qui le conduit devant l'écran avant de s'adresser au groupe : Messieurs je vous présente la vedette du spectacle.

Malgré la pénombre Rutter distingue des individus en complet-veston et même en smoking pour deux d'entre eux. D'autres portent une tenue plus décontractée. Il y a tous les âges – dont deux très vieux lui semble-t-il.

Servez-lui un verre bon sang dit l'un des hommes.

Rutter n'en veut pas.

Je vais le prendre alors.

Il s'est mis sur son trente et un pour l'occasion dit une autre voix saluée par des rires.

Il regarde les visages. Croit en reconnaître au moins deux. Alors qu'il fouille dans sa mémoire l'un d'eux lance : Hé mais c'est ce foutu Steve Rutter.

Ce dernier plisse les yeux. Le remet. C'est Wendell Smith. Un des habitants de la vallée. Propriétaire d'une usine de conditionnement de poulets.

Wendell dit-il.

Le maigre se tourne vers lui.

Pas de prénoms ici.

Wendell Smith prend de nouveau la parole.

Il habite près de chez Muncy.

La remarque suscite un regain d'intérêt dans le groupe.

Rutter s'aperçoit que les lunettes du maigre se sont encore assombries. Il reporte son attention sur les autres. L'un d'eux a coiffé une casquette de base-ball de couleur vive. Il pense que c'est peut-être quelqu'un de la télé mais comme il n'a pas de poste il n'en est pas certain.

Je suis M. Skelton déclare le maigre. Et là comme vous le savez déjà c'est M. Smith. Bon maintenant que nous sommes tous entre amis vous pouvez peut-être nous dire ce que vous avez fait d'elle ?

De qui ?

Les hommes boivent fument et changent de position sur leurs sièges. Ils n'en perdent pas une miette.

Vous pouvez parler librement mon garçon. Nous partageons tous les mêmes centres d'intérêt.

Rutter garde le silence.

Skelton indique l'écran.

Ça c'est une condamnation à perpétuité assurée. N'est-ce pas Votre Honneur ?

L'un des hommes sourit en hochant la tête.

Imaginez un peu quel sort serait réservé à un jeunot pareil en prison messieurs ajoute Skelton.

Les autres sourient et rient.

Il suffirait d'un coup de téléphone dit encore le maigre à Rutter. Vous pourriez être n'importe où dans le monde il suffirait d'un coup de téléphone pour que vous finissiez comme cette femme sur les images. M. Hood n'est pas content.

Qui est M. Hood ? demande Rutter.

C'est qui ce rigolo Skelton ? lance un des spectateurs – un gros en smoking.

Celui-ci ignore les deux questions.

Bon réfléchissez bien et répondez-moi franchement : Qu'avez-vous fait de cette femme ?

Rutter déglutit et transfère son poids d'une jambe sur l'autre.

Je m'en suis débarrassé.

On avait deviné. Où ?

C'est important ?

Si jamais quelqu'un retrouvait le corps et remontait jusqu'ici ça pourrait le devenir répond Skelton. Alors je répète ma question : Où l'avez-vous abandonnée ?

Rutter renifle puis frotte le chaume clairsemé sur ses joues.

L'enclos des cochons.

S'ensuit un court silence jusqu'au moment où Skelton demande : Vous l'avez donnée aux cochons ?

Sûr. Ils l'ont bouffée.

L'homme à la casquette se penche en avant ôte la cigarette de sa bouche et répète avec un grand sourire : Ils l'ont bouffée ?

Rutter confirme d'un hochement de tête.

C'est efficace ?

Sûr. Avec une demi-douzaine de porcs en quelques heures y a plus rien. Ils font tout disparaître sauf les dents.

L'homme à la casquette lui sourit de nouveau. Tous lui sourient.

Il sait de quoi il parle intervient Wendell Smith. C'est un paysan. Il travaille à la ferme avec sa mère. Elle est là depuis des siècles cette ferme. Elle est aussi vieille que la terre d'ici.

On ne le croirait jamais capable d'un truc pareil hein ? lance l'homme à la casquette. Qui d'autre mon garçon ? Combien en avez-vous jeté dans cet enclos ?

Zéro.

Il ment affirme l'un des hommes. J'en suis sûr.

Dites-nous la vérité mon garçon et on s'occupera bien de vous déclare Casquette qui semble exercer un certain ascendant sur les autres. Mais si vous vous obstinez à mentir vous ne verrez pas le soleil se lever demain.

Zéro.

M. Skelton reprend Casquette. Veuillez je vous prie faire sauter l'un des yeux de ce jeune homme.

Le maigre saisit Rutter et approche de son visage un poing fermé pouce en avant.

Hé attendez proteste Rutter. Attendez.

Skelton s'immobilise.

Y en a peut-être eu une autre avant.

Une quoi ?

Une fille. Ça fait un bout de temps. C'était juste une fille. Vous allez me dénoncer aux autorités ?

L'homme à la casquette éclate de rire et les autres aussi. Tous s'esclaffent sauf Skelton.

Fils dit Casquette. C'est nous les autorités.

*

Les poulets annoncent l'arrivée de Brindle dans la cour de ferme.

Il découvre un endroit défini par l'absence. Des granges ouvertes aux quatre vents réduites à des carcasses pourries. Un tracteur avachi sans pare-brise dont une des roues avant est appuyée contre un côté comme un vieillard chancelant. Des bidons d'huile et des seaux à grain vides. Des rouleaux de corde moisie effilochée. Il remarque aussi un autre outil agricole. Une espèce de pelleteuse à la peinture écaillée dont tous les éléments ont rouillé. Il distingue une pellicule verdâtre à l'intérieur de la vitre ouverte. Tout ce qui était mécanique semble corrodé immobilisé hors d'usage.

Il s'arrête près du poulailler où il voit de tristes volatiles décharnés qui se sont arraché mutuellement les plumes dans leur frénésie. Il n'y a aucun signe d'une activité agricole quelconque. Pas de récoltes rentrées pour l'hiver.

Il vient de tourner à l'angle d'un bâtiment quand soudain des chiens aboient. Il ne voit d'eux que des petites formes sombres. Il fait une pause puis s'approche. Des terriers griffent le grillage de leur enclos pour essayer de l'atteindre. Lorsque Brindle s'accroupit ils jappent de plus belle se bousculent et se battent.

La porte de derrière s'ouvre à la volée et une silhouette s'encadre dans l'embrasure. Brindle se redresse lentement.

Vous êtes qui ?

Monsieur Rutter ?

J'ai dit vous êtes qui ?

La police monsieur Rutter.

Éloignez-vous de mes chiens connard.

Brindle s'avance vers lui. Vers la lumière.

Je suis l'inspecteur James Brindle.

Les flics sont déjà venus ici. J'ai répondu à leurs questions.

Brindle pénètre dans le long rectangle lumineux qui se dessine devant la porte. Voit sur le seuil un homme petit. Une fouine.

Pas aux miennes réplique-t-il. Je peux entrer ?

Vous avez un mandat ?

Je n'ai pas besoin de mandat pour bavarder. Les mandats c'est pour les perquisitions.

Ils sont déjà venus je vous dis. Je vous interdis de fouiller ma maison.

Je n'en avais pas l'intention. Je voudrais juste vous parler.

De quoi ?

Vous le savez très bien.

Brindle l'examine. Rutter lui paraît ridé et desséché. Tout en nerfs. Une créature crasseuse qui se confond

143

avec le paysage. Il tient un tisonnier et regarde la marque de naissance sur la joue du visiteur.

Je peux entrer ? répète Brindle. Il fait froid dehors.

Non décrète Rutter.

Ils se dévisagent.

Melanie Muncy. Vous la connaissez bien ?

Non.

Vous ne la connaissez pas ?

Rutter hausse les épaules.

Je viens de parler à son père et il m'a dit que vous aviez toujours vécu dans ces collines ajoute Brindle.

Et ?

Et ils habitent en bas de chez vous. De cette maison vous avez pu voir Melanie grandir.

Nouveau haussement d'épaules.

Sûr.

Et vous maintenez que vous ne la connaissez pas ?

J'ai jamais dit que je savais pas qui c'était. J'ai dit que je la connaissais pas. C'est pas pareil.

Vous avez raison monsieur Rutter. Ce n'est pas pareil.

Bon.

Brindle pivote vers la cour sombre. Tourne le dos à Rutter. Enfonce ses mains dans les poches de son pardessus.

Vous habitez seul ici ?

En guise de réponse un grognement qui peut passer pour un oui. Brindle se retourne et le détaille de la tête aux pieds. Remarque une griffure rouge sur son poignet droit et sans ciller lance : Où avez-vous mis le corps de Melanie Muncy ?

La question prend Rutter de court. Il s'appuie contre l'encadrement de la porte.

J'ai rien fait. Demandez à Roy Pinder.

Je ne connais pas Roy Pinder. À vrai dire je me fous complètement de Roy Pinder – et de vous. Je ne m'intéresse qu'à la fille. Je suis certain que vous êtes impliqué dans sa disparition. Alors autant l'admettre tout de suite comme ça on pourra avancer.

J'admets que dalle.

Vous savez que je n'ai pas besoin de témoins – juste de preuves.

Ce que je sais c'est que vous devez d'abord m'arrêter.

Vous arrêter ? Grands dieux non. J'ai simplement laissé entendre que vous étiez impliqué. Que vous me cachiez des informations.

Le regard de Rutter vacille. Il ne parvient pas à cerner ce drôle de flic à sa porte. Il ne ressemble en rien à ceux qu'il a déjà rencontrés.

Il y a tellement de possibilités ici n'est-ce pas ? poursuit Brindle. Tout cet espace. Toutes ces terres.

Rutter garde le silence.

Je veux dire ce serait facile de se débarrasser d'un corps pas vrai ? Une petite gamine. Perdue dans l'immensité de la lande. Je parie que ces hautes terres n'ont aucun secret pour vous monsieur Rutter et qu'il doit être bien utile parfois de vous connaître n'est-ce pas ?

Ils s'observent.

Depuis combien de temps habitez-vous ici ?

Vous le savez déjà répond Rutter. Ou vous le sauriez si vous aviez fait votre boulot.

Vous avez dû en voir des changements poursuit Brindle en se détournant de nouveau.

Il joue son rôle à présent. Il n'ignore pas que certains de ses collègues sont plus doués que lui pour les interrogatoires mais il continue quand même.

Le monde ne s'arrête jamais dit-il. Ces éoliennes là-haut ça doit être rudement agaçant.

On s'habitue.

D'autres nouveautés ?

Rutter hausse encore les épaules. Baisse les yeux vers le sol puis fixe un point par-dessus l'épaule de Brindle.

Il y en a forcément eu insiste Brindle. Dans le paysage et la façon de cultiver. Le fameux plan d'eau tenez. Le lac artificiel. Est-ce qu'il a affecté la ferme ?

Rutter détourne les yeux.

Non. J'y vais jamais.

Brindle sent son nez le démanger. Il tire un mouchoir de sa poche et éternue dedans. Une fois deux fois. Le replie soigneusement et le range en espérant qu'il n'est pas en train de s'enrhumer.

Durant un moment il craint d'éternuer encore mais ça finit par passer. Il tourne de nouveau le dos à Rutter et regarde en direction de l'enclos des chiens.

Je crois que je vais creuser par ici déclare-t-il. C'est ce que je fais dans mon métier voyez-vous monsieur Rutter : je creuse. Je suis connu pour ça. Doué pour ça. Sacrément doué. Je suis comme vos terriers : une fois que je tiens quelque chose je m'y accroche. Je me cramponne. Je plante mes crocs et je serre. C'est une faiblesse d'une certaine façon – un défaut de caractère – parce que rien ni personne ne peut me forcer à lâcher prise. Il faudrait me tuer pour se libérer de moi. En attendant le boulot y gagne en efficacité.

Brindle sort du rectangle de lumière et s'éloigne dans l'obscurité de la cour. Dans cet espace bleu nuit glacial.

Joyeux Noël monsieur Rutter. À bientôt.

*

Brindle ne va pas plus loin que le bas de la pente à la sortie du village avant que la route devienne impraticable. Les congères de plus en plus hautes engloutissent les murets de pierre. Il n'y a pas de lignes droites dans le paysage ; ni verticales ni horizontales. Rien que des courbes des arrondis et des pentes recouvertes d'une neige fraîche et lisse. Il se sent oppressé tandis qu'il scrute en vain les reliefs à la recherche de parallèles de perpendiculaires ou de tout ce qui pourrait représenter la continuité. Il ne voit que le chaos de la nature.

Sur Haslet Road les rares voitures encore dehors ont été abandonnées de biais sur le bas-côté ou autour de la place du marché.

En ce soir de réveillon il est coincé. Piégé. Prisonnier du bourg. Et merde.

Il retourne au Magnet. Traverse le bar et gravit l'escalier. Longe le couloir empestant le renfermé dont le plancher craque sous la vieille moquette. Entre dans sa chambre.

Il appelle la gare pour s'entendre répondre par une voix préenregistrée que tous les départs ont été annulés. Cherche le numéro des compagnies de taxis les plus proches – il y en a deux – mais aucune n'assure de services. Impossible de rouler lui dit-on. La troisième située à quarante-cinq kilomètres ne veut pas prendre le risque d'envoyer un chauffeur.

La neige a isolé la vallée. Durant un moment Brindle envisage d'appeler une voiture de patrouille pour venir le chercher mais finit par y renoncer. Pour qui passerait-il ? Sans compter qu'elle aurait toutes les chances d'être bloquée elle aussi. Il n'ira nulle part.

Il délace ses bottes et ôte ses chaussettes. Elles sont humides. Il enlève sa cravate. Place les chaussettes sur le radiateur et allume la télé pour noyer les bruits provenant du pub en dessous. Ils ne feront qu'augmenter dans les prochaines heures.

L'odeur des cigarettes monte jusqu'à lui. Il pourrait coller une amende au propriétaire s'il le voulait mais quel intérêt ?

Le téléviseur ne reçoit que cinq chaînes et tous les programmes célèbrent Noël. Il se lave les mains se rafraîchit le visage et s'essuie. Se peigne.

Dans le miroir il voit un masque aux traits tirés. Des lèvres inconsistantes et un défaut sur la peau rouge foncé. Il songe : défaut la version abrégée de défaillant. Détective défaillant. Homme défaillant.

Et aussi : les miroirs. Toujours les miroirs les masques et la multitude des souvenirs.

Il se détourne prend dans sa valise une serviette de table propre qu'il étale sur le lit puis pose dessus ses cartons de riz froid et de légumes. Sort une fourchette en plastique de son emballage de cellophane approche du matelas la seule chaise de la pièce et se penche maladroitement pour manger. En même temps il parcourt son dossier.

Il n'y a pas de bouilloire dans la chambre alors il va chercher des chaussettes propres dans le tiroir. Remet sa cravate enfile sa veste. Dans la salle de bains il se repeigne se brosse les dents et compte les carreaux avant de sortir. Quand il s'engage dans le couloir les spirales de couleur vive imprimées sur la moquette élimée lui donnent le tournis. Des odeurs de graillon et d'after-shave se mêlent à celle du tabac tandis qu'il descend l'escalier étroit.

3

Elle est appuyée dans un coin comme une marionnette abandonnée entre deux représentations. Une marionnette dont les fils auraient été coupés. Avachie inanimée.

Elle le regarde elle a des yeux bruns et elle est morte.

Le cri résonne encore à ses oreilles. Il l'entend toujours. Un hurlement suraigu. Complètement disproportionné pense-t-il. Elle en a fait des histoires pour quelques claques.

Il est possible aussi qu'il se soit servi de ses pieds. Mais il n'en est pas sûr.

Étrangement il se sent à la fois surpris et déçu : c'était une fille de la campagne cette Melanie Muncy non ? Une belle plante. Saine. Il l'imaginait plus forte. Plus solide. Plus résistante. Plus vigoureuse.

Il ne lui a donné que quelques gifles.

Peut-être deux ou trois coups de botte.

Lui a fait tâter de sa lame. Un tout petit peu. Une égratignure.

Elle devrait s'estimer heureuse en un sens. Il disposait d'une carabine d'une machette d'un couteau à découper et il a eu l'obligeance de ne pas les utiliser. Par courtoisie. En gentleman. Il l'a étranglée de ses propres mains. Avec amour.

Pourtant elle est morte. Il n'y a plus de pouls plus de chaleur plus de clignements.

Maintenant elle est morte pour toujours.

Devenue quelque chose d'autre.

Partie ailleurs.

Et complètement sienne.

*

Le bourdonnement des éoliennes emplit l'air tandis que les hélices projettent de longs cercles d'ombre sur le versant. Ils glissent sur la roche verglacée et la bruyère gelée. Obscurcissent la neige.

Le feu n'est pas allumé. Rutter se tient dans la lumière crépusculaire d'une fin d'après-midi d'hiver.

Il est debout il est immobile il contemple le mur devant lui.

Fasciné il regarde les ombres dansantes des pales.

Et se souvient.

De l'autre fille. La première.

Il s'autorise à y repenser. À l'évoquer. À la laisser revenir à sa mémoire. Elle était un peu plus jeune que lui.

Ils approchaient tous les deux de la fin de l'adolescence. N'avaient sans doute qu'un ou deux ans d'écart.

Ça remonte à loin. À au moins deux décennies peut-être plus. C'était avant l'Odeon X. Avant le parking le whisky les caméras et les caves. Bien avant.

Ce n'était pas une fille du hameau ni du village ni de la vallée ; non elle était de passage. Campait dans le pré de Muncy. Ce n'était pas non plus une fille de la ville la plus proche. Non.

C'était en été. Au plus fort de l'été. En août. Une vraie fournaise.

La fille faisait le sentier de randonnée Coast-to-Coast en transportant sur son dos son tapis de bivouac et son sac de couchage. Des boîtes de haricots des casseroles et des poêles. Et une carte dans un étui en plastique autour de son cou. Elle s'arrêtait tous les soirs dans un site différent. Une folle avait dit la mère de Rutter.

Elle avait choisi de se reposer un jour de plus ici dans les Dales avant d'aller rejoindre son petit copain. C'était du moins ce qu'avaient écrit les journaux. Lui il l'avait laissée toute seule. Le petit copain. Il l'avait laissée se débrouiller dans les collines. Ce n'était pas bien.

Elle méritait mieux. Rutter l'avait compris tout de suite. Il avait vu une fille gentille une fille polie une fille soignée. Un peu crasseuse mais elle n'avait rien d'une garce. Rien d'une traînée. Non. Il avait vu une fille habituée au grand air au soleil à la liberté.

De celles qu'on épouse peut-être. Oui. Le bon numéro peut-être.

Comment le petit copain avait-il pu la laisser camper toute seule ?

À la place de ce gars s'était dit Rutter il ne l'aurait jamais abandonnée. Il ne l'aurait jamais perdue de vue. Non. Il y avait trop de tordus dans le coin.

Non. Pas celle-là. Celle-là il ne fallait pas la lâcher.

C'était une fille gentille une fille polie une fille soignée. Une rareté.

Ce n'était pas bien. Il y avait des gens dangereux partout. Même ici sur les hautes terres.

Les gentilles filles ont besoin d'être protégées.

Elle était partie se promener. Se dégourdir les jambes au-dessus du hameau. Jeter un coup d'œil aux environs.

Il l'avait rencontrée quand elle avait débouché de Corpse Road dans la gorge. Lui était allé à la pêche. Il était toujours puceau à cette époque. Aussi inexpérimenté qu'on peut l'être. Il ne se rasait même pas encore régulièrement – environ une fois par mois tout au plus.

Il l'avait rencontrée alors qu'elle sautait sur les rochers le long de la rivière couleur de rouille. À l'endroit où les parois escarpées du ravin montaient haut vers le ciel.

Oh bonjour avait-elle dit. Tu m'as fichu la frousse.

Et encore : Il fait un temps magnifique et c'est tellement beau par ici. Tellement sauvage tellement préservé.

Lui n'avait rien dit parce qu'il n'y avait rien à dire.

Je suis trop contente de pouvoir camper près de cette rivière avait-elle ajouté.

Il s'était éclairci la gorge. Il serrait sa canne à pêche.

T'es chez Muncy ? avait-il demandé.

Où ça ?

À la ferme.

Ah oui. Je me suis installée sur le terrain de camping. Je l'ai pour moi toute seule. Et cette douche un vrai bonheur. Ça mord ?

De la tête elle avait indiqué la canne à pêche.

Les poissons avait-elle précisé.

Il avait baissé les yeux vers les pieds de la fille. Elle portait des tennis en toile.

J'ai mis mes bottes à sécher avait-elle expliqué comme si elle lisait dans ses pensées.

Elle avait regardé les pieds de Rutter eux-mêmes chaussés de bottes de sécurité.

Il m'en faudrait des comme ça.

Elle percevait son odeur de l'endroit où elle se tenait : sueur et senteurs de ferme. Tabac froid.

La rivière est poissonneuse ?

Il avait jeté un coup d'œil au cours d'eau.

Ouais.

Qu'est-ce que tu pêches ?

Des truites.

Il avait reniflé et s'était de nouveau éclairci la gorge.

Les gens d'ici disent qu'il y a des ombres mais moi j'en ai jamais vu.

La fille avait repoussé une mèche derrière son oreille. Une oreille délicate brillante et translucide. Il voyait le soleil à travers. Un badge était accroché à sa poitrine. Il y avait marqué *Madchester* dessus. Et *Rave On !*

J'ai mangé des nouilles toute la semaine avait-elle repris.

Hein ?

Oh je disais juste que j'ai fait le bon vieux régime du randonneur toute la semaine. Des Super Noodles et encore des Super Noodles.

C'est quoi ?

Ben on les fait bouillir dans une casserole. Ça ressemble à des spaghettis mais à la mode asiatique. À la longue c'est lassant.

Elle avait souri puis détourné les yeux.

Il avait commencé à se demander si ce n'était pas une traînée finalement. Comme beaucoup de hippies. Elle n'était peut-être pas de celles qu'on épouse. Non. Lui ne tolérerait pas ce genre d'attitude. Non. Ne jamais savoir ce qu'elle fabriquait quand il avait le dos tourné. Imaginer que les hommes allaient frapper à la porte de derrière toute la journée. Des ouvriers des livreurs des vieillards des gros dégueulasses. Non non non. Pas ça. Plus jamais.

Qu'est-ce qu'elle faisait sur ces rochers près de la rivière d'abord ? Personne ne venait jamais là à part lui. Le chemin s'arrêtait environ huit cents mètres plus haut ensuite il fallait crapahuter jusqu'aux meilleurs trous d'eau. Il était le seul à les connaître. C'était son territoire.

Elle rôdait dans le coin parce qu'elle cherchait quelque chose. Voilà ce qu'elle avait en tête. Elle cherchait un homme. Forcément. Un gars du coin. Pour s'amuser.

Elle le cherchait lui.

Il avait lu des histoires dans les magazines que les gens jetaient dans les ruelles en ville. Il les avait récupérés. Mis de côté collectionnés. Et il avait recollé les pages humides arrachées comme s'il assemblait les pièces d'un puzzle couleur chair.

Des chaudasses à la campagne. Des vicieuses dans les bars. Oui. Se roulant dans le foin et dans la bruyère. Ou se comportant comme des chiennes au bord de la rivière.

Oui. Il avait lu des histoires sur les filles qui baissaient leur culotte dès qu'elles apercevaient un homme.

Bon avait-elle dit en chassant d'un geste une mouche.

Une autre s'était posée sur la joue de Rutter qui n'y avait pas prêté attention.

Il s'était avancé vers elle. Avait sauté de son rocher au sien faisant tressauter sa sacoche de pêche.

Il l'avait vue esquisser de nouveau un geste pour repousser ses cheveux derrière son oreille sauf que la mèche y était déjà enroulée. Son oreille translucide pareille à un coquillage brillant sous le soleil.

Bon avait-elle répété. Il faut que je rentre maintenant. Les nouilles m'attendent avait-elle ajouté en lâchant un petit rire forcé.

Je je pourrais te pêcher un un poisson avait-il dit conscient de bégayer. Ça te changera.

C'est gentil avait répliqué la fille. Mais non t'embête pas.

Je t'assure c'est pas un problème.

Ils se tenaient sur un rocher au fond de la gorge au bord de la rivière couleur de rouille. De près l'odeur du garçon était plus forte. Presque toxique. Elle donnait à la fille l'envie de tousser. Lui rappelait celle des clodos dans le métro à Londres et aussi des sans-abri dans le foyer à Leeds où elle avait travaillé une semaine – des hommes qui se pissaient dessus transpiraient la bière et ne se douchaient jamais. Une odeur tout aussi terrible. Pire même.

Non ça ira avait-elle affirmé. En tout cas c'était sympa de te parler.

Elle s'était détournée pour partir et il lui avait posé une main sur l'épaule.

Ici personne peut nous voir avait-il déclaré.

Hein ?

Sa main reposait toujours sur l'épaule de la fille qui à présent lui faisait face. C'était maintenant ou jamais. Son heure. Oui. Il attendait depuis tellement longtemps. Oui. Le moment était venu de prendre l'initiative. Il avait lu les histoires il avait lu les magazines. Ces puzzles couleur chair. Il savait ce qui allait se passer.

Il s'était penché pour l'embrasser. Son haleine était fétide et la rivière empestait. Il y avait des mouches partout. La fille n'avait pu dissimuler son dégoût. Elle avait eu un mouvement de recul. Elle avait grimacé.

Mais il n'était pas dupe. Savait bien ce qu'elle avait en tête. N'agissaient-elles pas toujours ainsi ? Dans les magazines ils appelaient ça le jeu du chat et de la souris. OK d'accord. Il serait le chat et tout irait bien.

Le cours d'eau s'élargissait à leurs pieds. Le courant circulait paresseusement avant de se précipiter plus bas en produisant une sorte de musique – comme des éclats de verre déversés sur du ciment froid.

Désolée avait-elle dit. Je crois que tu…

Le bout de la langue pointé entre les lèvres les yeux fermés il s'était de nouveau penché vers elle.

Arrête avait-elle ordonné.

Mais déjà il lâchait sa canne à pêche et sa sacoche et de son autre main la saisissait par la nuque. Lui enfouissait ses doigts dans les cheveux.

Une paume plaquée sur le torse de Rutter elle l'avait repoussé en disant non attends s'il te plaît stop. Mais il savait que lorsque les filles disaient non attends s'il te plaît il fallait comprendre le contraire. Il fallait comprendre vas-y. Viens. Continue.

Alors il l'avait agrippée plus fort et elle avait voulu lui expédier son genou dans le bas-ventre en essayant de se rappeler tout ce qu'on lui avait appris tout ce qu'on lui avait dit de faire si un homme essayait de l'attaquer mais il s'était écarté – trop vivement. Il avait chancelé. Il avait chancelé perdu l'équilibre et ils étaient tombés tous les deux du rocher sur les pierres en contrebas. Un accident. Une chute de près de deux mètres. Il la tenait toujours et leurs têtes s'étaient heurtées quand ils avaient atterri sur les cailloux et il avait entendu un craquement et senti quelque chose céder en elle. Elle se trouvait sous lui. Elle avait amorti sa chute. Il avait pourtant eu le souffle coupé. Elle était blessée. Ils étaient tous les deux blessés.

La fille avait ouvert la bouche pour parler mais son souffle s'était bloqué dans sa gorge tandis qu'il s'acharnait sur son chemisier le tirait l'arrachait faisant sauter les boutons déchirant le tissu. Elle ne portait pas de soutien-gorge.

Elle était incapable de bouger.

Silencieuse. Clignant des yeux. S'étouffant dans l'ombre du gros rocher tandis que l'eau glissait autour d'eux et qu'une nuée de mouches tournoyaient au-dessus de la tête de Rutter. Son haleine était fétide et la rivière empestait.

Et il avait pensé poissons peau rochers mouches yeux appâts hameçons ouïes écailles vase sang badges pointes *rave on*.

Puis il était devenu un homme un vrai un homme puissant et la graine secrète du mal avait été plantée dans les plus noirs tréfonds de son âme.

*

Quand il le découvre de l'autre côté du bar Mace sait tout de suite de qui il s'agit. Il n'a pas besoin qu'on le lui dise. La tache de naissance rouge sang est révélatrice.

Sa posture guindée évoque un mannequin de cire. Sa chemise blanche sa cravate – les manches sont-elles vraiment retenues par des tours-de-bras de croupier ? – et sa coupe courte genre pilote de chasse avec une raie bien nette accentuent cette impression. Il n'a pas l'air d'un enquêteur mais pas non plus d'un homme qui aurait une autre raison de traîner au Magnet. Si Mace avait bien entendu dire que James Brindle était spécial il ne s'attendait pas à voir un personnage aussi austère.

Le policier s'est installé à une table dans un coin de la salle. Devant lui un bloc-notes une tasse sur une soucoupe et une petite cuillère. Du thé ? s'étonne Mace. C'est le réveillon de Noël et ce type boit du thé en considérant les clients qui enchaînent les pintes les alcools forts et les cigarettes.

Mace avale une gorgée de bière. Fend la foule des corps et échange quelques politesses ici et là. Brindle lève les yeux. Le regarde. Semble le sonder. Mace le salue d'un hochement de tête. Lui porte un toast. Le policier le dévisage. Cille.

Joyeux Noël dit Mace.

Merci réplique Brindle sans faire un geste. De même.

Mace croit voir l'ombre d'une expression de contra-riété sur le visage de son interlocuteur mais elle ne fait que passer et cède aussitôt la place à quelque chose de plus perturbant : la neutralité. Une détermination à ne rien révéler.

Eh bien reprend le journaliste. Il semblerait que les trains soient annulés et les routes bloquées.

Brindle soupire puis appuie sur le bouton-poussoir de son stylo et le place sur la table. L'effleure.

Je suis coincé ici poursuit Mace. Impossible d'aller chez mes parents. Pas ce soir en tout cas. Remarquez ce n'est peut-être pas plus mal.

Il se sent soudain idiot vulnérable et empourpré par la bière. Scruté sans vergogne. Il s'entend demander :

Je peux vous offrir un verre ?

Non répond Brindle. Mais merci quand même.

Oh ce regard pense Mace. On dirait celui d'un homme piégé sous la glace. Celui d'un homme qui a vu trop de choses.

Vous êtes sûr ? C'est l'occasion ou jamais.

Je ne bois pas.

Waouh.

Hein ?

Un policier qui ne boit pas observe Mace. Ce n'est pas banal. Surtout chez un inspecteur.

Brindle change de position sur sa chaise et s'y adosse. Ses mains reposent sur ses cuisses.

Comment savez-vous que je suis policier ?

Vous faites même partie de l'élite dit Mace avant d'ajouter à voix basse : la Chambre froide. Je me trompe ?

Brindle garde le silence.

Vous avez dû voir des trucs épouvantables poursuit Mace. J'ai lu le compte rendu de certaines affaires sur lesquelles vous avez bossé. J'ai même écrit quelques papiers sur une ou deux. Les morceaux de corps dans des valises. Les bébés passés au micro-ondes. Les torturcs au pays des gangs. Leeds la ville qui bouge. Et avant ça – les charmes de Bradford pas vrai ? Le quartier chaud. Les fleurs de trottoir et leurs pauvres petits michetons. Les paumées qui hantent les zones industrielles. Les squats des accros au crack. Vous avez plongé directement dans le grand bain – juste après l'obtention de votre diplôme en psychologie criminelle. Alors ? J'ai raison ou pas ?

Brindle se contente toujours de l'observer.

Continuez dit-il.

Quatre années d'études à Durham grâce à une bourse reprend Mace. Une première je crois. Vous avez ensuite gravi rapidement les échelons. Connu une ascension fulgurante et tout et tout. En restant à l'écart de la politique j'imagine. C'est le plus sûr moyen de réussir. Vous avez su vous rendre indispensable et digne de confiance. Ignorer les vannes vous désignant comme le gars qui a fait des études. Formé aux méthodes d'investigation à l'ancienne associées à une approche moderne : le meilleur des deux mondes. Là-dessus direction la célèbre Chambre froide : plus secrète que l'Opus Dei et un surnom investi d'un double sens. Triple même. Corps refroidis et flics glaciaux mais peut-être aussi mise au placard. Toujours évoquée à mots couverts. Un endroit quasi mythique. On raconte que seuls les esprits brillants travaillent à la Chambre froide et pourtant on vous envoie ici en pleine tempête de neige le soir du réveillon. Ah les cons. C'est comme si on avait voulu vous punir d'être…

Oui ? D'être quoi ?

Trop doué.

159

Brindle fait lentement tourner sa tasse fumante sur la soucoupe puis s'éclaircit la gorge. Lève les yeux. Fronce les sourcils.

Journaliste déclare-t-il. Caresse des rêves de grandeur littéraire mais n'a pas la volonté ni le talent pour. A un diplôme et les dettes qui vont avec. A oublié pratiquement tout ce qu'on lui a enseigné sur la poésie française le théâtre classique et ces damnés de Russes. Boit trop. Noie son amertume dans l'alcool presque tous les soirs. Se dit qu'il va faire vœu d'abstinence à une date indéterminée dans un avenir lointain ; se le répète chaque petit matin blafard. A les poumons comme une cheminée encrassée. Même pas encore trente ans et s'imagine avoir tout vu. Tout connu. N'a pas conscience que la pourriture est déjà en lui pourtant elle est bien là – oh oui. Plutôt bon dans sa partie mais en même temps le boulot n'est pas trop foulant ici dans les collines où les histoires de vols de moutons et de concours de pâtisserie accaparent la une. A vécu dans la capitale. D'accord. Les années débridées. A touché à tout. Se croyait rock'n'roll parce qu'il embrassait une vie d'excès à la William Blake ; se prenait pour un bohémien moderne sans se rendre compte qu'il faisait la même chose que des millions d'autres avant lui : foutre sa vie en l'air. A découvert que cette voie menait tout droit au luxe d'un simple meublé à Balham. Affirmait au début qu'il était là pour la culture mais ça lui a vite passé ; affirmait qu'il était là pour se faire un nom faire fortune faire ses armes comme on dit mais ça lui a vite passé. Ils étaient fiers de lui à la maison mais – ah misère – ça leur a vite passé aussi. Se considère comme anticapitaliste sans agir en conséquence ; se considère comme un combattant pour la liberté mais se sent piégé. N'est libéral que dans ses discours. Un humanitaire qui ne fait rien pour les humains. A peut-être un penchant pour les narcotiques et les plaisirs interlopes. A très certainement multiplié les expériences dans ces domaines – comme tous ceux de sa génération à vrai dire. D'ailleurs n'est-il pas un peu triste de constater qu'après s'être lancés dans de telles quêtes hédonistes ils ne comprennent toujours pas mieux la condition humaine ? Je me demande dans quel état il sera quand il fêtera ses quarante ans.

Il rive de nouveau sur Mace son regard insondable.

Alors ? J'ai raison ou pas ?

*

Après il avait plongé dans la rivière le corps de la fille dont il ne connaissait pas le nom. L'avait coincé lesté sous une saillie rocheuse. Et après l'avoir immergé profondément il l'avait abandonné.

Sous l'eau pour que les mouches ne puissent pas l'atteindre.

Quand il était retourné le voir ce soir-là il avait gonflé mais sinon la fille avait juste l'air de retenir son souffle.

Il faisait chaud. Une belle nuit d'été. Il avait dégrafé le badge accroché sur sa poitrine – *Rave On !* – et l'avait glissé dans sa poche.

Le bruit du courant sur les rochers semblait plus sonore dans la pénombre.

Il avait repêché la dépouille et l'avait rapportée à la ferme. Il lui avait fallu deux heures pour parcourir un kilomètre et demi.

Son chargement était lourd et ruisselant.

Lui-même titubait de fatigue.

À mi-chemin il avait déshabillé le corps l'avait touché puis l'avait rhabillé.

Sur le trajet il avait vu une chouette effraie fuser d'une branche comme une pièce de feu d'artifice. Ses plumes luisaient d'un éclat métallique dans le faisceau de sa torche électrique et le bout de ses ailes paraissait chromé. Des yeux comme des lasers. Serres rétractées.

Plus tard dans la nuit après avoir avalé plusieurs tasses de thé dans l'obscurité de la cuisine tandis que sa mère dormait à l'étage il s'était rendu sur le terrain de camping de Muncy pour démonter la tente de la fille. Il avait rassemblé en silence les piquets les mâts et la toile puis les avait rapportés à la ferme. Il avait tout brûlé derrière.

Les chaussures.

Les vêtements.

Le sac de couchage.

Les nouilles.

Les mâts il les avait aplatis à coups de marteau et utilisés par la suite pour renforcer les bordures pourries de la passerelle du poulailler.

Une fois le feu éteint il avait vidé les cendres dans le bac de la cheminée. Fin de l'histoire.

Les boîtes de conserve il les avait gardées pour sa mère et lui.

Et la fille avait nourri les cochons. À l'aube elle était digérée. À la mi-journée transformée en engrais.

Un entrefilet était paru dans le *Valley Mercury* environ une semaine plus tard. La nouvelle n'avait pas été relayée par la presse nationale. UNE ÉTUDIANTE PORTÉE DISPARUE SUR LE COAST-TO-COAST. On la supposait partie sans prévenir pour le site suivant. On soupçonnait le petit ami – comme toujours dans ces cas-là. Des recherches avaient été menées entre les deux sites. Le petit copain avait un alibi. Les recherches n'avaient rien donné.

Rutter avait nettoyé les quelques ossements restants avant de les éparpiller dans les cicatrices de la lande au sommet. Un ou deux par cuvette. Des offrandes à la terre. Des témoignages du peu de temps qu'ils avaient passé ensemble.

Il n'avait jamais rien voulu d'autre qu'un peu de tendresse.

*

Le froid aide. L'hiver joue en sa faveur parce que le sol gelé l'air glacial et la neige compacte ont ralenti le processus. Mais plusieurs jours se sont écoulés et le corps suinte par tous les orifices. Des fluides s'échappent de la fille Muncy. Coulent dégoulinent et moussent. Visqueux gluants sous les doigts de Rutter.

Même dans le tunnel de drainage le plus reculé – fermé par une grille et bien loin des rives lugubres du lac artificiel – même ici dans ce mausolée glacé où il a caché la dépouille rien ne peut empêcher son altération.

Sa parka son pantalon son chemisier son sweat-shirt la maintiennent encore mais dessous la décomposition accomplit déjà son œuvre.

Sa peau désormais rouge foncé est fine comme du papier. Elle révèle un réseau complexe de veines bleues qui semblent être remontées à la surface en durcissant. Par endroits elles forment des plaques noircies de sang coagulé pareilles à des petits pays sur la carte du monde.

Quand il lui baisse son pantalon ce qu'il découvre est encore pire : elle s'est souillée dans ses sous-vêtements.

Et certaines parties se ratatinent déjà. Malgré le froid glacial elle rapetisse. Sa chair se retire de son squelette étroit. Ses gencives le bout de ses doigts ses paupières et ses lèvres s'amenuisent ; pourtant le torse semble boursouflé et distendu. Rutter a vu le phénomène se produire sur suffisamment de cochons et de moutons pour savoir que le gonflement est une étape du processus.

Lorsqu'il regarde dans la bouche les dents lui paraissent plus longues. Il avance ses doigts et tâte la langue ; elle est noire et spongieuse. Il tire sur les dents les sent bouger. Il lui tapote les cheveux. Ils sont sales emmêlés cassants.

Mais il n'y a pas de vers. Pas en hiver.

Non. Pas encore.

Il réfléchit. Se souvient. Se rappelle avoir éprouvé ce même sentiment qui l'envahit à présent. Ce même désir d'entrer en contact avec un autre être humain.

*

C'est une bonne chose que votre réputation vous ait précédé sinon je pourrais me sentir vexé déclare Mace.

Brindle referme son bloc-notes et lève les yeux.

Le journaliste tire une chaise et s'assoit en face de lui. Pose sa nouvelle pinte sur la table mais celle-ci est branlante et une partie de la bière se renverse. Une petite flaque se forme sur le plateau et file vers le bord. Brindle grimace quand des gouttes tombent sur la moquette.

Vous aussi vous vous retrouvez coincé ici ajoute Mace.

Oui.

Obligé de passer le réveillon de Noël au Magnet.

Brindle hoche la tête.

Je pense que nous avons déjà établi ce point.

Vous étiez attendu quelque part ?

Bien sûr affirme Brindle.

Par une épouse je veux dire.

Non. Je ne suis pas marié.

Plusieurs jeunes viennent d'entrer dans le pub et jettent autour d'eux des regards furtifs. Ils ne sont pas majeurs constate Brindle. Il remarque un groupe d'hommes au bar. Pieds écartés coudes sur le comptoir torse bombé éclusant pinte après pinte. Tous des costauds. Des fermiers.

Et votre famille ? demande Mace. La mienne sera désolée que je ne sois pas là demain matin pour essayer encore un pull trop grand ou trop petit et sauter de joie en ouvrant mon coffret de produits de bain Lynx. Toute cette joie factice semble tellement hypocrite. Vous n'êtes pas d'accord ?

Brindle garde le silence un moment avant de déclarer :

Vous ne devriez pas vous plaindre. Certains n'ont rien ni personne.

Mace avale une gorgée de bière. Il se sent ébranlé. Déstabilisé.

Vous avez vraiment deviné tout ça rien qu'en me regardant ? interroge-t-il.

Le policier se ressert de l'eau chaude puis glisse la main dans sa poche et en sort un sachet d'Earl Grey qu'il plonge dans sa tasse.

À l'autre bout de la salle quelqu'un insère des pièces dans le juke-box et de la musique s'élève. ABBA. Comme Brindle se tait toujours Mace déclare en haussant la voix pour couvrir la musique :

Je m'appelle Roddy Mace au fait. Et même si on vous a dit le contraire croyez-moi je déteste ABBA.

Je sais qui vous êtes. Et non je n'ai rien deviné. Je vous connaissais déjà.

Ah bon ?

Oui.

Brindle trempe toujours son sachet de thé dans sa tasse. Quand quelqu'un fait exploser une bombe de table un peu plus loin les deux hommes tressaillent. Des serpentins colorés fendent l'air puis se posent sur la tête d'un chauve qui leur tourne le dos. Ce dernier s'en débarrasse d'un geste et continue à boire.

Alors vous pensez qu'elle est morte ?

Vous êtes journaliste souligne Brindle. Ce n'est sûrement pas à vous que je vais dire une chose pareille.

Je sais qu'elle l'est. Du moins j'en suis presque sûr. Personne ne pourrait survivre sur la lande par un temps pareil.

C'est une petite ville ici poursuit Brindle. Mon boulot consiste à en savoir plus sur ses habitants. Tous ses habitants. À tamiser les informations déjà disponibles et à assembler les pièces du puzzle.

Ah oui ?

Le crime est un puzzle dont les informations sont les pièces. Nous en recevons tous en permanence. L'objectif est de trier celles qui sont pertinentes et de les réunir pour essayer d'avoir une vue d'ensemble. Vous êtes journaliste donc je ne vous apprends rien n'est-ce pas ?

Bien sûr confirme Mace. Nous laissons tous des traces.

En effet. Ce qui me permet d'être au courant de votre passage dans les tabloïds. De vos années londoniennes. Et de votre décision inexplicable de donner un coup de frein à votre carrière en venant vous enterrer ici. Tout est consigné.

Devrais-je me sentir flatté ? Ou effrayé ? Êtes-vous toujours aussi – comment dire ?

Méticuleux ? suggère Brindle.

Intrusif.

Tous deux gardent le silence. Mace sirote sa bière et Brindle son thé. Puis l'inspecteur pose sa tasse.

Pourquoi avez-vous fait ça ? demande-t-il. Je parle de votre départ pour le Yorkshire rapporté par la presse spécialisée. De votre exil volontaire du royaume des tabloïds.

Mace boit encore.

Je ne pensais pas que mon absence se remarquerait.

Il y a toujours quelqu'un pour remarquer quelque chose.

Le journaliste hausse les épaules.

Je n'y trouvais pas mon compte. J'ai toujours voulu être écrivain et ça ce n'était pas de l'écriture. Bosser pour un tabloïd n'a rien de satisfaisant sur le plan créatif.

La musique du juke-box change pour une autre chanson de Noël. Ce ne sont plus que des chansons de Noël à présent. « Little Drummer Boy » puis « White Christmas » et maintenant « Fairytale of New York ». Un couple de clients ivres en donne sa propre version. L'homme chante la partie masculine la femme la partie féminine et ils en rajoutent sur les gros mots. Brindle les observe un moment puis reporte son attention sur Mace.

C'est la seule raison ? Parce que ce n'était pas satisfaisant sur le plan créatif ?

Mace hoche la tête pourtant il n'en est pas sûr.

C'est différent ici explique-t-il. Ce sont d'autres choses qui se passent. Des choses sous la surface. Il existe une vraie communauté.

Qu'est-ce que vous cherchez à fuir ?

La voix de Mace se fait plus aiguë.

Je ne fuis pas.

Il fronce les sourcils puis ajoute : Vous n'avez toujours pas répondu à ma question sur Melanie Muncy.

Et vous n'avez toujours pas répondu à la mienne concernant votre départ de Londres pour ce trou.

Rien ne m'y oblige. Il ne s'agit pas d'un interrogatoire. Je suis juste venu vous dire bonjour.

Eh bien bonjour.

Brindle saisit sa tasse.

Vous êtes comme ça avec tout le monde ?

Comme son interlocuteur ne répond pas Mace lâche :

Alors c'est vrai ce qu'on raconte sur vous.

J'ignore ce qu'on raconte sur moi.

Vous n'êtes pas curieux de le savoir ?

Non.

Non ?

Non répète Brindle.

Mace secoue la tête.

Vous allez devoir passer Noël ici.

Brindle semble s'ennuyer à présent. Comme si son intérêt déclinait.

À moins d'être évacué par les airs oui. On dirait bien.

Vous logez au pub ?

Oui.

Ils organisent un repas de Noël demain. Dinde rôtie et tout le tralala. Il y a de bonnes chances pour que je vienne.

Le volume du juke-box semble augmenter encore d'un cran. Brindle doit élever la voix pour se faire entendre.

Je ne mange pas de dinde.

Moi non plus. Trop difficile à digérer. À votre avis qui a fait le coup ?

Quel coup ?

La fille. Melanie.

Je n'ai jamais dit que je soupçonnais quelqu'un d'avoir fait quelque chose.

Mace se penche en avant. Il essaie d'être discret.

Je pourrais vous aider si vous voulez.

Comment ça ?

Si vous le souhaitez bien sûr.

Inutile décrète Brindle. J'aime bien travailler seul. Et de toute façon vous n'êtes même pas d'ici. Bon excusez-moi mais il faut que j'aille donner quelques coups de téléphone.

Mais je vis ici depuis suffisamment longtemps pour avoir trouvé ma place rétorque Mace. Surtout en bossant pour le *Mercury*. Ce n'est qu'une feuille de chou régionale mais c'est ce que les gens lisent. Elle se vend cent fois plus que le *Times* ou le *Guardian* dans le coin et elle m'a ouvert des tas de portes. Sans compter qu'elle m'a permis d'assister à toutes les réunions municipales.

C'est ce que vous pensez.

Possible. En attendant vous voyez ces hommes là-bas près du bar ? Ils sont tous originaires des Dales. Ils y sont nés et ils y ont grandi. Ils savent tout sur tout le monde. Jamais un flic de la ville ne pourra en apprendre autant. Croyez-moi : il y a des choses dont vous ne pouvez avoir connaissance que si vous vivez ici.

Le volume sonore dans le pub a atteint un niveau qui rend la conversation difficile. Certains jeunes semblent participer à une espèce de jeu de beuverie qui implique beaucoup de grognements et de tapes dans le dos. Ils renversent des verres et s'en coiffent. Tous ont le visage tanné et portent de grosses bottes.

Mace termine sa bière puis lâche un rot discret. S'adosse à sa chaise et se passe une main dans les cheveux. Les ébouriffe sans même paraître le remarquer.

D'accord dit-il. Laissez-moi ajouter quelques mots et ensuite je vous fiche la paix. Il y a de la bière à boire des lamentations à échanger sur Noël et je serais vraiment le dernier des pisse-copies de province si je n'essayais même pas de fourrer mon nez dans cette affaire.

Brindle hausse les sourcils.

Juste quelques mots répète Mace.

Allez-y.

Cet enfoiré de Steven Rutter.

*

Rutter à treize ans.

Un soir d'été dans le bosquet qui domine la ferme.

Loin en contrebas sa mère crie.

Elle crie mais elle est loin.

Va nettoyer l'enclos des cochons braille-t-elle. Nourris-les ces couineurs. Va chercher des bûches et du petit bois. Et après t'iras te coucher.

Me coucher ? pense-t-il. À sept heures du soir ?

Il est porcher désormais. Ça signifie qu'il a maintenant une spécialité. Il est fermier. Il a un but dans la vie. Il élève ces bêtes et il sait des choses que les autres garçons ignorent ; il est capable de communiquer avec les animaux. Leurs habitudes et leur comportement lui sont familiers.

Il a des responsabilités aujourd'hui. Il connaît bien les cochons.

Les gros les furieux les agressifs. Les affamés. Ils bouffent n'importe quoi. Les restes et les carcasses. Les abats et les os. Ils boufferaient toute la journée s'ils le pouvaient – et ils ne s'en privent pas.

Mâchoires puissantes dents solides estomac blindé ; les porcs peuvent quasiment tout faire disparaître. En ne laissant qu'un minimum de traces.

Ils bouffent n'importe quoi.

Oui. Les restes les carcasses les abats les os. Il l'a appris. Il l'a remarqué. Douze heures suffisent pour absorber ce qui a été vivant un jour. Pour achever le processus de digestion.

Pendant un temps sa mère avait fait comme les truies. Elle avait grossi. Engraissé. Elle était elle-même devenue une énorme truie. Il apercevait parfois son ventre distendu entre les pans de la blouse qu'elle portait l'été par-dessus ces seins affaissés qui lui avaient valu son surnom. Ses mamelles sales étaient plus gonflées que jamais. Elles ballottaient.

Les hommes avaient arrêté de venir. Deux ou trois semaines plus tôt il avait entendu des hurlements des gémissements et des grognements en provenance de la chambre maternelle alors il avait collé d'abord son oreille contre la porte et ensuite son épaule pour la pousser. Il n'avait pas pu l'ouvrir parce que quelque chose de lourd la bloquait – sa mère. Le battant s'était cependant entrebâillé de quelques centimètres et il avait vu une petite forme mouillée sortir d'elle. Une créature brune qui miaulait. Une vie.

En sentant la porte bouger sa mère l'avait houspillé. Lui avait ordonné de dégager d'aller s'occuper des bêtes de disparaître. Alors il avait obéi. Il avait disparu dans la vallée.

De retour du lac des heures plus tard il avait entendu des pleurs puis le silence et durant la nuit alors qu'il était censé dormir il avait regardé par la fenêtre et aperçu sa mère qui boitillait vers l'enclos des cochons avec un seau dans une main et une torche électrique dans l'autre. Les sept jours suivants elle n'avait pas quitté son lit et il avait dû assumer seul les corvées. Nourrir les bêtes pelleter le fumier nettoyer et faire la cuisine. Au bout d'une semaine elle était de nouveau sur pied.

Son ventre avait dégonflé ses seins aussi et les hommes avaient commencé à revenir.

Elle ne parlait jamais de ce qu'il avait vu et lui non plus. Ils n'en parlaient ni l'un ni l'autre.

C'était comme si rien ne s'était passé. Cette nuit-là. Comme si elle n'avait jamais existé. Cette nuit-là.

Ces foutus cochons boufferaient n'importe quoi. Les restes les carcasses. Les abats les os. Tout sauf les dents.

*

Le soleil hivernal brille en cette fin d'après-midi et Rutter qui a fermé les yeux sent sa tiédeur sur son visage quand le fauteuil roulant est avancé dans l'antichambre que le personnel de la maison de retraite appelle le jardin d'hiver.

Il est épuisé. Il n'a pas dormi et ne s'est pas changé non plus. Il porte toujours ses vêtements chauds. Il voit d'abord sur le seuil les pieds de l'infirme ensuite les fines roues du fauteuil et enfin les jambes marbrées sillonnées de veines. Des bourrelets de graisse posés sur des pantoufles. Une panse de porc pense-t-il. Comme une panse de porc.

Mère.

L'infirmière grimace et esquisse un mouvement de recul. À cause de l'odeur du visiteur. Envahissante. Suffocante.

C'est un mélange d'émanations d'anciens feux de cheminée de sueur et de couches d'habits superposés devenus indissociables ; de relents d'urine séchée de terre de sperme de mousse de salpêtre de dents gâtées et de gencives en sang. C'est la pestilence de la chair humaine putréfiée et de la décomposition incarnée sous une forme physique. C'est Steve Rutter.

L'infirmière est nouvelle. Elle n'a pas encore rencontré Steve Rutter. N'a pas fait cette expérience. Quand sa directrice l'a envoyée chercher Aggie Rutter elle s'est contentée d'une brève mise en garde : Son fils est un drôle de numéro. Rien de plus. Un drôle de numéro.

À présent elle est sous le choc.

Rutter songe que sa mère déborde du fauteuil roulant comme l'excès de gelée déborde d'un récipient. Comme si on lui avait retiré son squelette avant de la verser sur le siège. Elle n'a pas de centre et sa bouche est tordue en une grimace baveuse. Une croûte de salive séchée entoure ses lèvres. Ses yeux larmoyants et vitreux parcourent la pièce puis se posent sur lui.

Une sonde lui entre dans le nez. Elle est reliée à un respirateur artificiel. Ses mains croisées sur ses cuisses ressemblent à deux oiseaux morts.

Ces seins qui ont fait sa réputation sont maintenant deux tristes baudruches dégonflées – les vestiges d'une fête terminée depuis longtemps.

Voilà dit l'infirmière.

Mais pour parler il faut respirer et elle ne tient pas à rester dans la pièce plus longtemps. L'odeur lui semble provenir d'un ailleurs situé au-delà des frontières de la normalité. Elle évoque la tristesse – et même un profond chagrin – mais elle lui fait également peur.

Deux visites dans la même journée ajoute-t-elle néanmoins.

Quoi ? demande Rutter.

Votre frère. Il était là tout à l'heure.

Rutter la dévisage et son regard fixe la trouble. Lui donne l'impression d'être nue. Elle pousse le fauteuil roulant jusqu'à l'espace vide à côté de lui puis bloque les freins avant de se retirer.

Il ferme les yeux et sent de nouveau la caresse du soleil sur son visage. La porte du jardin d'hiver donne sur une petite terrasse où de nombreuses mangeoires à oiseaux ont été accrochées.

Le seul son qui lui parvient est celui de la respiration maternelle assistée par la machine. Un sifflement ininterrompu. Un râle automatisé. Presque mécanique.

Il finit par soulever les paupières. Jette un coup d'œil à sa mère. Des poils lui hérissent le menton. Noirs et épais. Il y en a également au-dessus de sa lèvre du haut. Une bulle de salive s'est formée sur celle du bas. C'est la matérialisation de son souffle et durant un moment le temps semble suspendre son cours : Rutter voit la bulle grossir le soleil l'illuminer et la parer de couleurs spectrales et tout est silencieux. Puis sa mère respire et la bulle éclate éclabousse de postillons laiteux son visage impassible.

Les yeux d'Aggie Rutter ne le quittent pas et Rutter se sent nerveux mal à l'aise. La gorge nouée. Il fait soudain trop chaud dans la pièce. Beaucoup trop chaud. La chaleur est comme une cape dont on l'aurait enveloppé.

Il se concentre de nouveau sur sa mère. Ce n'est plus qu'une montagne de chair poilue et pitoyable qui reste en vie uniquement pour le contrarier. Il en est désormais certain. La méchanceté la conserve. Elle est peut-être prisonnière de ce corps inutile mais lui aussi est prisonnier. De la ferme – le seul univers qu'il connaisse. C'est elle qui a décrété qu'il ne pourrait pas la vendre avant ses cinquante ans. Encore une décennie à tenir. Dix longues années dans ce piège. À voir le monde réel s'éloigner de plus en plus.

Il sait qu'elle le sait. À la façon dont elle bave : le moindre filet de salive est une moquerie dirigée contre lui.

Son propre souffle est léger et saccadé tandis que celui de sa mère est mesuré assisté. Automatisé.

Une autre raison alimente la colère de Rutter à son égard : chaque journée qu'elle passe ici ponctionne une partie de ce que lui rapportera la vente de la ferme. Oui. Sa propriété. Sa ferme. Sa terre. Son legs. Chaque journée de ce qu'il lui reste de vie est une tuile ôtée du toit.

Il referme les yeux. Prend une profonde inspiration. Sent le soleil.

Son frère pense-t-il. Quel putain de frère ?

*

Le pick-up de Rutter est un Volkswagen Caddy acheté d'occasion douze ans plus tôt. Ouvert à l'arrière et d'un rouge rongé par la rouille. L'aile avant gauche a été remplacée par un panneau de fibre de verre peint en noir et il y a des trous dans deux des garde-boue. À l'intérieur de la petite cabine le siège passager et le plancher maculés de boue recèlent tout un bric-à-brac : papiers de bonbons canettes vides sacs en plastique branches mégots briquets cassés. Il y a aussi un enchevêtrement de fils métalliques de ficelle et de corde un crâne de mouton des chiffons sales un bleu de travail une vieille paire de bottes en caoutchouc des gants déchirés des journaux humides un pot de yaourt périmé et des biscuits pour chiens des poils de chiens et des déjections de chiens desséchées. Le plateau contient d'autres rebuts : des bûches des branches du petit bois un bidon d'huile vide un entonnoir une clé à molette une clé anglaise encore de la corde de la ficelle et du fil métallique ainsi qu'une roue de secours – le tout entreposé sous une bâche maintenue par des sangles.

Les vitres ne s'ouvrent pas. Les chocs reçus dans les deux portières les ont bloquées. Dans l'habitacle la puanteur est toute-puissante. De même qu'un bocal mal nettoyé abandonné dans une déchetterie grouille de vie cet espace confiné foisonne de moisissures blanches et vertes.

La neige s'est tassée et a verglacé. Sur le trajet du retour la route est une vraie patinoire et le pick-up transformé en patineur qui s'échauffe. Il dérape d'un bord à l'autre de la chaussée selon la déclivité. Par deux fois Rutter mord le bas-côté. À un moment il frotte un mur endommage encore un peu plus son aile et laisse des écailles de peinture rouge dans son sillage.

Les sableuses ne montent pas jusque-là.

Les légères chutes de flocons se sont muées en véritable tempête lorsqu'il atteint le bourg.

Il y règne un profond silence.

Un silence de mort.

Un silence comme dans une morgue.

Rutter se gare sort et s'engage sur la place. La neige crisse sous ses bottes.

Il croise Barry Harbottle qui arrive en sens inverse.

Salut Rutter.

Celui-ci lui répond d'un hochement de tête.

Foutue neige hein ?

Quoi ? dit Rutter.

T'as vu ce qui est tombé ?

Ah sûr. C'est l'hiver.

Harbottle est le charbonnier Harbottle est un soiffard Harbottle a beaucoup d'enfants. Rutter le connaît depuis toujours. Il ne l'a jamais aimé mais les circonstances de la vie et le passage des années les lient d'une certaine façon. Ils s'appellent par leur prénom comme s'ils étaient encore dans la cour de récréation.

Ça va à la ferme ?

Ouais pas de problème répond Rutter.

Tu fais quelque chose pour Noël ?

Rutter hausse les épaules.

Remarque c'est surtout une fête pour les mômes reprend Harbottle.

Ouais peut-être.

Harbottle tape des pieds pour débarrasser ses bottes des flocons.

Sûr. Les mômes adorent Noël. Moi ça m'est égal je dois dire.

Mouais marmonne Rutter en examinant la place.

Il voudrait s'abriter du froid. Il n'a pas envie de parler à Harbottle. Il ne l'aime pas. Il n'en a rien à cirer de lui.

Je te paie un verre pour l'occase si tu veux.

Rutter racle le bout de sa botte sur la neige.

Nan.

Un petit coup vite fait insiste Harbottle. Pour les fêtes.

Rutter plisse les yeux.

Allez vieux on se les gèle. Y nous faut un remontant.

Rutter racle le sol de plus belle puis relève son col et s'éclaircit la gorge.

Faut que j'y aille dit-il. À la prochaine.

D'accord. Comme tu voudras.

Les mains dans les poches Rutter s'éloigne sous le regard de Harbottle tandis que la neige tombe de plus en plus dru. Ses pieds font crisser la couche blanche vierge de traces.

*

Je vous ai bien entendu parler de Rutter ?

Mace a du vent dans les voiles. L'homme qui l'a acculé près de la machine à sous du Magnet se tient trop près de lui et une goutte de sa bière s'envole pour atterrir sur sa joue. Mace l'essuie d'un revers de main mais l'autre ne paraît pas le remarquer.

Possible répond-il. Pourquoi ?

Vous en discutiez avec ce type tout à l'heure.

Exact.

C'est qui ?

Lui ? Un flic.

L'interlocuteur de Mace a un cou énorme dont les plis débordent du col boutonné de sa chemise à carreaux qu'il a lavée tout spécialement pour Noël. Il se distingue par sa corpulence mais aussi par sa bouche minuscule aux lèvres si fines qu'elles paraissent inexistantes. On dirait le trou de balle d'un chat songe Mace. Ses traits semblent perdus dans son visage large et son regard brille d'un feu étrange. S'il l'a déjà vu dans le village Mace l'a toujours évité.

Il est là pour la petite Muncy c'est ça ?

C'est ça confirme le journaliste.

Devriez vous intéresser à Rutter. Il est pas clair ce gars-là. Touchez-en un mot à ce flic.

Merci j'y manquerai pas.

Mais dites pas que ça vient de moi.

D'accord. Désolé je n'ai pas saisi votre nom.

Tout le monde m'appelle K2.

K2 ? Pourquoi ? demande Mace.

L'homme le regarde comme s'il était stupide.

Ben à cause de ma taille.

Ah OK. Moi c'est Roddy Mace.

K2 soutient son regard et Mace se sent piégé.

Je sais qui vous êtes. Vous écrivez pour le journal. C'est pour ça que je voulais vous parler de Rutter. Vous pouvez le mettre dans votre canard mais sans dire que ça vient de moi.

Vous le connaissez ?

Rutter ? Évidemment que je le connais.

C'est un de vos amis ?

Vous rigolez ? Ce salopard schlingue comme un putois à en asphyxier un asticot sur un camion poubelle. Nan. Mais Ray Muncy lui c'est un copain. Il a toujours été réglo avec moi Ray. J'ai fait pas mal de petits boulots pour son compte. Je suis au courant de ce qu'on raconte sur lui mais il est réglo.

Quel genre de boulots ?

Toutes sortes de trucs. Des charges à transporter. De la maçonnerie. Tout ce qui se présentait.

D'accord.

C'est horrible ce qui est arrivé à sa Melanie. Je suis monté sur la lande avec eux pour les aider à chercher. On est tous montés.

De ses petits yeux K2 examine la salle un moment.

Devriez vous intéresser à Rutter répète-t-il. Fouillez donc un peu de ce côté-là. Il trempe dans des trucs louches c'est sûr.

Comment ça ?

Je pourrais pas vous dire. Mais ça fait longtemps que ça dure et ça va plus loin qu'on pourrait le croire.

Quoi ? De quoi parlez-vous ?

De ses magouilles. Bon sang qu'est-ce que j'ai soif.

Ah bon ? fait Mace avant de comprendre. Oh je vois. Une pinte ?

Avec un whisky je veux bien.

Quand Mace le rejoint avec les boissons K2 s'empare du whisky le boit d'un trait puis attaque sa bière.

Continuez l'encourage Mace. Dites-moi tout ce que vous savez.

K2 vide la moitié de sa pinte et rote.

OK dit-il. D'abord y a eu cette autre fille qui a disparu.

4

La vallée est blanche et le bourg encombré de voitures et de fourgons de police quand Rutter revient.

La route est bloquée par des véhicules avec des gyrophares autour desquels se tiennent des policiers en gilet fluorescent. Certains parlent à voix basse. D'autres tapent des pieds par terre et se frottent les mains pour se réchauffer.

Il se gare sur le bas-côté et descend de son pick-up. Laisse le moteur tourner et les fumées d'échappement salir la neige. Repère des villageois parmi les agents. Des jappements assourdis proviennent de l'arrière d'une camionnette. Un jeune flic s'avance vers lui.

Monsieur dit-il.

Rutter grommelle.

Où comptez-vous aller ?

À votre avis ?

Je ne sais pas. C'est pour ça que je vous pose la question.

Chez moi. Plus haut sur la colline.

Alors il me faut votre nom.

J'ai déjà discuté avec vos collègues.

Il me faut quand même votre nom.

Rutter.

Le policier lui tourne le dos. Des grésillements s'élèvent puis il dit quelques mots dans sa radio.

Coupez le moteur et attendez ici monsieur Rutter ordonne-t-il.

Celui-ci repart vers son pick-up et s'exécute mais sans ôter la clé de contact.

Le policier se dirige vers l'un de ses collègues – celui qui est monté à la ferme constate Rutter. Le copain de Muncy. Jeff Temple.

Il faut que je vous parle Steven déclare ce dernier en approchant.

Vous l'avez déjà fait.

J'ai besoin de m'entretenir encore une fois avec vous.

Je dois donner à manger aux chiens.

Je monterai vous voir dans dix minutes alors.

Pourquoi ?

On en discutera tout à l'heure.

Vous avez pas retrouvé la gamine hein ?

On poursuit les recherches.

Rutter fait courir un doigt le long de sa mâchoire. Caresse sa barbe naissante.

Peut-être qu'elle est dans le National Express pour Londres.

Possible admet Temple. On procède à de nouvelles vérifications du côté des gares.

Rutter hausse les épaules puis se racle la gorge.

Z'auriez dû y penser plus tôt dit-il.

Vous semblez savoir pas mal de choses.

Un autre policier s'approche. C'est Johnny Mason. Le frère jumeau de Bull Mason le propriétaire du Magnet.

Je m'en occupe Jeff.

Non c'est bon déclare Temple. J'ai la situation en main.

Je m'en occupe je te dis. Entre Steve et moi ça remonte à loin.

Dans le silence qui suit Temple regarde les deux hommes tour à tour avant de marmonner OK et de s'éloigner.

Johnny Mason jette un rapide coup d'œil à sa radio puis se rapproche. Considère Rutter. L'étudie. Fourre ses mains sous ses aisselles.

Ça te ressemble pas Steve.

De ?

De courir des risques inconsidérés.

J'ai rien fait.

Johnny Mason s'avance encore d'un pas. Colle son visage devant celui de Rutter. Reprend la parole d'une voix basse et mesurée.

Je suis inquiet Steve.

Pourquoi ?

Je suis inquiet pour toi.

Pourquoi bon Dieu ?

Tu sais très bien pourquoi.

J'ai rien fait se défend Rutter.

Oh si t'as fait des tas de trucs.

Rutter voudrait détourner les yeux mais pour une raison inexplicable il n'y parvient pas.

Toi et moi Steve on connaît bien les familles de cette vallée dit le policier. Des familles solides. Unies. Ce serait vraiment regrettable qu'un putain de loser hors circuit décide de l'ouvrir et de les détruire.

Rutter se tait.

Il y a des secrets poursuit Johnny Mason. Des boulots à maintenir. Des entreprises à protéger. N'oublie pas tes obligations Steve. N'oublie pas ta position.

J'ai rien fait. Je vois pas de quoi tu parles.

Joue au con si tu veux mais on sait tous que tu caches des choses. Et ça te rend vulnérable. Si jamais t'avais…

Je te répète que j'ai rien fait.

Je me demande comment il réagirait s'il recevait un coup de téléphone le jour de Noël.

Qui ?

Comme si t'avais oublié.

M. Hood c'est ça ?

Johnny Mason coule un regard autour d'eux puis réplique d'un ton sifflant : Ne prononce jamais son nom espèce de connard répugnant.

Le policier recule. Sort de sa poche un sachet de bonbons à la menthe et en glisse un dans sa bouche.

Dans tous les cas il recevra un coup de téléphone.

Je vois pas pourquoi dit Rutter.

Ça va arriver. C'est déjà arrivé. Alors t'aurais intérêt à mettre un peu d'ordre dans tes affaires.

Comment ça ?

Sers-toi de ta tête. Rentre chez toi et fais le ménage. Je monterai un peu plus tard. Je suis sûr que Roy prendra les mesures nécessaires lui aussi. Et t'avise surtout pas d'ouvrir ta putain de grande gueule ou M. Skelton te rendra une petite visite avec ses tenailles et son chalumeau. Maintenant tire-toi.

*

C'était un cadeau. Offert par un homme.

Un homme parmi tant d'autres.

Un de ceux qui avaient fait un tour dans la chambre de sa mère.

Il avait dû avoir pitié du jeune Steve car après s'être glissé dehors par la porte de derrière l'air tout penaud il lui avait donné un cochon pris dans son camion. Comme ça. Pour rien.

C'était une petite créature. Une créature qui couinait.

Et qui puait.

C'est un cochon spécial avait dit l'homme en tenant l'animal par les pattes arrière. Issu d'une bonne lignée. D'une espèce rare qu'on appelle les gros noirs. Il deviendra énorme tu verras.

Il l'avait tendu au gamin en face de lui – désormais un adolescent couvert d'acné et de poils naissants.

La bestiole ne mesurait qu'une vingtaine de centi-mètres ; difficile de croire qu'elle allait grossir à ce point.

C'est encore qu'un bébé mais attends un peu avait expliqué l'homme comme s'il lisait dans ses pensées. Si tu le nourris bien t'auras bientôt un géant à la ferme. Et pas commode avec ça. Ils sont agressifs les gros noirs. Je crois bien qu'ils ont été croisés avec des sangliers dans le temps. Y a eu des mélanges. T'auras pas besoin de chien de garde avec lui.

Qu'est-ce qu'il mange ?

Tout et n'importe quoi. Ils sont pas difficiles. Faut juste les nourrir souvent et beaucoup. J'ai acheté la semence pour celui-là et j'ai inséminé moi-même la mère. C'est une des plus vieilles races d'Angleterre.

Sur ces mots l'homme avait souri et répété sûr c'est mieux qu'un putain de chien de garde. Puis il était monté dans son camion et en le regardant partir le jeune garçon avait pensé que jamais personne ne s'était montré aussi gentil avec lui.

Le cochon mangeait tout le temps. Son appétit n'avait pas de limites. Il grossissait à vue d'œil.

Il mangeait traînait dans la ferme et suivait Rutter partout. Et il grossissait toujours.

Sa mère aimait le taper et le cajoler. Lui donner des coups de pied et de fouet.

Elle était toujours après lui.

Faut l'élever à la dure répétait-elle. Sinon il va se ramollir. C'est ce qu'elles veulent ces bêtes-là. Savoir où est leur place.

Bientôt le gros noir dominait toutes les autres créatures de la ferme. Les chats et les chiens gardaient leurs distances. Les moutons en liberté restaient à l'écart. Les poules s'égaillaient en caquetant dès qu'elles l'entendaient.

Il mangeait les restes et les pelures. Il mangeait des vers de terre de l'écorce des jeunes pousses des fleurs. Il mangeait des carcasses de poulet du pain moisi des chaussures. Il mangeait les rats pris dans les pièges et les oisillons tombés du nid. Il mangeait les petits cochons morts.

Et il en était arrivé à peser deux cent soixante-dix kilos.

Deux cent soixante-dix kilos de chair noire tremblotante avec de longues oreilles pendantes encadrant une tête tout en bajoues et de grandes dents qui dépassaient de sa mâchoire inférieure.

Il se promenait en liberté et lorsqu'un véhicule remontait la piste menant à la ferme il tournait sur lui-même s'agitait et poussait un cri d'alarme qui se répercutait dans la vallée.

Les seuls moments où il se calmait c'était quand Rutter le grattait derrière les oreilles le nourrissait et lui parlait doucement. Le reste du temps il mangeait piaillait et tourmentait tous les êtres vivants qui croisaient son chemin.

Il cherchait sans arrêt à mordre et à piétiner. Il grognait et faisait claquer ses dents. Oui. Ce cochon était le seul ami de l'adolescent.

Une fois un autre des hommes de sa mère – un type crasseux aux petits yeux méchants avec une prothèse à la place d'une jambe – avait frappé Steve. Lui avait asséné une gifle brutale sous prétexte qu'il n'aimait pas voir la morve lui couler du nez. Alors que le jeune garçon chancelait en hurlant le cochon avait chargé l'homme aux petits yeux méchants et l'avait renversé sur le dos dans la paille et la pisse. Il avait déchiré le mollet de sa jambe valide aussi facilement qu'un couteau entre dans du beurre. L'avait lacéré. L'homme se tordait de douleur. Rutter riait à gorge déployée.

D'après sa mère le cochon avait du potentiel et il pouvait leur rapporter de l'argent alors elle avait décidé de l'utiliser pour les saillies. Elle ne voulait pas que son fils lui donne un nom elle disait que ce serait du sentimentalisme quand cette bête n'était là que pour servir et saillir.

Un jour deux hommes étaient venus le chercher. Ils l'avaient attaché et muselé et Rutter avait protesté jusqu'au moment où sa mère l'avait fait taire d'un coup de ceinture. Ils avaient néanmoins ramené l'animal deux jours plus tard et par la suite étaient revenus souvent. Une fois le cochon chargé à l'arrière du camion ils passaient un moment à l'intérieur. Ils restaient avec Nichons noirs et Rutter allait donner une pomme à son ami et le gratter derrière ses grandes oreilles pendantes.

Les choses avaient continué ainsi un certain temps. Le cochon répandait ses gènes dans tout le nord de l'Angleterre.

Et puis un jour les deux hommes avaient attaché le cochon comme d'habitude sauf qu'à leur retour il était emballé sous vide en une bonne centaine de morceaux.

Son seul ami. En morceaux.

Voilà avait dit l'un des hommes à Aggie Rutter tandis qu'il posait les paquets sur la table de la cuisine. Rien n'a été perdu.

Y a la tête pour le fromage de tête avait-il dit.

Y a l'épaule et les plats de côtes.

Là c'est la palette à rôtir.

Y a les jambons pour les fumer et les sécher.

Le filet pour le filet mignon.

La poitrine pour le bacon ou les tranches.

Les pieds pour faire en gelée et les jarrets à braiser.

Et là un seau de sang pour le boudin et les tripes pour les ragoûts et les soupes.

Il portait toujours son tablier. Il ne s'était pas lavé les mains et il y avait du sang sous ses ongles et aussi dans les touffes de poils sur ses phalanges. Il avait l'air content de lui.

Il était plus que temps avait déclaré Aggie Rutter en voyant le visage de son fils se chiffonner. Il commençait à se faire vieux et il nous aurait mis sur la paille à force de bouffer. Maintenant aide-moi à rentrer les sacs et ensuite décampe. Ces messieurs attendent d'être payés.

*

Les aboiements des chiens envoient les poules s'éparpiller quand les policiers arrivent devant la ferme Rutter.

Ils sont trois : Jeff Temple Johnny Mason et le jeune qui l'a interpellé un peu plus tôt. Celui qui semble à peine en âge de se raser. Ils se regardent.

On a quelques questions à vous poser Steve dit Temple.

J'ai pas encore allumé le feu.

Ça peut attendre.

Fait froid.

Ça peut attendre répète Temple. Où étiez-vous ?

Quand ?

Tout à l'heure. D'où veniez-vous ?

De la ville.

Laquelle ?

Comment ça laquelle ?

Je vous demande de quelle ville vous veniez.

À votre avis ?

J'ai déjà vu ça avec lui Jeff intervient Johnny Mason.

Qu'est-ce que vous faisiez en ville le soir du réveillon Steve ?

Rutter se gratte la tête et tortille un épi emmêlé.

Des courses.

Ah oui ? Et il y avait du monde ? lance Temple.

Rutter hausse les épaules.

Et vous les avez mises où ?

Quoi ?

Vos courses Steve.

Je suis arrivé trop tard.

Qu'est-ce que vous cherchiez ?

Des trucs pour Noël.

Des cadeaux vous voulez dire ?

Rutter garde le silence.

Des cadeaux pour qui ? demande Temple.

C'est pas vos oignons.

C'était pour ta mère pas vrai ? intervient Mason. C'est ce que tu m'as raconté tout à l'heure.

Où est votre mère ? interroge Temple.

Aggie Rutter est tombée malade il y a quelques années explique Mason. Elle est en maison de retraite. Tout le monde ici le sait.

Vous attendez quelqu'un pour Noël Steve ? reprend Temple.

Nouveau haussement d'épaules.

Répondez au sergent ordonne le jeune. Oui ou non ?

Peut-être.

Oui ou non ?

Ouais.

Qui ?

Rutter se frotte le nez.

Mon cousin.

Votre cousin.

C'est ça.

Et d'où il vient ?

De Londres. Pour Noël. C'est pour ça que je suis allé en ville. Pour nous acheter de la bouffe.

Quand doit-il arriver ?

Il devrait être là depuis des heures.

C'est la vérité Jeff intervient de nouveau Mason. Je les ai entendus parler au téléphone un peu plus tôt.

Temple tourne la tête vers lui et le regarde un moment.

Ben voyons. Et il s'appelle comment votre cousin ? lance-t-il à l'adresse de Rutter.

Michael.

Michael Rutter ?

Non.

Michael comment alors ?

Michael Smith répond Rutter.

Dans quel quartier de Londres il habite ?

Pourquoi ? Quel rapport avec lui ?

Je n'ai jamais dit qu'il y en avait un Steven.

Je crois qu'on ferait mieux de s'en aller maintenant déclare Mason.

Dans quel quartier de Londres habite votre cousin ? insiste Temple.

Une nouvelle fois Rutter se gratte la tête. Considère Temple le jeune flic et Johnny Mason. Johnny et Bull Mason pense-t-il. Difficile de trouver plus malfaisants que ces deux-là.

À Wembley dit-il.

Ah oui ?

Ouais.

On peut le vérifier je suppose ?

Comment voulez-vous que je le sache ? C'est vous les flics.

Il existe affirme Mason. J'ai déjà cherché. Allez c'est bon on le laisse.

Qu'est-ce qu'il fait dans la vie ce cousin ? interroge Temple.

Rutter ne répond pas.

Et où est-il hein ? Caché dans ce putain de placard de cuisine ?

J'en sais rien dit Rutter. Il devait partir tôt ce matin. En voiture. Possible qu'il ait été bloqué par la neige.

Mason quitte la pièce un moment.

Temple secoue la tête.

C'est quoi ce machin ? dit-il en indiquant de la tête la casserole fumante posée sur la table.

Du salmigondis.

Mason revient. Il a posé une main sur sa radio.

OK c'est tout pour le moment décrète-t-il. Faut qu'on rentre au poste.

Du quoi ? demande Temple à Rutter.

Du salmigondis. Un mélange de viande et d'autres trucs.

Moi j'appelle ça un ragoût.

Ben si ça peut vous faire plaisir…

Quel genre de viande ?

Rutter marque une pause.

Celle d'une bête.

On dirait de la merde de chien.

*

Les terriers se remettent à aboyer pour le prévenir d'une intrusion et quand Rutter regarde dehors il voit une silhouette émerger des ombres. Les policiers sont partis depuis à peine cinq minutes.

Bonsoir monsieur Rutter.

La solennité de la formule le trahit : c'est Skelton.

C'est vous dit Rutter.

C'est moi oui.

Skelton s'avance et Rutter le voit mieux. Il voit la lèvre supérieure tordue et les lunettes. La peau fine de son visage blafard. Il paraît plus âgé. Il a pris un coup de vieux.

Les flics viennent de partir révèle Rutter qui le regrette aussitôt.

Je suis au courant.

Une chance que vous soyez pas tombé sur eux.

La chance n'y est pour rien monsieur Rutter. Nous avons une longueur d'avance sur eux.

Comment ça ?

Avez-vous oublié qui sont les amis de M. Hood ?

Rutter le regarde sans répondre.

Il m'a chargé de passer prendre de vos nouvelles.

Pourquoi ?

Vous savez très bien pourquoi.

Rutter se frotte le nez. Une traînée de morve brille maintenant sur le dos de sa main.

Il pouvait pas venir lui-même ?

Skelton ricane.

M. Hood ? *Ici ?*

Pourquoi il vous a envoyé ?

Il se demandait si vous aviez vu notre connaissance commune.

Quelle connaissance ?

Notre ami à tous. Celui qui fait beaucoup pour les bonnes œuvres.

Hein ?

Skelton le considère en essayant de déterminer s'il essaie délibérément de jouer au plus malin.

Celui de la télévision.

Oh vous voulez parler de Lar…

Skelton l'arrête d'un geste.

Ne prononcez pas son nom.

Pourquoi je l'aurais vu ?

Notre ami a été fort négligent ces derniers temps. Il a fait des choses qu'il n'aurait pas dû faire – des activités extraprofessionnelles en quelque sorte. Il a pris des risques. Les langues se délient et maintenant la rumeur enfle. Or il semble avoir disparu et M. Hood est préoccupé. Vous comprenez les allégations vont bon train et notre ami est injoignable. Si jamais il reparaissait nous aimerions le savoir. Le bruit court qu'il a une propriété dans le coin.

Je l'ai pas vu affirme Rutter. Et je suis pas au courant pour la propriété.

Skelton renifle.

Motus et bouche cousue hein ? C'est bien monsieur Rutter.

Il hésite un instant puis ajoute :

Et bien sûr il y a cette autre affaire en cours. La fille de M. Muncy. Comment va Ray à propos ? Quel malheur. Toujours aucun signe d'elle ?

Il regarde Rutter de telle manière que celui-ci ne sait pas quoi répondre. Mais de toute façon c'est inutile.

Oui quel malheur répète Skelton. Voyez-vous j'ai souvent pensé que M. Muncy parlait trop. Cela dit nous pouvons nous fier à vous n'est-ce pas ?

Toujours hésitant Rutter hoche la tête.

Quant à cette gamine. Eh bien ce serait tout à fait regrettable que la police découvre le fin mot de l'histoire. M. Hood est contrarié. Il déteste qu'on laisse des traces.

De nouveau Skelton le regarde. Un échange silencieux entre eux.

Nous ne sommes tous qu'à quelques secondes de la mort déclare Skelton.

Sûr.

Bien. Bien. On se sent plus vivant quand on en a conscience n'est-ce pas monsieur Rutter ?

*

Rutter est là. Toute la nuit. Dans la tête de Brindle. À s'agiter dans son crâne.

Brindle recycle. Fait du compost avec ses pensées jusqu'à ce que de nouvelles idées germent sur le mélange bourbeux d'hypothèses et de faits décousus.

Le vacarme du pub en dessous le maintient éveillé. Comme il s'y attendait le patron s'est contenté de verrouiller les portes à l'heure de la fermeture. Des hourras et des railleries accompagnent la même chanson de Slade diffusée en boucle. Ponctués de temps à autre par un fracas de verre lui-même suivi d'une vague d'acclamations.

Il passe mentalement en revue la liste des suspects.

Il y a toujours la possibilité d'un petit copain. Ou de plusieurs petits copains. Les adolescentes ont des secrets.

Ou alors c'est le père. Ray Muncy. Il est impliqué. Forcément.

Des rires et des chants se font entendre à travers le plancher. Dehors la neige tombe de nouveau ajoutant une couche fraîche sur la place.

Brindle se tourne et se retourne dans son lit. Les draps sont rêches. Trop rêches. Raidis par l'usure et l'amidon.

Il en revient toujours à Rutter et aux faits qui s'accumulent autour de lui. L'homme correspond au profil. Les mots du journaliste résonnent à ses oreilles.

Cet enfoiré de Steven Rutter.

Et puis il y a le chien. Tout le monde s'accorde à dire que la gamine l'adorait. Qu'elle en était complètement gaga.

Il entend des voix à l'extérieur – celles des clients du pub qui sortent glissent et dérapent sur la place. Une bataille de boules de neige. Des cris. Des bouteilles vides tombent. Des hommes se bousculent se bagarrent.

Si Brindle a bien appris une chose c'est que les gens ne se volatilisent pas. Il connaît les statistiques. Environ une personne sur trente millions s'évanouit complètement. En cas de disparition la plupart du temps il y a des traces un témoin un complice ou des vestiges de conscience. Rarement rien du tout. Il y a toujours une réponse à chaque question au bout du compte. Quelque chose qui resurgit.

En général un corps.

C'est ce qu'il manque ici.

Le corps de la gamine.

Reste à le retrouver – à la retrouver – puis à remonter jusqu'à Rutter.

Parce qu'elle est déjà morte.

Cette pensée le frappe avec la force d'une révélation : elle est déjà morte et tout le travail à partir de maintenant va consister à retracer sa piste dans la neige. À suivre les empreintes qu'elle a laissées.

Il allume la lampe de chevet. L'ampoule est si faible qu'elle n'éclaire pas grand-chose.

Il entend les cloches de l'église. Il est minuit. C'est Noël.

Entre les douze coups s'élève encore une fois la même foutue chanson de Slade.

*

194

On l'a de nouveau convoqué là-bas. Dans cet antre d'humiliation et de peur. À l'Odeon X où dans la pénombre existe un monde parallèle.

De nombreux mois se sont écoulés et il fait un temps épouvantable le soir où il y retourne. Une pluie torrentielle s'abat sur le pare-brise du pick-up pendant tout le trajet. Rutter est inquiet.

Il présente sa carte de membre au guichet et attend tandis que les voitures circulent dans City Road en soulevant de grandes gerbes d'eau. Il voit passer un groupe de fêtardes en goguette qui le regardent le montrent du doigt éclatent de rire avant de s'éloigner en laissant voltiger dans leur sillage la fumée de leurs cigarettes.

Ce n'est pas la même fille qui vend les places – celle-ci est pâle presque livide et a l'air de s'ennuyer ferme – et il y a maintenant un distributeur de boissons dans le hall qui fait un café mousseux. Rutter remarque ici et là des petits paniers remplis de préservatifs gratuits. Aromatisés aux fruits. Certains sont nervurés.

Pas d'entrée dit la fille en levant les yeux.

Quoi ? réplique-t-il. Puis : Oh.

Il tourne les talons.

Non attendez le rappelle-t-elle. C'est juste que vous n'avez rien à payer. La direction a donné des consignes.

Hein ?

Allez-y.

À l'intérieur le cinéma n'a pas changé : même désodorisant bon marché dont l'odeur chimique prend à la gorge mêmes fauteuils usés. À bien y regarder la salle est peut-être encore plus sale. Il y a des taches séchées sur les murs le sol et les toilettes n'ont manifestement pas été récurées depuis une éternité.

Mais Rutter n'est pas incommodé. Pour lui ça n'entre pas en ligne de compte. Il s'en fiche. Ce ne sont que des surfaces.

Devant l'écran il n'y a pas de femmes ni de couples ce jour-là. Seulement des hommes.

Les accros des fins de soirée en milieu de semaine.

Des désespérés des solitaires des chômeurs. Dépravés déficients déviants.

Certains en caleçon.

D'autres invalides.

Il s'assoit. Se tasse dans le fauteuil. C'est un film danois doublé en allemand qui est projeté. Les dialogues ne sont pas synchronisés mais peu importe. Ici rien n'a d'importance.

La scène montre un docteur et une infirmière dans un bureau. Ils parlent et la conversation s'anime rapidement. Puis ils s'arrêtent de parler et l'infirmière se déshabille. Elle a de gros seins flasques. La caméra zoome sur le visage idiot du médecin en train de la reluquer d'un air lubrique. Puis le champ s'élargit et montre l'infirmière à genoux devant lui occupée à le sucer. Il a toujours cette même expression salace.

Au bout d'un moment elle se relève se retourne soulève sa blouse et le médecin la prend par-derrière pendant qu'elle passe un coup de téléphone. Les images ont du grain et n'arrêtent pas d'accélérer ou de ralentir créant un effet comique involontaire.

Quelques instants plus tard le médecin se retire et termine son affaire sur les fesses de l'infirmière et de nouveau la caméra se concentre sur son visage. Cette fois il grimace. Arrive une femme enceinte et après une longue conversation en allemand l'infirmière et elle lui taillent une pipe.

Rutter ne bande même pas.

Deux travelos viennent s'installer dans la même rangée que lui. Ils ont les jambes poilues et arborent chacun une culotte en soie. L'un est basané avec une moustache et porte des lunettes à verres épais l'autre a une mèche cache-misère qui ne parvient pas à dissimuler le croissant de cuir chevelu squameux dessous.

Ils s'assoient à quelques sièges de lui. Regardent le film un moment puis commencent à se branler et à se caresser mutuellement.

Rutter reporte son attention sur l'écran en se demandant s'il y aura des couples ce soir. Il aimerait voir un spectacle en vrai. Voir une femme en chair et en os. Réessayer la pièce du fond. Il s'est lavé cette fois et la proximité des deux travestis lui donne la nausée. Tout est différent aujourd'hui. La direction a laissé des consignes pour lui et même si ça le dépasse il n'a rien à payer. Il est invité. Un invité spécial.

Il a envie d'une femme. Jeune vieille grosse maigre peu importe. Il attend depuis suffisamment longtemps.

Il sent les travelos l'observer. Pour finir ils viennent s'asseoir de chaque côté de lui. Le moustachu a pris place dans le fauteuil à sa droite.

Rutter tourne la tête vers lui et l'homme lui adresse un sourire qui se veut aguicheur mais n'est qu'une grimace pitoyable. Il n'a plus de dents de devant.

Une main s'avance vers son entrejambe. S'y pose. Exerce une légère pression. Rutter la chasse. Le moustachu laisse passer quelques instants puis abandonne son siège qui se relève et vient s'agenouiller devant lui. Se lèche les lèvres. Cherche de nouveau la braguette de Rutter. La saisit entre ses doigts. Avide.

Rutter bondit sur ses pieds et expédie son genou dans la figure du travelo qui part à la renverse. Il a peut-être la pommette fracturée. Ou peut-être pas. Son copain à la calvitie galopante se met debout à son tour et dit hé on se calme d'une grosse voix. Sa queue en érection et ses testicules dépassent de sa culotte de femme et durant un bref instant le film se reflète sur les verres épais de ses lunettes.

L'homme au sol grogne une menace et son ami se penche pour l'aider à se redresser. Il apostrophe Rutter mais celui-ci s'éloigne déjà.

Il remonte l'allée centrale et s'engage dans le hall.

Au même moment une main le saisit par le coude pour l'attirer sur le côté. C'est le maigre. Skelton. Lèvre tordue. Cheveux lissés. Il le guide vers la porte. Vers l'escalier. Vers le sous-sol.

Vers Hood.

*

Il avait essayé les voyages. Brindle. Les vacances. Quelques années plus tôt lorsqu'il croyait encore que ça valait le coup de tenter l'expérience. Il avait pris une semaine et il était parti. Un séjour tout compris. Seul.

Deux formules qui ne vont pas ensemble.

Il était d'abord allé en Turquie et quelques mois plus tard dans un hôtel au Mexique. Côté Caraïbes. La péninsule du Yucatán. Son supérieur lui avait ordonné de s'arrêter quelques jours. L'avait forcé à prendre des congés. Aérez-vous la tête avait-il dit. Buvez des cock-tails servis dans des ananas et faites-vous astiquer le manche. Vous en avez besoin.

Alors il avait payé un supplément et on lui avait attribué une suite pour couples en lune de miel avec un réfrigérateur un service à thé l'air conditionné et un jacuzzi vide sur le balcon dont la bonde laissait échapper de temps à autre de faibles relents d'excréments. L'hôtel était peuplé d'Américains obèses et bruyants et il avait immédiatement regretté son choix.

Comme le décalage horaire et la chaleur avaient sapé toute son énergie il avait tiré les rideaux et était resté assis toute la journée dans le noir à regarder des *tele-novelas*. Il ne s'aventurait hors de sa chambre avec vue sur la piscine que le matin et le soir pour se gaver au buffet. Il détestait le soleil. Il était anglais. Originaire du Nord qui plus est. Il se retrouvait hors de son élément. Sa peau était trop sensible du coup il attendait chaque jour le crépuscule pour se rendre au restaurant où le thé n'avait pas le goût escompté et où le menu végétarien se réduisait à une omelette baveuse qui ressemblait à un déchet anatomique après une intervention chirurgicale.

Une fois par jour la femme de ménage venait vider la poubelle regarnir le minibar et laisser une serviette propre pliée en forme de cygne jusqu'au moment où il lui avait donné un pourboire en lui disant de ne pas refaire la chambre avant la fin de la semaine. Elle n'avait pas discuté.

Il n'était pas retourné à l'étranger depuis. Ne s'était même jamais accordé plus de deux jours de congé d'affilée.

Quand il se réveille le matin de Noël sa chambre est glaciale et il ne sait plus où il est. Il prend peur puis la mémoire lui revient et il se sent rassuré. Mais très seul. Il y a un bloc de glace dans sa poitrine à l'endroit où devrait se trouver le cœur.

*

La porte s'ouvre en grinçant. La charnière du haut aurait besoin d'être réparée. Une vis est tombée.

Au moment d'entrer dans le salon il sent que quelque chose est différent. À peine a-t-il refermé la porte que l'intérieur vacille tangue et se réagence. De nouveaux détails perturbent son champ de vision et sa perception de l'espace. Les moutons de poussière sur le rebord de fenêtre les brûlures sur le tapis devant l'âtre laissées par des années de braises incandescentes les petits tas de vieilles cendres le vernis cloqué de la table et les touffes de bourre crachées par le fauteuil semblent se soulever et se mouvoir ensemble. La pièce ondule et oscille produisant un bourdonnement grave et malveillant. Des mouches. Dix cinquante cent mille mouches se déplacent se rassemblent puis se posent sur l'ampoule nue et sur les médaillons de harnais. Sur les meneaux de la fenêtre sur le manche du tisonnier sur la tringle de rideau sur le pourtour du mug. Sur les poules mortes à moitié plumées dans le coin – cou tordu et peau blanche hérissée. Rutter n'a plus de grain et elles meurent les unes après les autres ; les plus faibles deviennent les victimes de celles qui ont conservé un peu de combativité. Il en a encore ramassé cinq hier. Il les a rapportées dans l'intention de les vider et de les faire bouillir ou rôtir mais il ne parvient pas à s'y résoudre. Ça lui semble trop compliqué. Alors maintenant elles sont empilées dans le coin comme du linge sale. Os et becs maintenus par une peau grêlée et des tendons desséchés.

La pièce est de nouveau immobile. Elle lui joue des tours. S'amuse avec lui. Met ses sens à l'épreuve. Rutter avance d'un pas et la danse folle recommence. Toujours plus de mouvements. Toujours plus de mouches. Et durant tout ce temps résonne ce bruit – ce bourdonnement – le son de l'anéantissement ; une interprétation symphonique de la pourriture et de la décomposition de la détérioration de la dissolution et du cycle sans fin mort-vie-mort se nourrissant de lui-même.

Il recule referme la porte derrière lui et décide de ne plus utiliser le salon.

*

La première chose qu'il voit en bas sous les arches ce soir-là ce sont deux corps par terre. L'un sur l'autre. Se contorsionnant sur un tapis. Deux filles sans soutien-gorge mais toujours en pantalon. Avec des petits seins. Presque pas de seins à vrai dire. Elles se caressent pendant que les hommes déambulent autour d'elles un verre à la main. Elles ne semblent pas très enthousiastes mais un homme se penche alors et donne un coup de pied à l'une d'elles en disant vas-y ma fille mets-y un peu d'huile de coude. Il tape l'épaule d'un de ses compagnons et répète huile de coude et ils éclatent de rire. L'autre lance sûr elle comprendra tout à l'heure quand je l'enfilerai comme un gant.

Quelque chose dans l'apparence du premier paraît familier à Rutter qui ne reconnaît cependant pas son visage. Puis il se souvient : un animateur de la radio locale. Rutter entend sa voix tous les jours. Il incarne l'image flamboyante de la station. Dans les années à venir il ira s'installer à Londres polira son accent du Yorkshire et prendra du galon en décrochant un poste de correspondant – des rumeurs circuleront dans l'entreprise sur la rapidité suspecte de son ascension – avant de devenir un présentateur largement respecté spécialisé dans les interviews de politiques influents. Mais ça ce sera pour plus tard.

Comme la fois d'avant ils sont plusieurs en bas. Huit en tout. Certains sont assis d'autres debout et ils regardent.

Un halo de fumée flotte dans l'air et Rutter remarque dans un coin Larry Lister qui tète un cigarillo. Une mèche rousse ramenée sur le côté ne parvient pas à dissimuler sa calvitie. Il fait signe au nouveau venu.

Allez lui parler dit Skelton.

Rutter s'exécute.

Ah le porcher lance Lister. Le film vous plaît mon garçon ?

Ça va.

Ça va l'imite Lister. Moi je trouve ça assommant.

L'animateur porte une chemise en soie déboutonnée jusqu'au milieu de son torse imberbe. Son ventre tend le tissu et il a presque autant de seins qu'une femme. Des lunettes noires lui cachent les yeux.

M. Hood veut me voir ? interroge Rutter.

Il n'est pas là.

Je croyais qu'il voulait me voir.

M. Hood ne voit pas les gens mon garçon. C'est moi qui veux vous voir. On vous a proposé un verre ?

Je bois pas.

Ah bon ? Un cigare alors ?

Non dit Rutter.

Oh bon sang s'exclame Lister. Vous n'avez pas la plus petite faiblesse ? Ah si – je me rappelle ce qui vous botte : un des derniers tabous. Bah pourquoi pas ?

Ne sachant trop quoi dire Rutter déclare :

Je vous ai vu à la télé.

On dit que ça vous grossit d'environ trois kilos. Qu'en pensez-vous ?

De quoi ?

Lister secoue la tête.

Non rien. Mon collègue M. Hood m'a demandé de vous demander ce que vous faites demain soir.

Demain soir ?

Oui.

J'en sais rien répond Rutter.

Eh bien laissez-moi vous éclairer : vous viendrez ici à deux heures du matin et vous obéirez aux ordres comme le bon garçon que vous êtes. Ce sera une nuit particulière demain. Avec un film.

Hein ? Mais c'est un cinéma non ? Il y a des films tous les soirs.

Pas comme celui-là.

Rutter le regarde sans comprendre.

Distribution spéciale explique le présentateur. Fin saisissante. Sur invitation seulement.

Il y aura des célébrités ?

Je serai là. Ne suis-je pas assez célèbre pour vous mon garçon ? De toute façon vous n'êtes pas invité.

Mais vous avez dit…

Je vous ai dit de venir à deux heures du matin. Avec votre camion. On vous réservera une chambre à l'hôtel en attendant que le film soit terminé. Vous aurez un travail à faire. Corvée de nettoyage. Surtout n'en parlez à personne.

*

Le téléphone fixe sonne. Un son strident qui se répète et s'insinue dans les brumes de sa gueule de bois. Mace l'ignore.

Il est étalé sur le canapé le pantalon sur les chevilles le sexe collé au ventre.

Il fait un froid de canard dans la chambre. Il ramène la couverture sur lui et se souvient de la bière du whisky et aussi d'un machin bleu servi dans un verre genre dé à coudre. Il espère ne pas vomir. Enfin la sonnerie du téléphone s'arrête.

En regardant autour de lui il remarque des signes de désordre ; les traces laissées par d'autres dans la pièce. Il ne se rappelle plus qui est venu ni pourquoi son pantalon est baissé. Un goût amer au fond de sa gorge. Il se sent nauséeux et minable.

Ça recommence comme à Londres pense-t-il.

Cette fois c'est son portable qui sonne. Mace tend la main vers la table basse et renverse une canette de bière qui crache des mégots écrasés puis un filet de liquide mélangé à des cendres. Une odeur âcre de nicotine mouillée lui assaille les narines.

C'est le numéro de sa mère qui apparaît sur l'écran.

Il n'imagine pas échanger des Joyeux Noël. Non. Pas maintenant. Pas encore. Même pas à plus de cent cinquante kilomètres de distance. Il la rappellera plus tard quand sa langue sera décollée de son palais et qu'il aura un peu moins envie de pleurer de mourir ou les deux.

Roddy Mace cherche désespérément du regard de l'eau quelque chose à boire. Il n'y a rien à portée de main. Le robinet lui paraît trop éloigné. Il tire la couverture sur sa tête et pense à la sensation bienfaisante de l'eau froide quand on l'avale et tente de se rendormir mais maintenant son esprit est bien réveillé et fait de son mieux pour recréer la nuit. Pour reconstituer le puzzle. Il lui semble avoir le crâne comme une bouilloire dont le contenu s'est évaporé.

Il se souvient de Brindle. Du malaise qu'il a éprouvé en sa présence. De cette impression bizarre d'être non pas réellement hypnotisé mais plus ivre qu'il ne le croyait en ce début de soirée. À cause des yeux de l'inspecteur sans doute. De son regard à flanquer les jetons. De toute son attitude à vrai dire. Cette façon de s'asseoir bien droit et de siroter son thé – du thé au Magnet le soir du réveillon bordel – comme si chacun de ses gestes avait été répété ou calculé et qu'il ne se souciait pas de l'opinion des autres dans ce bourg où tout le monde se laisse aller. Et lui restait raide impeccable imperturbable avec sa coupe de cheveux à l'avenant. Se bornant à regarder. Un étranger dans un endroit étrange dégageant des ondes négatives.

Il y avait quelque chose en lui qui attirait irrésistiblement l'attention. Peut-être cette tache de naissance pareille à une cible invitant les railleries. Ce truc rouge sang. Mace se remémore son envie presque irrépressible de tendre la main pour la toucher. De tirer la langue et de…

Le téléphone vibre puis bipe dans sa main. Un texto.

JOYEUX NOËL DE LA PART DE PAPA ET MAMAN.

Il se rappelle soudain K2 le gros lourdaud aux lèvres mouillées qui postillonnait sans arrêt. Sa rappelle aussi l'avoir entendu dire quelque chose d'important.

Mace se baisse pour fouiller les poches de son pantalon. Des pièces de monnaie dégringolent par terre. Suivies par un briquet. Et un préservatif dont la vue le déprime tellement il est vieux. Il glisse la main dans l'autre poche et en tire une moitié de sous-bock. Des mots sont griffonnés dessus : AUTRE FILLE 20 ANS + TÔT – CAMPING – « LE RÉSEAU » MASON/PINDER/RUTTER. LES SECRETS D'HOMMES EN RELATION. ARCHIVES ?

Il se rallonge en songeant que Brindle ne cille jamais et que c'est peut-être ça qui le rend si singulier. Puis le téléphone vibre de nouveau. Un autre texto de Dennis Grogan cette fois.

Merde.

DESCENTE DE POLICE CE SOIR. CHEZ STEVE RUTTER. DISCRÉTION REQUISE. DÉSOLÉ MAIS FAUT QUE TU Y SOIS. C'EST DU LOURD.

Et tout de suite après :

COLLE À BRINDLE COMME DE LA GLU (ET JOYEUX NOËL ETC)

Mace se demande pourquoi les personnes d'un certain âge affectionnent autant les majuscules dans les SMS.

Et pourquoi il serait obligé de travailler le jour de Noël alors que le journal lui a déjà fait rater les festivités. Et est donc responsable de sa gueule de bois – plus ou moins. Non qu'il se sente de taille à affronter sa famille maintenant. Mais n'empêche. C'est le principe.

Il tape un message en réponse – HEURES SUP PAYÉES TRIPLE ? – puis s'assoit et se rend compte qu'il reste des cigarettes dans un paquet abandonné sur la table. Il en allume une et à la première bouffée il a l'impression qu'un bon millier d'éclats de verre minuscules lui emplissent les poumons. Il a désormais la certitude qu'il va dégobiller dans les prochaines minutes. Après avoir laissé tomber la cigarette dans la canette il tire de nouveau la couverture sur sa tête et pense à de l'eau fraîche glissant dans sa gorge comme le mercure d'un thermomètre cassé et baignant son estomac. Froide fraîche et merveilleuse. Puis il roule sur le côté et vomit sur la moquette posée plusieurs années avant sa naissance.

*

Ils l'avaient envoyé dans une chambre d'hôtel proche et comme il n'avait jamais mis les pieds à l'hôtel ça l'avait rendu nerveux alors il était resté assis sur une chaise dans un coin de la pièce obscure jusqu'au moment où M. Skelton l'avait appelé pour dire tout est prêt avant de raccrocher. Trois minutes plus tard Rutter avait garé son camion près de la porte de derrière du X et laissé le moteur tourner. Ensuite il avait frappé et Skelton l'avait fait entrer et ils étaient passés par la trappe pour descendre au sous-sol jusque dans une pièce tout au fond. Il n'y avait personne là-dedans il faisait chaud et il y avait de grandes feuilles de plastique sur le sol et aussi un trépied des câbles des bouteilles vides des cendriers pleins et une pile de vêtements – une robe à paillettes – et une paire de grosses tennis Nike tachées et une table avec différents instruments d'aspect bizarre ou de jouets ou d'outils posés dessus – des drôles de trucs en plastique transparent et en plexiglas qui res semblaient à des bites. En découvrant ce que Skelton lui montrait dans un coin Rutter n'avait pas tressailli. L'autre l'avait remarqué et avait dit faites ce qu'on vous a demandé. Maintenant ? avait répliqué Rutter. Et Skelton de répondre oui maintenant – vous débarrassez tout ça ce soir et vous vous arrangez pour qu'il n'en reste rien demain matin. Puis il avait grogné. Ça fera plaisir à M. Hood avait-il dit. Ça fera plaisir à M. Lister.

*

Valerie Pinder grommelle puis pousse le large dos de son mari qui se soulève et s'abaisse au rythme lent de sa respiration. En haut en bas. Comme un cochon pense-t-elle. Un gros cochon. Elle lui donne une nouvelle poussée.

Roy.

Pas de réaction.

Roy. Téléphone.

Il était rentré tard la veille au soir puant l'alcool et se comportant bizarrement. Elle était à la cuisine avec sa sœur qui l'aidait à éplucher les légumes et à préparer la dernière fournée de tartelettes aux fruits secs et il s'était montré grossier envers leur invitée. Lui avait fait une réflexion désobligeante sur son poids alors qu'il était rudement mal placé pour parler. Quand sa sœur avait quitté la maison comme une furie Valerie avait vu se profiler un énième Noël chargé de tension. Une vision aussi réjouissante que celle d'une pierre tombale en marbre noir poli.

Le téléphone sonne. Elle pousse encore son mari. Plus fort. Il se réveille en sursaut.

Réponds à ton putain de téléphone.

Il dégringole du lit et va chercher son portable dans la poche du pantalon froissé qu'il a abandonné par terre dans le noir.

Allô ?

Valerie est bien réveillée à présent. Elle l'écoute écouter. Elle a cessé depuis longtemps de croire que ces appels et ces mystérieux départs nocturnes avaient tous un rapport avec le travail de son mari ; que Roy Pinder était le plus bosseur de l'équipe. L'homme qui maintenait la cohésion de l'ensemble. Elle a toujours su qu'il était impliqué dans des *choses* mais comme tout le monde par ici non ? Et elle a toujours su également qu'il ne s'agissait pas d'une histoire aussi simple et banale qu'une autre femme. Cette certitude la réconfortait un peu. Elle ne l'a jamais soupçonné d'avoir une liaison.

La lumière du téléphone éclaire le visage de Roy et le fait paraître blême et démoniaque. Elle répand dans le coin de la chambre de froids reflets bleus.

Pinder grogne puis dit oui et encore oui puis c'est Noël tout est fermé à Noël. Et après une pause oui bien sûr je le ferai.

Valerie remarque qu'il use des intonations réservées à ces appels tardifs inattendus – des intonations empreintes de réticence de révérence et peut-être même de crainte.

Il reprend la parole pour déclarer dites-lui que ça ne sera pas un problème. Et après une nouvelle pause plus longue OK je m'en occupe.

Puis il raccroche.

C'était qui ? demande-t-elle quand il revient se glisser sous la couette.

Personne. Un truc de boulot. T'inquiète pas.

Tu as des ennuis ?

Non.

Ils restent silencieux un certain temps dos à dos les yeux grands ouverts. À contempler l'obscurité d'avant l'aube.

Un jour tes secrets auront raison de toi Roy murmure-t-elle enfin.

Il ne répond rien.

*

Bleue.

Elle change. Devient bleue.

En bas dans le tunnel. Elle devient bleue.

Dans la gueule béante de cette tombe elle durcit se rigidifie.

La fille devient bleue devant lui. Elle durcit se rigidifie.

Son sang se fige coagule et noircit. Et les mouches pondent.

Il voudrait l'emmener chez lui. Il voudrait allumer un feu la placer devant l'envelopper dans des couvertures et masser ses muscles froids et tétanisés.

Le bleu ne lui va pas le bleu n'est pas sa couleur. Il la préférait telle qu'elle était avant. Le bleu la transforme en chose et il ne veut pas d'une chose il veut une personne. Elle. Une fille.

Elle n'aurait pas dû changer de couleur pense-t-il. Et il faut qu'elle reste avec lui.

Ici. Avec lui. En haut de la vallée.

Elle et lui. Toi et moi. Ensemble pour toujours.

Parce qu'il l'aime cette fille. Il le sait. Il le sent. Et il sent aussi que la fille l'aime en retour. Ils devraient être ensemble pour toujours ; pour lui c'est une évidence.

Ensemble. Pour toujours.

Elle se plaît ici. Il le devine. Et puis c'est plus facile comme ça. Pour tous les deux. Comme ça il n'y a pas de disputes pas de désaccords pas de piques. Pas de déception. Ils sont au-delà de la conversation au-delà des bavardages au-delà de la gaucherie des débuts d'une relation. Il l'a libérée du quotidien ; il lui a donné ce pouvoir – celui de ne pas avoir à s'inquiéter. Non. Pas de factures à payer. Pas de parents pas de règles aucune entrave.

Juste elle et lui. Oui. Pas de devoirs. Non.

Pas de garçons stupides ni d'amies langues de vipère. Non.

C'est un cadeau vraiment. Le cadeau de ne pas avoir à vivre.

Le cadeau du néant.

Le cadeau qu'il lui a fait.

Lui. Steven Rutter.

5

Mace est devant le Magnet lorsque Bull Mason tire les verrous de la porte d'entrée et ouvre. Il est onze heures du matin passées de quelques minutes.

Tiens tiens dit le propriétaire du pub en hochant la tête.

Roddy Mace frissonne et lui rend son salut.

Joyeux Noël ajoute Mason.

Qu'est-ce qu'il a de si joyeux franchement ?

Vous êtes mordu en tout cas. Je suis surpris de vous voir revenir si tôt. Je pensais que vous seriez toujours comateux.

Oh je crois bien que je le suis encore. Vous avez prévu un menu de Noël Bull ?

Oui. On ne servira pas avant un moment mais entrez.

Mace le suit à l'intérieur. L'odeur le ramène aussitôt à la soirée de la veille. Aux pintes aux whiskies au machin bleu servi dans des tubes en plastique aux chansons au moment où quelqu'un lui a fait une clé à une bataille de boules de neige à une table renversée dans un grand fracas de verres brisés aux rires à ces deux filles qui se sont battues et tiré les cheveux jusqu'à se les arracher par touffes puis à ces coups de téléphone tardifs passés à des hommes dont il avait conservé le numéro dans son portable mais dont il ne se rappelle même plus le visage. Des hommes de Londres des hommes de la ville. Il lui semble aussi avoir appelé un numéro surtaxé. Il en saura plus quand il recevra la facture. Et il se souvient de sa rencontre avec Brindle.

Est-ce que j'ai fait des conneries hier soir ? demande-t-il à Mason qui lui sert une pinte.

Comment je pourrais le savoir ?

Vous savez tout Bull. Vous êtes les yeux et les oreilles de ce village. J'ai toujours pensé que le propriétaire d'un pub détenait autant de pouvoir que le prêtre de la paroisse. Plus même en un sens. Vous écoutez les confessions et vous êtes témoin des péchés de vos ouailles. Vous gardez les secrets des uns et des autres et vous nous délivrez du mal en nous offrant la rédemption par l'alcool.

Qu'est-ce que vous racontez ?

Mace hausse les épaules.

Sais pas. Je dois être encore bourré.

Pour autant que je m'en souvienne – et il est possible que je me sois moi-même accordé deux ou trois bières des Dales – vous vous êtes conduit comme le même trouduc que d'habitude.

Rien de spécial donc ?

Rien d'extraordinaire en tout cas.

Et le flic ? Comment il s'est comporté ?

Le flic ?

Votre pensionnaire. Brindle.

L'espèce de connard d'intello ? Il risque pas de résoudre grand-chose celui-là. C'est moi qui vous le dis.

À votre place je n'en serais pas si sûr.

Oh si. À force de fourrer son nez partout il va s'attirer des emmerdes. Il a déjà eu des mots avec Roy. Je l'éviterais si j'étais vous. Les gens parlent.

Roy ? Roy Pinder ?

Ouais. Votre flic a déjà contrarié quelques-uns de nos gars.

Mais la gamine disparue…

Ben c'est pas lui qui va la retrouver. Et si vous voulez mon avis vous auriez intérêt à pas vous en mêler.

Mais qu'est-ce qu'il a pensé du réveillon au Magnet ?

Bull Mason hausse les épaules.

Posez-lui la question vous-même. Il a réservé pour le déjeuner lui aussi. Rien que des légumes.

Comment ça ?

Il est végétarien. Légumes verts et patates. Quand je vous dis qu'il est bizarre.

Et il ne boit que du thé renchérit Mace.

Ouais grogne Mason. Un drôle de coincé. Il ferait mieux de repartir dans sa capitale et de nous laisser tranquilles. Y a toutes les chances pour que la petite ait fugué rien de plus. Moi aussi je ficherais le camp si je devais vivre avec ce foutu Ray Muncy.

Mace emporte sa pinte jusqu'à une table et regarde les clients affluer au cours de l'heure suivante. La plupart sont dans le même état que lui : ils n'ont pas les yeux en face des trous. Il n'y a que des hommes – la majorité aspirant à un bref répit après le chaos d'une matinée de Noël en famille. Les autres sont des ouvriers agricoles célibataires venus déjeuner avant de retourner à leurs vaches et à leurs moutons.

Les routes sont toujours bloquées par les congères et tous les véhicules restés à l'extérieur pendant la nuit sont recouverts d'une couche de neige fraîche. Les clients du pub sont arrivés à pied et s'en iront à pied.

À midi la porte donnant sur l'escalier qui mène aux chambres s'ouvre et Brindle entre. Il va s'asseoir à la même table d'angle que la veille. Du comptoir où il est en train de commander sa seconde pinte Mace lui fait un petit signe et le policier hoche la tête. Il porte de nouveau une chemise blanche immaculée et une cravate remarque le journaliste. Il doit avoir apporté des rechanges. Même le jour de Noël – même dans un pub – il n'y a aucun laisser-aller dans sa tenue. Ses cheveux sont lissés et séparés par une raie impeccable.

Au bout d'un moment il s'approche du bar et commande un pot d'eau chaude. Sort un sachet de thé de sa poche paie avec un billet de dix livres puis récupère la monnaie et entasse les pièces devant lui. Les tapote de ses longs doigts fins pour en faire une pile bien nette.

Joyeux Noël inspecteur dit Mace.

Merci. De même.

Toujours accro au tord-boyaux à ce que je vois.

Brindle lui jette un coup d'œil perplexe avant de comprendre qu'il s'agit d'une blague.

Vous avez raison il faut soigner le mal par le mal poursuit Mace. Vous êtes sûr de ne pas vouloir vous laisser tenter ?

Certain. Je vous ai dit hier que je ne buvais pas réplique Brindle. De plus je suis en service.

Le jour de Noël ?

Tout juste.

Eh bien on est deux.

Ah oui ?

Oui.

Et ça alors c'est quoi ? demande Brindle en indiquant la pinte de Mace.

Un remontant répond Mace. Mon rédac chef m'a mis sur le coup. Le jour de Noël bordel. Vous y croyez vous ?

Brindle fronce les sourcils.

Quel coup ?

214

Mace jette un œil par-dessus son épaule puis se penche vers lui.

La descente chez Rutter. Ce soir.

Le policier le dévisage.

De quoi parlez-vous ?

Du mandat dont vos petits copains et vous avez besoin pour perquisitionner la ferme de Steve Rutter ce soir déclare Mace. Sauf que ces trucs-là prennent bien vingt-quatre heures pas vrai et que c'est Noël alors vous vous retrouvez coincé ici jusqu'à ce que le document en question soit signé et envoyé par mail ou faxé ou quelle que soit la procédure requise pour pouvoir rameuter les flics locaux – dont la moitié était là hier soir à se bourrer la gueule et l'autre souffre probablement de brûlures d'estomac en écoutant le discours de la reine – qui ne soupçonnent même pas encore l'ampleur de l'histoire à laquelle ils sont mêlés que ça leur plaise ou non. Voilà de quoi je parle.

Brindle avale une gorgée de thé.

Comment êtes-vous au courant ?

Je vous l'ai dit : il y a beaucoup de secrets ici mais ils ne le restent pas tous. J'ai proposé de vous aider hier soir. Je pensais que deux têtes vaudraient mieux qu'une.

Oui. Et j'ai décliné.

Alors j'ai décidé de mener moi-même mon enquête.

Brindle perçoit l'odeur du jeune homme. Sueur et sommeil.

Bon écoutez reprend Mace. Je suis journaliste d'accord ? Et plutôt bon avec ça. Et malgré mes récriminations j'aime mon boulot autant que vous aimez le vôtre. Non. Aimer n'est peut-être pas le mot juste. Je ne peux pas m'en passer. C'est en moi ; écrire fait partie de mon identité alors je n'ai pas l'intention de rester tranquillement au chaud à regarder se dérouler les événements. C'est *mon* sujet au même titre que c'est *votre* affaire et pour autant que je puisse en juger la petite Muncy est toujours dans la nature vous n'avez pas découvert la moindre trace d'elle ni procédé à une quelconque arrestation et on en est tous les deux réduits à déjeuner dans ce pub d'une assiette de dinde trop dure pour moi et d'un plat de légumes desséchés pour vous le seul jour de l'année où on devrait être sûrs d'avoir un congé. Parce qu'il y a encore tout un pan de vérité à déterrer.

Qu'est-ce que vous entendez par là ?

Tout ça va plus loin qu'il n'y paraît. Forcément.

Tout ça quoi ?

Mace porte de nouveau son verre à ses lèvres et secoue la tête.

Répondez insiste Brindle. Si vous savez quelque chose…

C'est vous le grand flic *inspecteur*. Votre réputation vous a précédé.

Il est illégal de dissimuler des informations relatives à une affaire en cours.

Pour le moment je n'ai pas de précisions déclare le journaliste. Il y a des secrets. Des choses invisibles dont on ne parle pas. Certains des hommes par ici se connaissent depuis des années. Mais je suis encore un outsider moi aussi. Voilà pourquoi je vous ai proposé mon aide.

Je n'en ai pas besoin.

J'ai pourtant l'impression du contraire réplique Mace.

Je vous assure que non.

Vous me prenez pour un petit scribouillard provincial c'est ça ? lance Mace gagné par la colère. Un jeune con trop porté sur la bouteille ? Si ça se trouve vous avez raison. En attendant je ne suis pas idiot. Et je sais écrire. Peut-être que je suis juste venu ici dans les Dales m'accorder une pause et reprendre mon souffle. Me décrasser de la ville. Me vider la tête. Faire une cure de désintox si vous préférez. Pour autant n'oubliez pas que contrairement à beaucoup de personnes ici j'ai vécu en dehors de cette vallée. J'ai couvert des sujets importants pour un journal national. J'ai vu et entendu des tas de trucs. Quant aux habitants du coin – vous les considérez peut-être comme des ploucs consanguins mais ils ont toujours été corrects avec moi. La plupart m'ont plutôt bien accueilli. Et vous voulez que je vous dise pourquoi ? Parce que j'ai fait l'effort de m'intégrer et de m'attirer leur sympathie. De gagner leur confiance. Pour y parvenir il faut se mêler à eux. Et ça c'est la différence entre vous et moi. Vous vous contentez de rester assis dans votre coin en envoyant de mauvaises ondes tandis que moi je m'implique. J'apprends à connaître les gens – même les types louches. Je paie des tournées je vais au baptême de leurs gosses lorsque je suis invité et je les aide à sortir du fossé quand ils ont quitté la route à moitié pétés le vendredi soir. Tout tourne autour du sentiment d'appartenance à une communauté. Ne sous-estimez pas cet aspect. Vous voyez en moi un minable pisse-copie mais moi au moins j'ai su me faire une place parmi les gens d'ici et ça me donne une longueur d'avance sur vous.

Brindle renifle et remue son thé.

Qu'est-ce que vous voulez ? lance-t-il. Une médaille ?

*

Ray Muncy entre en titubant dans le pub. Il est ivre. Au début ils ne se rendent pas compte de sa présence à cause du brouhaha des conversations et du juke-box mais bientôt l'atmosphère dans la salle commence à changer. Soudain Roddy Mace voit les têtes se tourner vers la porte où le nouveau venu tangue et fulmine – il pense l'entendre rugir où est Roy Pinder ? – et si certains se moquent de lui en supposant qu'il s'agit juste d'un gars du coin qui a attaqué le sherry dès le petit déjeuner d'autres disent il perd la boule et faites-le sortir bon Dieu. Mais là-dessus Muncy s'avance vers le bar en criant toi tu sais de quoi je parle et Mace donne un coup de coude à Brindle. Derrière le comptoir l'air fermé Bull Mason regarde Muncy qui s'approche et pointe sur lui un doigt accusateur : Toi gronde-t-il. Toi et ta bande vous croyez pouvoir tout diriger ici ? Aussitôt quelqu'un dans la foule réplique évidemment qu'il dirige tout ici y a son nom au-dessus de la porte. Des rires s'élèvent mais ils sont assourdis et ensuite Johnny Mason rejoint Muncy et lui pose une main sur l'épaule. Allez Ray il est encore un peu tôt là vaudrait mieux que tu partes maintenant. Celui-ci fait volte-face et lance c'est pas parce que tu portes un insigne que t'es pas un pourri – d'ailleurs vous êtes tous des pourris. Johnny Mason insiste allez viens Ray et veut le prendre par le bras mais Muncy s'écarte et hurle vous foutez que dalle pour ma fille parce que c'est moi et il répète parce que c'est moi en se tournant vers la salle. Tous les regards sont braqués sur lui et il les soutient un moment avant de rajuster sa chemise froissée et de sortir du pub. Après son départ les clients semblent pousser un soupir collectif de soulagement. Ils saisissent de nouveau leurs verres et parlent à voix basse et disent des choses comme cinglé et dingue et il a pété un câble le pauvre. Mace surprend un échange de regards entre Bull Mason et son frère Johnny. Brindle le voit aussi.

Ils ont à peine touché à leurs plats. Les tranches de dinde en sauce dans l'assiette de Mace ont pris un aspect gélatineux tout comme le mélange de carottes et de chou cuits à l'eau accompagné de pommes de terre rôties dans celle de Brindle.

Je viens avec vous décrète Mace. Tout à l'heure. Je veux y aller aussi.

Brindle se lève.

Pas question déclare-t-il d'un ton neutre.

Je pourrais vous être utile pendant la perquisition insiste le journaliste. Il est possible que vous ayez besoin de moi pour traduire.

C'est non. La procédure...

On s'en fout de la procédure. C'est Noël.

Vous êtes ivre. Et vous ne feriez que nous gêner.

Je ne suis pas ivre. Et même si je l'étais – quelle importance ? Du moment que ça m'aide.

Je n'ai pas besoin de vous.

Laissez-moi vous poser une question.

Brindle soupire et tire sur ses poignets de chemise.

Vous êtes plutôt du genre verre à moitié vide ou verre à moitié plein ? demande Mace.

Le policier réfléchit. Pèse sa réponse.

Ni l'un ni l'autre.

Vous avez forcément une opinion.

Non. Il faudrait que je voie le verre avant de pouvoir me prononcer.

Mace sourit.

Vous êtes obligé de choisir.

Non répète Brindle. Je n'ai aucune obligation.

Il tourne le dos et s'éloigne. Sort du bar et monte dans sa chambre.

Il entend d'abord un bruit de moteur et il a à peine le temps de le voir arriver que le gamin est déjà dans la cour de ferme. Il est tout jeune – dans les douze ou treize ans – et conduit ce qui ressemble à un quad flambant neuf. Il ne porte pas de casque.

Rutter saisit sa carabine et ouvre la porte de derrière.

Qu'est-ce que tu veux ? lance-t-il.

C'est vous Rutter ?

Qu'est-ce que tu veux ?

Steve Rutter ? C'est mon père qui m'envoie.

C'est qui ton père ?

Bull Mason. Du pub. Il a un message pour vous.

Pourquoi il est pas venu lui-même ?

Sais pas. Je lui ai demandé mais il a juste répondu que je devais vous le transmettre à vous et à vous seul. Et que c'était pas possible de vous téléphoner ni de vous écrire.

Alors c'est quoi ce message ?

Il m'a dit de vous dire que vous alliez recevoir des visiteurs ce soir.

Qui ?

Sais pas.

C'est tout ?

Ben ouais. Il a rien dit d'autre.

Rutter réfléchit quelques instants.

À quelle heure ce soir ?

Aucune idée. Comment vous le trouvez mon quad ?

Après avoir baissé son arme Rutter la pointe vaguement en direction de la route qui descend vers la vallée.

Fiche le camp maintenant.

Où est mon cadeau de Noël ?

Quel cadeau ?

Mon père a dit que vous deviez me filer un billet sinon vous entendriez parler de lui.

Bon attends là marmonne Rutter en rentrant dans la maison.

Dans le salon il regarde autour de lui un moment puis se dirige vers un coin de la pièce ramasse une pile de revues cochonnes et ressort.

Tiens dit-il en les tendant au gamin.

Il repart ensuite à l'intérieur et ferme la porte. Dehors le gosse est déjà plongé dans les magazines. Le moteur du quad tourne toujours au ralenti.

*

Les pneus des voitures tassent la poudreuse vierge quand le convoi traverse le village puis gravit la colline. Il n'y a aucun moyen d'arriver discrètement chez Rutter. Inutile de compter sur l'effet de surprise.

La demi-douzaine d'agents supplémentaires arrachés à leur dîner et à leur famille ont été briefés au poste. Brindle leur a simplement dit que Rutter était leur homme. Sans rien expliquer. C'est un des enseignements qu'il a tirés de son expérience : toujours garder certaines choses pour soi. Ne jamais révéler son jeu avant la fin de la partie. Même à ses collègues.

Ils ont pour instruction de fouiller soigneusement et méthodiquement la maison à la recherche du moindre indice. Il a bien insisté sur ces mots. *Soigneusement.* *Méthodiquement.* Pour ne rien laisser échapper.

Après s'être garés ils approchent en silence et cernent le corps de ferme. Deux agents sont chargés d'inspecter les dépendances.

221

Roy Pinder est là aussi – contre son gré de toute évidence. Il fait de son mieux pour que ses hommes ne le voient pas recevoir ses ordres directement de Brindle.

Ce dernier va frapper à la porte. N'obtenant pas de réponse il hoche la tête à l'adresse du groupe et un des agents s'avance avec le bélier pour en donner un grand coup dans la serrure. Le battant cède facilement entraînant avec lui la moitié de l'encadrement pourri.

Ils s'engouffrent à l'intérieur en criant police en criant Steven Rutter et Mace leur emboîte le pas. Jusque-là personne n'a fait la moindre allusion à sa présence.

C'est l'odeur qui les frappe en premier. La puanteur de la décomposition.

Bon sang.

Ça sent toujours comme ça observe Jeff Temple.

Ils sont dans le noir et se cognent les uns aux autres jusqu'à ce que l'un d'eux localise un interrupteur. Ils se déploient ensuite dans la maison mais elle est vide. Aucune trace de son occupant. Pas de Rutter. Non. Pas ici. Steve Rutter n'est pas là. Non.

Brindle passe de pièce en pièce en s'attendant à voir – quoi ? Rutter. Melanie Muncy. Des vêtements. Des armes. Des taches. Des effets personnels. N'importe quel indice susceptible de relier Rutter à la disparition de l'adolescente. Il n'est ni soigneux ni méthodique dans son approche – mais au contraire de plus en plus furieux désespéré écœuré. C'est à peine s'il parvient encore à se dominer. Il voudrait gémir. Il voudrait hurler.

Il y a de la vaisselle sale et un matelas pisseux et de la poussière partout et il y a des cadavres de mouches et des vêtements crasseux et des trous dans le lino et des revues cochonnes et des téléviseurs cassés et des merdes de chien et des œufs de poule pondus des semaines plus tôt posés sur les rebords de fenêtres et des étagères et un cadre de vélo et des poules mortes et des tubes de papier toilette et des restes de bougies consumées et des médaillons de harnais et des canifs et une miche de pain verdâtre et des bandes de papier peint arrachées et encore des cadavres de mouches – par milliers semble-t-il – et une eau couleur de rouille qui coule le long d'un mur et un sac de pommes de terre renversé sur le sol du salon et trois roues de landau et des champignons qui poussent dans un coin et un rocking-chair auquel il manque un patin et des mouchoirs en papier froissés et une plume de paon et une chaufferette en cuivre accrochée à un mur et un badge avec les mots *Madchester : Rave On !* marqués dessus et de vieux flacons de pharmacie rouges bleus transparents et une cheminée noircie – et Brindle ordonne aux membres de son équipe de tout inspecter. Alors ils s'exécutent – Pinder aussi – et passent en revue les poubelles les substances indéterminées et les cendres mais des heures plus tard alors que l'odeur à l'intérieur leur donne la nausée et que l'atmosphère humide les oblige à retenir leur souffle ils n'ont recueilli que les preuves d'une existence triste et solitaire livrée à la négligence et des échantillons à envoyer au labo – des tas d'échantillons. Aucune trace en revanche de Steven Rutter ni de la gamine disparue ni de ses affaires et tandis que les hommes se demandent quoi faire ensuite et interrogent Pinder du regard Brindle lui arpente la cour en balançant des coups de pied dans les tas de neige grisâtre et en maudissant les poules encore vivantes qui caquettent à son approche.

C'est à ce moment-là que Rutter arrive à pied. Il est descendu de la colline par un chemin derrière la ferme. S'est glissé à travers un trou dans la clôture pour entrer dans la cour. En l'apercevant les chiens tirent sur leurs chaînes.

Il voit d'abord Brindle puis les policiers qui sortent de chez lui par la porte de derrière. Il braque sa torche électrique sur l'inspecteur.

Où étiez-vous Steven ? demande celui-ci.

Allez vous faire foutre.

Où étiez-vous ?

Vous trouverez rien ici. Je vous l'ai déjà dit.

Où étiez-vous à cette heure de la nuit ?

Vous allez le payer. Y a des lois dans ce pays. Je vais porter plainte.

Brindle s'avance vers Rutter qui baisse sa torche.

On est le soir de Noël dit-il. Je ne le répéterai pas : qu'est-ce que vous fabriquiez dehors ?

Qu'est-ce que vous croyez ? J'ai sorti les chiens. Ils en ont rien à cirer de Noël et moi non plus.

Brindle prend une profonde inspiration.

Qu'est-ce que vous avez fait d'elle Steven ?

Désormais tous les agents ont quitté la maison et observent la scène. Mace aussi.

De qui ?

Vous le savez très bien.

Nan je sais pas.

La fille.

Quelle fille ?

Ne jouez pas à…

Brindle se reprend.

Melanie Muncy.

Je vous l'ai dit. J'ai rien fait.

Ils restent un moment à se dévisager dans l'obscurité. Dans la cour la radio d'un agent grésille.

Je sais que c'est vous déclare l'inspecteur. Vous l'avez tuée.

J'espère que vous avez pas foutu le bordel chez moi.

C'est plus fort que lui Brindle s'esclaffe. Un son caverneux remonte de sa poitrine – un rire sans joie qui ressemble à une toux assourdie. Comme s'il essayait de déloger un morceau de nourriture coincé dans sa gorge. C'est la première fois que les autres le voient rire. Ce flic glacial envoyé de la capitale pour leur gâcher leur Noël est réellement en train de rire et c'est une vision perturbante.

Puis Brindle se retourne et regarde derrière lui. Aperçoit Mace qui tente d'allumer une cigarette et se dit qu'il ne devrait pas être là. Aperçoit aussi Roy Pinder qui ricane espérant manifestement qu'il échoue. Sent la situation lui échapper.

Il s'adresse de nouveau à Rutter :

Un porc ne pourrait pas rendre cet endroit plus sale qu'il ne l'est déjà.

Et vous savez de quoi vous causez j'imagine rétorque Rutter. Vous allez m'arrêter ?

Brindle enfonce les mains dans les poches de son pardessus et expédie encore un coup de pied dans la neige. Tente de se donner une contenance.

Si vous avez cassé des trucs faudra m'indemniser reprend Rutter conscient de l'inversion du rapport de forces.

Vous pouvez toujours courir riposte Brindle.

Mace fume sa cigarette. Ne perd rien de la scène.

Brindle entend Pinder derrière lui dire quelque chose puis une vague de murmures parcourir le groupe. Quand il s'avance vers Rutter les chiens tirent sur leurs chaînes et montrent les crocs.

Je vous aurai Steven déclare-t-il. Je trouverai les preuves et je vous crucifierai.

L'intéressé se racle la gorge puis tourne la tête et crache dans la neige.

Je vous le promets reprend Brindle. Je ne vous laisserai pas vous en sortir. Alors vous feriez mieux de boucler votre valise et de vous tenir prêt.

Son interlocuteur se racle de nouveau la gorge. Jette un coup d'œil aux agents dans l'ombre puis considère Roy Pinder un moment et se concentre ensuite sur la grange.

Quoi ? lance Brindle. Qu'est-ce que vous reluquez comme ça ?

Faut que j'aille pisser.

Ne vous gênez pas.

Rutter se dirige vers le bâtiment. Baisse son pantalon et son caleçon. Pisse bruyamment à l'entrée de la grange. Ses fesses molles sont aussi blanches que la neige.

Quand les policiers rugissent de rire Brindle devine qu'ils se moquent autant de lui que de Rutter. Ils sont toujours hilares lorsqu'il tourne les talons et regagne lentement sa voiture.

Mace ne bouge pas tandis que Pinder lâche foutue face de pruneau. Mais quand il entend le moteur démarrer et voit les feux stop s'éteindre il expédie sa cigarette dans la neige traverse la cour en trombe et grimpe sur le siège passager.

Ça ne s'est pas très bien passé hein ? lance-t-il.

Brindle se tourne vers lui. Le regarde droit dans les yeux. Le transperce. Mace a l'impression de voir des étincelles briller dans ses yeux.

Dehors ordonne-t-il.

Quoi ?

Sortez de ma voiture.

Pourquoi ?

Brindle se penche et ouvre la portière côté passager. Pousse le journaliste.

Sortez de cette putain de bagnole.

*

Pinder renvoie ses hommes chez eux. Leur dit de rejoindre femme mari copine copain enfants et de rattraper le temps perdu tant que c'est encore possible. Gavez-vous de dinde buvez jusqu'à plus soif et ensuite facturez vos heures sup' à ce connard de Brindle leur dit-il. Puis il va se placer à l'écart. Attend que tous les agents soient partis et fait signe à Rutter de le suivre vers la grange en ruine. Quand ils entrent il entend une créature filer dans l'ombre. Un bruit de griffes sur le ciment humide.

T'as eu le message si je comprends bien déclare-t-il.

Quel message ? demande Rutter.

Qu'est-ce que t'as fait d'elle ?

De qui ?

Joue pas au con avec moi. Tu sais très bien qui je veux dire. La fille.

La fille Muncy ?

Tout juste.

Les deux hommes se distinguent à peine dans l'obscurité.

Je pensais qu'on venait de voir ça avec ce salopard de Brindle.

Je suis pas Brindle réplique Pinder. Tu peux me parler.

Pourquoi ?

Écoute-moi bien : je suis au courant de tout. J'ai reçu un coup de téléphone en pleine nuit.

Rutter hausse les épaules.

De M. Skelton précise Pinder.

Qui ça ?

Tu le connais.

Je crois pas non.

Oh je vois – tu causes à tes porcs mais pas aux poulets. OK oublie l'uniforme. T'es pas en train de t'adresser à un flic là Steve. Tu t'adresses à quelqu'un de – il baisse d'un ton et choisit ses mots avec soin – quelqu'un de l'intérieur. Tu te souviens ?

Rutter cherche dans sa poche une cigarette roulée puis l'allume. La flamme du briquet se reflète dans ses petits yeux noirs.

Larry Lister reprend Pinder.

Rutter garde le silence mais sa paupière tressaille.

On pense qu'il risque de parler Steve. Qu'il a perdu la tête.

C'est du – comment on appelle ça déjà ? marmonne Rutter. Du harcèlement policier.

En tout cas t'as pas intérêt à la ramener.

*

Il est de nouveau assis à la table d'angle mais il a enlevé sa cravate et défait les deux premiers boutons de sa chemise. Même de la porte à l'autre bout du bar Mace peut voir qu'il est dans tous ses états. Qu'un changement s'est opéré chez l'inspecteur Brindle. Il y a des verres vides devant lui. Des petits pour les alcools forts. Quatre.

Il s'approche.

Vous m'avez fait quoi là bordel ?

Brindle lève la tête. Ses yeux bruns sont vitreux. Larmoyants et rougis. Sa tête ballotte.

Pourriez pas être plus clair ?

Qu'est-ce qui vous a pris de me planter comme ça ? l'apostrophe Mace. De m'obliger à supplier pour qu'on me ramène dans une putain de voiture de patrouille ?

Le policier le regarde par en dessous la nuque relâchée en une posture dédaigneuse.

C'est vos potes pas les miens.

Ouais ben c'était foutrement embarrassant. Les flics rigolaient et parlaient de me laisser patauger dans la neige. Quant à ce gros lard de Pinder ça n'a jamais été un pote – et encore moins maintenant. C'est qu'un foutu ripou. Il s'est payé des baraques partout dans le coin. Avec son salaire ? Mon cul oui.

Je croyais que vous étiez copain avec tout le monde ici crache Brindle.

Mace montre les verres.

Je croyais que vous ne buviez pas.

C'est Noël rétorque Brindle. Tout le monde a le droit de boire à Noël pas vrai ?

Le Magnet est encore une fois bondé. Il est tard. La journée s'est écoulée au rythme des whiskies et du cognac et beaucoup d'hommes ont le visage rouge arborent de nouveaux pull-overs et sont maintenant rejoints par leurs épouses ou leurs petites amies. Certains portent toujours le chapeau en papier qu'ils ont coiffé pour le déjeuner familial tandis que d'autres sont restés toute la journée au pub. Ils sont tous d'excellente humeur. Les mêmes chansons de Noël repassent sur le juke-box dont le volume est poussé à fond et le feu ronfle dans l'âtre.

Vous oubliez que je suis moi aussi un étranger venu de la ville déclare Mace.

Ah oui. Le Clark Kent de la cambrousse bien décidé à décrocher le Pulitzer en s'accrochant à mes basques.

Sûrement pas. Je vous rappelle que je vous ai donné un coup de main.

Pardon ? C'est une blague ? Vous n'êtes qu'un boulet mon vieux.

Moi ? C'est vous qui venez de perquisitionner une ferme sans rien trouver. Vous vous êtes proprement ridiculisé *mon vieux*. Pour moi vous étiez censé être le meilleur. Le top du top. L'énigmatique James Brindle un représentant de cette nouvelle espèce mystérieuse gardée au secret dans la Chambre froide. Bon sang. Ça n'augure rien de bon pour la police du Yorkshire si vous êtes son meilleur élément. Pas étonnant que Pinder soit encore là-haut à se marrer.

Brindle le regarde et secoue la tête.

Écoutez-moi ce pochetron provincial armé d'un stylo qui veut me faire la leçon parce qu'il s'imagine me connaître. Je vais vous dire un truc Mace : vous savez que dalle. Et croyez-moi vous êtes encore loin d'arriver à mon niveau. Très très loin.

À votre niveau ?

Parfaitement décrète Brindle d'une voix pâteuse. Un niveau supérieur d'analyse.

J'en sais autant que vous affirme Mace. Je sais que Steve Rutter est votre homme. Ça ça n'a pas changé. Mais j'ai désormais la certitude que cette histoire a de nombreuses ramifications. Que Rutter y est mêlé et qu'il n'est pas seul en cause. Vous allez vraiment tout foutre en l'air maintenant ?

Je ne vais rien foutre en l'air. C'est Noël et j'ai envie de m'amuser c'est tout.

James Brindle – s'amuser ? s'esclaffe Mace. Et d'ajouter : Ils ont tous grandi ensemble.

Qui ?

Les hommes qui font la loi ici.

Ici ? Dans ce pub miteux ?

Non. Dans la vallée. Vous n'avez pas encore remarqué le lien entre eux ?

Mace regarde autour de lui pour s'assurer que personne ne les écoute.

Le fait est que Steve Rutter Ray Muncy Roy Pinder et aussi Bull Mason et son frère Johnny entre autres se connaissent depuis tout gosses. Certains habitants qui occupent aujourd'hui des postes de pouvoir sont allés à l'école ensemble. Ils ont le même âge et fonctionnent en groupe. Ils sont restés amis et se rendent mutuellement service. Mais quelques-uns ont décidé de faire bande à part. C'est le cas de Ray Muncy. D'autres encore dont Steve Rutter n'ont jamais été intégrés dans ce réseau ; pour différentes raisons ils ont été rejetés dès le départ – Rutter parce que c'est un simple d'esprit probablement. Ils étaient les victimes de ces types. Mon patron Dennis Grogan m'en a parlé. Il m'a bien recommandé d'être prudent dans mes articles mais je les emmerde ces salauds. Ils boivent ensemble partent en vacances ensemble font des affaires ensemble échangent leurs femmes – j'en passe et des meilleures. Ils constituent une espèce de mafia de seconde zone sans les beaux costards et les lunettes noires. Vous avez entendu parler de Benny Bennett ?

D'un mouvement de tête Brindle lui signifie que non.

Renseignez-vous. C'est lui qui contrôle le budget municipal. Il s'assure que l'argent va bien là où il doit aller. Il y a un comité pour sauvegarder les apparences mais en réalité tout dépend de lui. Ce n'est pas par hasard que les nids-de-poule dans le coin ne sont jamais rebouchés et que lui conduit une BMW. Et que Bull Mason fait un chiffre d'affaires quatre fois supérieur à celui des autres pubs de la région.

Ah non ? Et ce serait quoi la raison alors ?

C'est ce qui a été décidé entre eux répond Mace. Bennett appartient à leur cercle. Je ne peux pas en dire plus parce que tout s'opère en sous-main. D'accord Bull est plutôt sympa au premier abord pour autant je ne le laisserais même pas nourrir mon chat. Ensuite il y a Wendell Smith et les frères Farley. Je vous conseille de creuser de ce côté-là si vous voulez en savoir plus. Ils n'ont peut-être pas l'air d'avoir de l'argent ou de l'influence mais croyez-moi ils en ont. À leur façon. Ils font ce qu'ils veulent depuis des années. Des décennies. Ils assurent eux-mêmes le service d'ordre. Ils ont leurs propres lois. C'est pour ça que le taux de criminalité – le taux officiel du moins – est quasiment à zéro. Les voleurs et les cambrioleurs de la région se retrouvent vite dans une carrière avec les jambes brisées et les doigts écrasés. Les junkies ? Aucun risque d'en croiser par ici. On les a intimidés pour qu'ils aillent se défoncer ailleurs. Et je suis prêt à parier qu'il se passe bien d'autres choses encore.

Comme quoi par exemple ?

À vous de le découvrir inspecteur. C'est votre boulot. En attendant je peux toujours vous aider. Vous et moi on sait très bien qu'il y a…

Vous ne savez rien je vous l'ai déjà dit.

Mace hausse les épaules.

Vous êtes en train de bousiller cette enquête mais bon c'est votre problème. La justice c'est votre domaine pas le mien. Moi de toute façon j'aurai mon papier. Et merde. J'ai vraiment besoin d'un verre.

Le journaliste s'éclipse et revient avec une pinte deux whiskies et un nouveau paquet de cigarettes.

Bon maintenant qu'on a la situation bien en tête c'est quoi la prochaine étape ? demande-t-il.

Brindle le regarde comme s'il avait affaire à un dingue.

Pardon ?

Eh bien qu'est-ce que vous comptez faire inspecteur ?

Ça ne vous concerne pas.

Oh ça va. Vous pouvez laisser tomber le masque. J'ai vu ce que vous cachiez sous votre armure. Votre vulnérabilité. Vos faiblesses.

Ils restent silencieux un moment.

Vous devez bien avoir un plan reprend Mace.

Brindle indique son verre.

Sûr. En vider d'autres comme celui-là.

Et pour Rutter ?

Le policier le dévisage en silence. Longtemps. Si longtemps que Mace en vient à se demander s'il le voit vraiment.

Vous ne devriez pas être ailleurs ? dit enfin Brindle. Personne ne vous attend quelque part ? À mon avis les routes sont dégagées ce soir.

Mace porte son verre à ses lèvres puis le repose sur la table.

Non déclare-t-il. Et vous ? Y a-t-il quelqu'un qui vous attend ? Vous n'êtes pas policier à toute heure du jour et de la nuit j'imagine ?

Brindle ne répond pas. Se contente d'avaler son whisky. Le vide d'un trait puis grimace et se lève en décrétant d'abord Rutter et ensuite Pinder. S'il est corrompu je l'anéantirai. Je les anéantirai tous.

*

C'était facile de ne pas penser à eux comme à des êtres humains. Quand il en prenait possession ce n'étaient plus que des masses informes des choses cas-

sées des marchandises abîmées. Ces corps qu'il allait chercher étaient les pommes pourries dans le tonneau. Les biscuits brisés dans la boîte. Les restes de cartilages qui bloquent la bonde du boucher. Les rebuts ayant servi à satisfaire des goûts très spéciaux.

Le travail n'était pas régulier. Il pouvait s'écouler des mois sans qu'on le sollicite et il se disait alors qu'il avait peut-être tout imaginé mais ensuite il se retrouvait chargé de deux missions à une semaine d'intervalle. Recevait un message envoyé de la ville.

Ils appelaient ça le nettoyage. Il était le nettoyeur. Il n'avait pas le choix.

Le moment entre la fin de ces soirées particulières et l'enclos des cochons était à lui.. C'était sa récompense : la liberté de passer quelques heures seul avec ce qu'on lui laissait.

Il ne voyait jamais ni M. Hood ni aucun de leurs films. Pour les voir il fallait faire partie du cercle. Être invité. Or lui ne venait que pour exécuter un travail – exactement comme les femmes qui vendaient les billets au X ou celles qui essuyaient le foutre sur le sol des toilettes ou encore quiconque s'occupait de lancer les invitations et de recruter les acteurs amateurs de leurs productions. Il soupçonnait Skelton ; ce n'était certainement pas Lister.

Il savait qu'il n'avait lui-même aucun pouvoir – raison pour laquelle il n'était pas intégré dans ce réseau. Comme il n'avait pas la moindre influence dans le monde de la politique de la justice de l'aménagement du territoire de l'immobilier de l'investissement ou des médias on ne jugeait pas utile de le soudoyer. Ce n'était qu'une créature sauvage et féroce. Un bouseux. Il était le porcher et tout ce qui comptait à leurs yeux c'était que *les pommes pourries disparaissent à jamais. Qu'on ne puisse plus les retrouver ni les utiliser ni les consommer.*

*

Au pub les deux hommes boivent toujours. À l'heure de la fermeture Bull Mason verrouille les portes tamise l'éclairage et continue de servir.

Suis-je en sécurité ici ? demande Brindle à un moment.

Mais Mace ne l'entend pas et lui-même n'est pas sûr d'avoir prononcé les mots à voix haute. Il finit par se lever chancelle et se cogne contre le mur lambrissé en marmonnant quelque chose à propos de Rutter. En voulant se redresser il déplace un tableau encadré et ensuite regarde autour de lui comme s'il voyait la salle pour la première fois. Bull Mason lui jette un coup d'œil de derrière le comptoir.

Mace se lève à son tour.

Ouh là dit-il. Vous êtes sacrément parti Miss Marple.

Je suis l'inspecteur James Brindle rétorque l'intéressé en vacillant de plus belle.

Mace n'est pas non plus bien stable sur ses jambes mais il le rattrape par le bras juste avant que le policier renverse leur table et tous les verres vides dont elle est jonchée. Mason tourne de nouveau la tête vers eux et cette fois croise le regard de Mace. Il indique discrètement la porte menant à l'étage. Mace saisit le message.

Allez venez dit-il. La fête est finie. Je vais vous aider à monter.

Brindle fronce les sourcils en ordonnant bas les pattes mais comme il titube dangereusement Mace lui passe d'autorité un bras autour de la taille pour le guider. Ils franchissent la porte tant bien que mal puis commencent à gravir les marches. Sur le palier à mi-hauteur ils marquent une pause et se regardent. Leurs visages sont proches. Les yeux de Brindle sont semblables aux morceaux de verre poli qui s'échouent sur les plages ; des éclats façonnés par les courants et le sable. Mace sent l'haleine du policier. Il se concentre sur sa tache de naissance. Elle paraît encore plus rouge comme si elle était gonflée de sang. Brindle ne dit toujours rien alors Mace le hisse jusqu'en haut de l'escalier et le soutient dans le couloir.

Clé dit-il en arrivant devant la chambre.

Il a toujours le bras autour de la taille de l'inspecteur.

Ce dernier dodeline de la tête.

Quoi ?

J'ai besoin de votre clé.

Ils sont de nouveau tout proches.

Et merde lâche Mace qui plonge la main dans la poche du pantalon de Brindle.

En la fouillant il touche un renflement qui durcit aussitôt. Referme ses doigts dessus.

Brindle le fixe de ses yeux rouges et larmoyants. Ils respirent fort tous les deux. Mace est comme hypnotisé par la tache de naissance. Elle semble enfler sous ses yeux. Palpiter. Il saisit la clé tâtonne et finit par la glisser dans la serrure. Ouvre la porte. Brindle entre. Le battant commence à se refermer. Mace hésite un moment scrute le couloir puis lui emboîte le pas.

Deuxième partie

PRINTEMPS

6

Une fois immergé le corps de la fille lesté et attaché par des chaînes rouillées reste en suspension à trois mètres de profondeur dans l'eau du bassin de décantation qui dégèle. Plus tard il s'élève doucement en même temps que la température et les maillons métalliques cisaillent régulièrement la chair brune gonflée. De minuscules bulles d'air emprisonnées durant l'hiver retournent à l'éther tandis que le trop-plein du lac artificiel envahit clandestinement conduites et canaux. Les pluies et la fonte des neiges ont fait monter le niveau de cette vaste retenue noire qui déborde dans toutes les directions jusqu'à ce que la lande ne puisse plus contenir les flots et que les passages souterrains soient parcourus de blocs de glace de plus en plus petits qui se dispersent se désintègrent et s'évaporent lentement.

La glace ne reste pas éternellement de la glace. Avant c'était de l'eau et avec le temps elle redevient de l'eau. Et la vie renaît. Ici même dans les fissures et les crevasses de ce tunnel en béton les larves d'insectes éclosent et se développent. Dans l'humidité de cette grotte creusée par l'homme elles se déplient se déroulent se déploient.

Des plécoptères des éphémères des trichoptères des diptères des libellules.

Les eaux montent et montent encore jusqu'à ce que le corps de la fille vienne s'appuyer contre le dessous de la grille comme un prisonnier dans le couloir de la mort agrippe les barreaux de sa cellule en implorant la clémence. Ensuite les eaux baissent et baissent encore et elle flotte ligotée attachée entravée.

C'est alors au tour des acariens des moucherons et des mouches d'arriver.

Des mouches bleues des mouches vertes des mouches à viande des drosophiles des syrphes.

Ces créatures à sang froid viennent à différents stades se nourrir et pondre. La rumeur d'un festin de printemps se répand.

Attire des staphylins des dermestes du lard des escarbots. Des mites des halictes des guêpes. Des araignées qui guettent les mouches.

Et le processus recommence. La décomposition s'accélère. Le corps en suspension devient l'hôte d'une vie d'un autre ordre. Sa chair ses organes ses cavités sa peau et ses fluides grouillent d'activité. Ce qui était autrefois une personne est maintenant une riche source de protéines pour les sous-espèces qui rongent et sucent dans l'ombre.

Elle flotte sous la lande sous la terre détrempée. La fille. Des semaines se sont écoulées durant lesquelles elle n'a connu que l'obscurité la glace et l'écho de la brise des tourbières se répercutant dans ce mausolée désert. Sans rien voir du ciel changeant ni des déplacements de la neige. Mais aujourd'hui la neige a disparu et la glace a fondu. Et alors que le premier rayon de soleil effleure cet espace le traverse et y pénètre même la mort devient un théâtre de changement de croissance de mouvement.

C'est le printemps.

*

Lorsqu'ils se présentent chez lui de bonne heure le matin – et au fond de lui Larry Lister s'est toujours douté qu'ils viendraient et oui peut-être éprouvait-il une certaine excitation à ne pas savoir quand ; à se dire qu'il avait réussi à s'en tirer un jour de plus – ce n'est pas à cause de ses intérêts commerciaux dans certaines entreprises ni des parts occultes qu'il détenait dans le vieux cinéma porno ni des soirées spéciales ni de ses liens avec M. Hood ou M. Skelton et leur implication dans des disparitions-éliminations suspectes ni de sa vaste collection d'archives sur celluloïd – les vidéos de tortures – ni de ses albums photos ni des DVD ultra-ciblés qu'il a rapportés du Vietnam et du Laos mais sur la foi d'une accusation qui remonte à une éternité. Au début des années quatre-vingt. Rien qu'une. Portée par une fille – aujourd'hui une femme avec un mari et des gosses – qu'il ne se souvient même pas d'avoir rencontrée. Ce qui ne veut pas dire qu'elle raconte des conneries. En réalité son témoignage paraît même tout à fait convaincant ; non seulement elle a mentionné la marque de cigarettes qu'il fumait durant la « séance prolongée d'attouchements inappropriés » (une rapide recherche sur Internet suffirait néanmoins à découvrir ce détail ; il ne serait pas recevable au tribunal) et certains aspects de l'intérieur de son Winnebago (un Minnie Winnie Premier avec un revêtement de couleur vive à motif de chevrons bruns qu'il avait acheté avec l'argent de la corporation et laissé près d'une église dans les Pennines dont il avait été nommé gardien honorifique à la fin des années quatre-vingt) mais elle a également donné une description précise des trois petits grains de

241

beauté sur le dessous de sa bite disposés d'après elle
« en triangle » qu'elle a eu l'occasion de voir de très
près toutes ces années auparavant.

À part une déclaration pour dire que la fille en question fait manifestement partie de ces fans nourrissant à
son égard une obsession particulière et qui ont franchi
une frontière en mélangeant réalité et fantasme et erreur
d'interprétation et fiction (ne vous inquiétez pas dit-il
aux policiers venus l'arrêter ça s'est déjà produit plusieurs fois ; c'est le pouvoir de la télévision) pas de
commentaires est le mantra qu'il répète encore et encore
au cours de l'interrogatoire préliminaire.

Pas de commentaires. Une formule servie une bonne
centaine de fois jusqu'à l'arrivée de son avocat. À ce
stade l'Aimable Larry Lister adresse un sourire radieux
aux enquêteurs et lance d'un ton assuré pourquoi on
irait pas tous boire un verre quand cette histoire absurde
sera terminée ? Sans rancune hein ?

*

Le journal est ouvert sur son bureau. Y figure la
photo d'un homme aux joues rouges aux yeux exorbités
et au sourire radieux. L'article est intitulé LARRY LIS-
TER : CHUTE D'UN CHOUCHOU DE LA TÉLÉ. Et
dessous : SORDIDES ACCUSATIONS SEXUELLES À
L'ENCONTRE DE L'HOMME SURNOMMÉ « TONTON ».

Brindle regarde par la fenêtre l'environnement stérile dont les parkings les abribus toujours vides et les
ronds-points fleuris réfléchis à l'infini par les surfaces
vitrées lui sont plus familiers que l'intérieur de son
propre appartement.

Si on lui demandait de quelle couleur sont ses rideaux
il aurait dû mal à répondre ; si on lui demandait quelle

est la devise inscrite sur la plaque métallique vissée sur du faux marbre à l'entrée de la zone industrielle huit cents mètres plus loin – rebaptisée « parc » par ses occupants – il répondrait sans la moindre hésitation *Innovation Sens de l'opportunité Esprit d'entreprise* Une de ces formules vides joyeusement dévoilées sous le New Labour par un maire au sourire figé ayant sombré dans l'oubli depuis. Le service de Brindle n'a emménagé ici que deux ans plus tôt. Avant il n'existait pas. À bien des égards il n'existe toujours pas officiellement. C'est sa force.

La vue des espaces alentour – rectangles d'herbe ; routes désertes ; fenêtres scintillantes – est soporifique. Cette surabondance de verre de chrome et de bitume crée une fausse impression du monde : un univers de lignes d'angles droits et de miroirs se réfléchissant les uns les autres en un écho visuel interminable qui peut se révéler inspirant ou étouffant selon l'observateur. À tel point que Brindle se surprend maintenant à rêvasser à d'anciens chemins accidentés couverts de lichens et aux pavés lisses d'une vieille place de marché. À sa semaine hivernale à la campagne.

Il referme le journal et s'adosse à son fauteuil ergonomique.

Les yeux clos il songe au chaos de la nature. À la façon dont les rochers ont été disséminés dans les vallées par les icebergs quelques dizaines de milliers d'années auparavant. Il songe à ces maisons construites à flanc de colline que la végétation se réapproprie peu à peu – une tuile à la fois ou une minuscule spore de mousse à la fois. Il songe aux fougères desséchées à l'épaisse boue noire aux plumes duveteuses tombées du ciel et à l'odeur vaguement sucrée de la merde de cochon répandue par un épandeur de fumier dont le moteur vrombit en bas d'un versant.

Il repense à la vallée. Au bourg. Au hameau.

Au visage impassible des hommes.

À la matrice des secrets – choquants sordides et toujours enterrés – et à ses propres faiblesses. Il a l'impression de sentir le printemps. D'en percevoir l'odeur et le goût.

*

À treize à quatorze à quinze ans. Rutter devient un jeune homme qui apprend à se fondre dans le paysage à s'y mêler ; à se transformer en tronc d'arbre en entité statique capable d'adapter ses mouvements à son environnement. De se rendre presque invisible.

En dehors du collège et des travaux de la ferme il ne fait plus que chasser et braconner. Rôder et vagabonder. Sillonner les collines sans bruit.

Ses jambes le portent sur des kilomètres dans toutes les directions jusqu'au moment où il finit par connaître chaque ancienne passe et chaque chemin de terre. Il se change en statue ou en épouvantail et ainsi immobile contemple le ciel. Parfois aussi il grimpe aux arbres se perche sur une branche pour écouter le chant des oiseaux et le souffle de la brise. Il escalade les rochers les éboulis ou se laisse descendre dans les ravins. Explore les forêts mortes et les tourbières puant le méthane. S'aventure dans des endroits où peu de gens se risquent.

Il maîtrise l'art de l'immobilité du silence du camouflage.

Il y a une fille dans ses pensées. Une fille de sa classe dont les taches de rousseur lui font tourner la tête. Ce

*n'est pas la plus jolie ni la plus populaire ni la plus
brillante mais c'est la plus chouette parce qu'elle l'a
laissé lui tenir la main un jour. Durant quelques instants
trop brefs – un répit fugace pendant que personne ne
l'observait – il a établi un lien.*

*C'est elle aussi une fille de ferme. Gauche et sale.
Elle ne se maquille pas n'a pas d'amis et est arrivée
d'un autre collège en cours d'année. C'est peut-être
pour cette raison qu'elle accepte de lui parler. Elle
aime les animaux elle a de la crasse sous les ongles
et une fois elle lui a raconté que les paons étaient ses
oiseaux préférés parce que leurs plumes étaient d'une
beauté presque irréelle – que les regarder c'était comme
regarder la mer du sommet d'une haute falaise par une
magnifique journée ensoleillée.*

*Il n'a vu de paons que dans les livres qu'il a feuilletés
au collège au lieu d'apprendre des formules mathéma-
tiques des poèmes idiots des faits sur des bras-morts
de fleuves et sur des rois disparus depuis des siècles
mais il n'a jamais oublié le regard brillant de la fille
quand elle a prononcé ces mots. Il n'a jamais vu la
mer non plus.*

*Un jour il sort se promener. Quitte les vieilles mai-
sons de pierre du village et s'enfonce dans la vallée. La
traverse et remonte de l'autre côté. C'est l'été. Il a plu
pendant deux jours mais la pluie s'est arrêtée et l'air est
étouffant. Lourd et saturé d'humidité. Il pleuvra encore.*

Il marche.

*Marche sans but ni intention. Il avance c'est tout.
Une heure plus tard après avoir franchi deux vallées il
descend une colline et entre dans une zone densément
boisée. Un ruisseau la traverse. Il fait une pause se
baisse et boit un peu d'eau. Elle a un goût merveilleux.
Ces bois ne ressemblent pas à ceux qui entourent le*

bourg ni aux bosquets au fond de la vallée. Ils sont entretenus. Une passerelle en planches a été posée sur les abords boueux avec du grillage dessus pour empêcher les promeneurs de glisser et aux endroits où le chemin est érodé des dalles de pierre comblent les trous. Des panneaux expliquent quelles espèces de plantes et d'animaux peuplent ce vallon. C'est une sorte de réserve naturelle comprend-il. Il n'y a rien de comparable dans sa vallée toute de ciel et de rochers.

Le bois s'éclaircit et le mène au bas d'une pente. Il débouche ensuite à découvert dans un vaste pâturage foisonnant de boutons d'or. Un chemin le coupe en son centre et d'autres de chaque côté conduisent à de grandes maisons nichées au milieu des arbres.

À cet endroit il y a de l'espace de la lumière et les propriétés sont imposantes. Bon nombre d'entre elles paraissent neuves. Elles possèdent leur propre allée et leur propre jardin paysager avec des étangs des pavillons extérieurs des serres. Et aussi de vraies pelouses. Elles-mêmes entretenues. Impeccables. Le soleil se réfléchit sur les grosses voitures garées devant.

Il est à quelques kilomètres seulement de chez lui pourtant c'est un autre monde.

En approchant d'une des grosses propriétés il entend soudain un cri strident. La demeure est énorme. Encore plus impressionnante que celle de Ray Muncy. Elle se distingue par une allée incurvée menant à une cour gravillonnée par des dépendances et un jardin entouré de murs. Le grand portail électronique à double battant à l'entrée est ouvert.

Le cri provient du côté de la maison. Le jeune homme l'entend de nouveau. C'est un son perçant. Insistant. Il fait quelques pas dans l'allée pour aller jeter un coup d'œil conscient du crissement du gravier sous ses *pieds. Un peu plus loin c'est un magnifique paon qu'il découvre. Un autre se tient à quelques mètres de lui perché sur le toit d'un garage.*

À la pensée de la fille et de son regard brillant Rutter sent son estomac se contracter.

Le paon au sol est un mâle ; il le sait. Celui sur le toit est une femelle.

Ce sont les plus belles créatures qu'il ait jamais vues surtout le mâle dont le long cou gracieux va du vert bouteille au bleu cobalt en passant par mille nuances intermédiaires. En pleine lumière on dirait qu'un feu d'un genre inédit embrase son plumage.

Il sait tout de suite ce qu'il doit faire.

Quand il se dirige vers eux la femelle – la paonne – criaille de nouveau. Elle est moins spectaculaire que le mâle mais il tient néanmoins à l'observer de plus près.

Si son cou se pare également de touches de bleu son corps est d'un brun terne – banal et insipide. Elle est aussi plus ronde. Peut-être attend-elle des petits.

Les deux volatiles arborent des crêtes – un éventail de plumes délicates aux extrémités bleutées.

Il s'approche prudemment du mâle. S'arrête puis s'accroupit devant l'oiseau qui va et vient quelques instants puis soudain sans prévenir déploie les plumes de sa queue.

Le jeune homme lâche une exclamation étouffée. Entend un hoquet s'étrangler dans sa gorge.

Un rempart d'yeux le regarde.

Le plumage est à couper le souffle. Littéralement.

Les yeux sont bleus au milieu mais c'est la nuance de vert autour formant une sorte d'iris qui le fascine. Elle est électrique. Iridescente.

Comment une telle couleur peut-elle exister ? se demande-t-il. Comment la nature a-t-elle pu créer une merveille pareille ?

Elle semble complètement déplacée dans ces paysages du Yorkshire aux murs de pierre grise sous un ciel d'un gris minéral.

Il lui faut une de ces plumes. Juste une pour la fille qu'elle pourrait accrocher à sa tringle de rideaux afin que le soleil matinal l'illumine.

Il lui faut une de ces plumes.

Toujours baissé il s'avance vers le paon mais brusquement celui-ci referme son plumage et s'envole sans grâce vers le toit pour rejoindre la femelle.

Les plumes de sa queue dépassent du bord et Rutter n'en revient pas qu'une telle traîne puisse se replier aussi facilement.

Les oiseaux l'observent tous deux d'un œil soupçonneux quand il tripote la gouttière en plastique pour en éprouver la solidité puis commence à grimper. Il est monté dans les arbres toute sa vie parfois jusqu'à quinze ou vingt mètres de haut. Se hisser jusqu'au sommet de cette gouttière sera un vrai jeu d'enfant. Une main après l'autre.

Pour une plume.

À conserver précieusement. À étudier à caresser.

À offrir à la fille pour qu'elle l'aime.

Les oiseaux se pavanent sur le toit lorsque la tête du jeune garçon puis son torse apparaissent près d'eux. Le mâle éblouissant est tout proche. Rutter tend lentement le bras compte jusqu'à trois puis attrape les plumes les serre et les tire mais au même moment toute une partie de la gouttière se détache dans un craquement sinistre.

Il part à la renverse entraînant l'oiseau avec lui. Les criaillements frénétiques du mâle se mêlent à ceux de la femelle. Rutter ne l'a pas lâché. Sa main libre griffe désespérément le ciel.

La forme sombre de la paonne bloquant le soleil devant lui – au-dessus de lui – est la dernière chose qu'il voit avant d'être enveloppé par les ténèbres. Les ténèbres et le silence.

Quand il revient à lui le soleil est beaucoup plus bas à l'horizon. Des plumes et des bouts de plastique noir sont disséminés autour de lui et de minuscules gravillons incrustés dans son dos ses bras son visage. Sa nuque et sa tête lui font mal.

Il y a une forme à côté de lui. C'est le paon. Il est dans une position bizarre et tente de se relever mais ses plumes sont tordues et il n'arrête pas de retomber. Il ne parvient plus à rassembler son plumage et roule des yeux fous. Il a l'air brisé.

Un bourdonnement sourd résonne aux oreilles de Rutter. Il se sent transi nauséeux engourdi. Il s'assoit laborieusement. Il peut à peine bouger la tête et sa vue se trouble s'éclaircit et se trouble de nouveau. Sa mâchoire semble déboîtée. Elle le met au supplice.

Lorsqu'il se redresse le sol tangue. Il lui faut un moment pour recouvrer son équilibre. Tout en prenant de profondes inspirations il porte une main à sa lèvre inférieure et la découvre en sang. Il la lèche mais ne sent rien. Alors il renifle son doigt ensanglanté. Rien non plus.

L'oiseau s'agite toujours par terre en vain. La paonne a disparu. Rutter s'approche du blessé qui criaille de plus belle et il le regarde un moment puis le réduit au silence en lui écrasant le cou encore et encore. Quand l'animal a cessé de bouger il lui arrache des plumes – une deux trois et ensuite par poignées – jusqu'à ce qu'il entende une voiture faire crisser le gravier dans *l'allée devant la maison. Alors il s'écarte traverse une étendue de pelouse et escalade une clôture. Il a la mâchoire et la tête en feu et le monde autour de lui est devenu noir et blanc – même les plumes dans sa main qui capturent le soleil tandis qu'il court à perdre haleine.*

*

Rutter se fraie un chemin à travers la mêlée en grommelant.

La foule se bouscule le long des rues jusqu'à la place du marché où des étals proposent des produits locaux. Des tourtes de Warfedale et de grosses parts des célèbres fromages de Kit Calvert à Wensleydale. Du lait de vaches shorthorn élevées plus haut à Weardale. De la bière en fûts provenant d'une nouvelle micro-brasserie à Leyburn. Du jus de pomme pressé dans les Wolds. Il y a les spécialités d'une chocolaterie à Skipton. Des biscuits des gâteaux des cakes au gingembre préparés dans la vallée. Des côtes d'agneau des côtes de porc des saucisses fumées et épicées. Du bœuf Appleton du bœuf Angus toutes sortes de variétés de bœuf. Des volailles et du gibier en provenance d'une propriété près de York. Des bonbons des boissons des hot-dogs de la barbe à papa.

L'hiver ne voulait pas disparaître. Il s'est accroché le plus longtemps possible. S'est battu bec et ongles avant de finalement relâcher sa prise sur la terre.

Et aujourd'hui c'est la fête de la fin de l'hiver. La ville est animée en ce jour marqué par la danse de Long Sword. Les perce-neige ont fleuri et les jonquilles ne tarderont pas à les imiter. Le printemps est en route.

C'est le temps des projets – des préparations et des réparations ; de la renaissance et de l'épanouissement.

La danse de Long Sword est une vieille tradition et aussi l'une des seules caractéristiques notables de la région à avoir été signalée dans les livres sur le folklore. Même Rutter descend dans la vallée pour y assister.

Il s'arrête devant un étal et saisit un poulet bio sous vide élevé en plein air. Regarde sa peau plumée et granuleuse. L'approche de son visage pour mieux voir le tâte puis le jette sur la table avant de s'éloigner les mains dans les poches de sa salopette.

Plus tard il y aura une pièce de théâtre en plein air racontant l'histoire des Mummers[1] dans la vallée. Les comédiens commenceront au Golden Bough puis traverseront le bourg jusqu'au milieu de la place du marché en tapant sur leurs tambours et en agitant leurs cloches. Arrivés au Magnet ils se feront offrir un repas de viande froide par Bull Mason.

Rutter louvoie entre les groupes. Entre les corps. Il se sent exposé. Trop visible.

Ici et là il repère des visages familiers ; ceux des fermiers de leur famille des livreurs et des ouvriers agricoles. Des hommes avec qui il est allé à l'école. Il aperçoit Wendell Smith et Andy Champion et Den Paget. Il voit John Wade avec sa femme. Ben Bennett avec sa petite amie. De nouveau enceinte. Il passe devant les frères Farley – Duncan et Dan. Tous deux sont rouges et à moitié bourrés.

Il voit aussi le gros Roy Pinder et sa femme – encore plus grosse – mais il garde la tête baissée. Il monte sur le trottoir et en descend regrettant déjà d'être venu en

---

1. Tradition de théâtre de rue avec des comédiens amateurs déguisés et portant des masques.

ville. Il avait quelques courses à faire mais tous ces badauds toutes ces voix toute cette animation le rendent nerveux. Il ne parvient pas à partager leur enthousiasme. Ils sont comme des gosses dans des moments pareils : les années s'effacent d'un coup et ils s'excitent pour quelques bonbons quelques costumes ridicules et des danses idiotes.

Des dingues pense-t-il.

Ils sont tous dingues.

*

Il lui avait donné des plumes. À la fille aux taches de rousseur. Il avait manqué les cours une semaine à cause de ses douleurs à la tête de ses crises de vomissements et de son odorat qui ne revenait pas. Quand il était enfin retourné en classe il avait apporté trois plumes pour elle mais entre-temps elle s'était fait des amis ; elle avait été acceptée dans un cercle de garçons et de filles qui fumaient ensemble à l'heure du déjeuner derrière l'annexe au fond de la cour et lorsqu'il s'était approché d'elle avec son cadeau elle avait éclaté de rire et dit euh merci. Ensuite il était resté planté là un moment virant peu à peu au cramoisi pendant que tout le monde essayait de ne pas rigoler. Pour finir il avait tourné les talons et en s'éloignant il les avait entendus s'esclaffer et dire des choses comme zarbi et foutu débile et il devrait se laver ce baiseur de cochons et quand il avait regardé par-dessus son épaule il avait vu un des garçons fouetter le grillage avec les plumes jusqu'à ce que les barbes colorées se détachent du tuyau et voltigent dans l'air sous le soleil en même temps que la fumée des cigarettes qu'ils se faisaient passer comme dans une espèce de rituel ancien. Les lambeaux de plumes avaient atterri dans la poussière dont ils étaient devenus indissociables – un élément de plus dans l'architecture de ses échecs.

*

La danse a déjà commencé quand il atteint l'autre côté de la place. La foule ne bouge pas et Rutter doit jouer des coudes pour se frayer un passage. Des exclamations réprobatrices s'élèvent tandis que des cous se tendent pour essayer d'apercevoir les sept hommes en cercle qui sautillent ; la première fête de l'année.

Au bout d'un moment incapable de progresser Rutter s'arrête et regarde. Il n'a pas le choix.

Les danseurs sont accompagnés par un violoniste. Ils portent tous la même tenue : chemise blanche pantalon blanc avec passepoil et gros sabots. Ils tiennent leur épée par la garde et la pointe.

Ils évoluent avec un bel ensemble. Ils se croisent tournent se baissent et font décrire des figures à leurs épées : par-dessus l'épaule et sous le bras ; derrière le dos et à travers les jambes – ils les entremêlent et les entrelacent. Quand le violoniste accélère la cadence les hommes suivent le rythme. Donnent plus d'allant à leurs pas. Une première vague d'applaudissements monte de la foule. Les danseurs resserrent leur cercle l'air de plus en plus concentré tandis que les lames se croisent et claquent. Les pieds marquent le tempo. Les applaudissements redoublent et Rutter sent la foule se presser autour de lui.

Le soleil brille et la brise tiède annonce un front chaud. Rutter commence à transpirer sous ses multiples couches de vêtements. L'hiver a finalement battu en retraite. La danse célèbre sa défaite et son exil.

L'archet du violoniste voltige sur les cordes tandis que le cercle des danseurs s'élargit et que chacun tient l'épée de son voisin par la pointe. Puis ils se rapprochent et trois d'entre eux se baissent lâchent prise font demi-tour et se redressent pour créer une nouvelle figure avec leurs lames émoussées. Un ordre retentit les épées s'écartent et les sept danseurs exécutent un quick-step dans la même direction – comme des foutus chevaux de cirque pense Rutter. Les acclamations des spectateurs sont assourdissantes et le col de sa chemise lui semble soudain trop serré. Des corps le bousculent ; ceux des spectateurs qui applaudissent rient et sourient. Mais quand ils s'écrasent contre lui leur expression change : ils froncent les sourcils. Il faut qu'il sorte de là. Qu'il s'en aille.

Il tente de fendre la cohue dans la direction d'où il est arrivé mais au bout de quelques instants une main se referme sur son épaule. Des doigts solides lui enserrent la clavicule. Rutter tressaille. Il pense os cassés nuque brisée plaies ouvertes mouches déposant leurs œufs. Il pense baiser glacé sur des lèvres devenues bleues. Fermes sous les siennes.

Rutter se tourne essayant en vain de se libérer. Il découvre un homme aux cheveux épais qui lui cachent les oreilles et à la barbe broussailleuse mouchetée de gris.

Steve dit-il.

C'est Muncy. Ce foutu Ray Muncy. À peine reconnaissable.

L'étau se desserre autour de son épaule et Muncy glisse un bras derrière sa nuque qu'il emprisonne en pliant le coude. La foule des spectateurs les cerne de nouveau.

Rutter constate un profond changement chez son voisin. Il voit des capillaires éclatés et des marques de vieillesse. De toute évidence quelque chose s'est rompu en lui.

T'as l'air différent.

Je suis différent Steve. Très différent.

Muncy ponctue ces mots d'un sourire qui n'en est pas un. Un faux sourire. Un non-sourire. Un mensonge sur son visage.

Pourquoi le tient-il comme ça ? Il ne l'avait jamais fait auparavant. Ils sont si proches que Rutter voit les plombages de Muncy. Il voudrait ne pas les voir. Il voudrait se débarrasser de ce bras.

La danse se poursuit à un rythme endiablé. Rutter entend le violoniste se déchaîner les sabots frapper frénétiquement les pavés les applaudissements retentir de plus en plus vite et de plus en plus fort.

Je ne t'ai pas croisé depuis les chutes de neige dit Muncy. Depuis la disparition de Melanie. C'est étrange hein ? Que quelqu'un puisse s'évanouir comme ça dans la nature. On ne peut pas comprendre ce que ça fait tant qu'on n'y est pas confronté. Ça m'empêche de dormir la nuit tu sais. June n'est plus que l'ombre d'elle-même. T'en as sûrement entendu parler. Elle s'est effondrée.

Rutter secoue la tête.

Ah oui c'est vrai j'avais oublié t'es Steve Rutter l'idiot du village qui ne se mêle de rien et ne pose jamais de questions. Tu te retrouves coincé dans cette ferme pas vrai ? Emprisonné là-haut avec tes secrets.

Muncy le relâche enfin et Rutter lui coule un regard furtif. Il a les yeux vitreux. Ce n'est assurément plus le même homme.

C'est à cause de ta mère c'est ça ? reprend Muncy. Le dernier tour de cochon que t'a joué cette bonne vieille Aggie. Alors jusqu'à quand es-tu lié à notre petit village ?

Rutter s'écarte en marmonnant mais tous ces corps autour d'eux l'empêchent de s'éloigner. Les danseurs se sont transformés en derviches tourneurs aux joues rouges sous le soleil de mai.

Quoi ? lance Muncy.

Jusqu'à mes cinquante ans répond Rutter.

Oh je vois. Jusqu'à tes cinquante ans. Ça doit être dur à encaisser ça Steve. Savoir que cette ruine est à toi et toutes les dépendances aussi ; je veux dire rien que la valeur de ces terres dépasse ce qu'un homme comme toi peut imaginer. Et ensuite apprendre par le notaire que même s'il arrive quelque chose à ta chère maman tu ne peux rien faire avant tes cinquante berges. Bon sang. C'est une sacrée vacherie.

Comme Rutter garde le silence Muncy poursuit d'un ton venimeux :

Piégé sur le versant sombre de la vallée avec ces foutues éoliennes qui bourdonnent jour et nuit et le monde autour de toi qui change sans que tu puisses rien y faire. Pas de femme pas de gosses pas de compagnie. Juste tes cochons et quelques poules à moitié déplumées. Ce n'est pas de l'agriculture ça ; c'est du désespoir. Et pour cause : si tu pars tu perds tout. Tu seras légalement dépossédé. La ferme les terres les dépendances – tout ça reviendra au gouvernement. Alors t'as plus qu'à attendre que le temps passe jusqu'à tes cinquante ans. Doit bien rester encore une bonne décennie d'après mes calculs non ? Autant dire une condamnation à perpétuité.

Rutter hausse les épaules et tente une nouvelle fois de s'écarter mais Muncy le retient.

On se demande bien pourquoi Aggie a imposé ça à son propre fils. C'est comme si elle avait voulu t'empêcher d'avoir une vie Steve. Comme si elle avait voulu se moquer de toi. Y a de quoi devenir dingo c'est sûr. N'empêche je serais prêt à échanger ma place contre la tienne sans hésiter si ça pouvait me ramener ma Melanie.

Une ombre voile le regard de Muncy,

Juste pour revoir son visage ajoute-t-il. Les flics t'ont considéré comme suspect tu sais.

Toi aussi rétorque Rutter. Je les ai entendus en parler.

Mais ils ont perquisitionné chez toi.

Ils sont venus pour rien.

Muncy est maintenant collé à lui et Rutter n'a plus qu'un désir : fuir. S'éloigner fendre la foule prendre ses jambes à son cou. Remonter de la vallée traverser le village et gravir la colline. Continuer plus loin peut-être. Passer devant la ferme et gravir le chemin derrière jusqu'à la lande au sommet. Et ensuite pousser jusqu'aux eaux noires du lac qui lui remettront en mémoire le souvenir des reflets de la lune à la surface l'hiver dernier et des délicats motifs de glace qui se dessinaient sur le sable durci de la rive.

La danse atteint son apogée : six des hommes crient et brandissent de concert leur épée pour former une figure hexagonale que le septième défait. La foule les acclame et siffle.

Le même sourire désespéré qu'un peu plus tôt flotte de nouveau sur les lèvres de Muncy. La même expression hagarde hante son regard. Les spectateurs autour d'eux reculent se détendent et poussent un soupir collectif.

C'est marrant qu'ils n'aient rien trouvé d'incriminant déclare soudain Muncy.

Comment ça ?

À ce que j'ai entendu dire Brindle est un as.

Et ?

257

C'est comme si t'avais su qu'ils allaient débarquer.

Rutter détourne les yeux mais Muncy rapproche encore son visage. Impossible de lui échapper. Il grimace sous sa barbe et son regard est désespéré son regard est fou tandis qu'il essaie de sonder l'esprit de Rutter en quête d'une réponse.

Notre Melanie…

Les deux hommes sont face à face et les traits de Muncy se crispent.

Si je découvre un jour que…

Il ne peut pas terminer sa phrase ; de toute façon ce n'est pas nécessaire. Sa main serre plus fort le bras de Rutter qui cette fois n'esquive pas ne tressaille pas ne cille même pas. Il sonde toujours les yeux noirs du porcher mais ils sont impénétrables.

*

Chez le marchand de journaux Mace voit Muncy rôder derrière un présentoir de cartes d'anniversaire décolorées. Lui-même est venu acheter des cigarettes et échapper quelques instants aux mouvements de foule qui accompagnent la danse sur la place du marché. Une douleur dans sa tête palpite au rythme d'un lointain bodhrán.

Muncy a l'air agité. Égaré. Il coince Mace à la sortie du magasin.

C'est vous le journaliste pas vrai ?

Oui répond-il. Roddy Mace. Et vous êtes Ray Muncy.

Il lui tend la main mais l'autre l'ignore.

Vous avez aidé ce flic Brindle à chercher notre Melanie.

Oui confirme Mace. Et d'ajouter en choisissant ses mots avec soin : J'ai couvert le sujet au début. Je suis désolé pour…

Vous êtes au courant pour Larry Lister ?

Hein ? fait Mace déconcerté par la question. Qu'est-ce qui s'est passé ?

Ils l'ont chopé.

Qui ? Qu'est-ce que vous voulez dire ?

Les flics. Il a été arrêté ce matin. Pour des histoires de cul. Avec une mineure. Et il y en a peut-être d'autres. Des garçons aussi. Je ne sais pas.

On parle bien du présentateur télé ?

Évidemment réplique Muncy. L'Aimable Larry. *Uncle Larry's Party* et toutes ces conneries.

Merde marmonne Mace. En même temps c'est pas vraiment une surprise hein ?

Comment ça ?

C'est un tordu. Ça saute aux yeux. Des rumeurs circulent sur lui depuis des années.

Mais personne n'avait jamais rien fait souligne Muncy.

Apparemment non.

Il venait souvent dans le coin vous savez. Tonton Larry. Je le voyais de temps en temps.

Où ? Au bourg ?

Sûr. C'était un copain de Roy Pinder.

Ah bon ?

Mouais. Des tordus tous les deux. Qui se ressemble s'assemble.

Vous n'aimez pas beaucoup Roy pas vrai ? Vous êtes pourtant allés à l'école ensemble non ?

Si vous me posez la question c'est que vous devez déjà le savoir. Oui on est allés à l'école ensemble et non on n'est pas copains. Roy Pinder a sa propre bande et ses propres méthodes.

Qu'est-ce que vous entendez par là monsieur Muncy ?

Servez-vous de votre cervelle mon gars. Tout le monde sait que Pinder dicte sa loi ici. Mais pas à moi. Oh non. Pas à Ray Muncy. Moi je ne me laisse pas impressionner. Pourquoi vous croyez que je suis allé m'installer tout en haut de la vallée ? Pour m'éloigner de lui et de sa clique – Bull Mason et ses copains. Ils ne peuvent plus m'atteindre. Impossible. Ils n'ont aucun moyen de pression sur moi.

Pourriez-vous être plus clair ?

Non rétorque Muncy. Mieux vaut ne rien dire pour le moment ; j'ai encore des affaires à faire tourner. Mais vous devriez enquêter sur Pinder et Lister. Ils sont comme cul et chemise ces deux-là.

Il se détourne pour partir puis se ravise.

Larry Lister répète-t-il – en chuchotant cette fois. C'est un sale type. Pinder aussi. Cherchez donc de ce côté-là. Quand vous aurez trouvé quelque chose faites-les tous tomber. Et croyez-moi si ce bourg part en fumée ça m'est parfaitement égal.

Ça va peut-être vous surprendre réplique Mace mais vous n'êtes pas le seul.

*

Brindle rôde. Des corps se pressent contre lui.

Il est de nouveau là-haut. Dans le village.

Il ne peut plus se passer de la vallée.

Elle le hante. L'a capturé dans ses filets. Le village aussi.

Ses collègues l'avaient bien charrié quand il avait quitté la Chambre froide afin de s'y rendre pour la première fois au début de l'affaire. Ils avaient collé sur son ordinateur une photo de l'acteur Edward Woodward en flic brûlé vif dans la fameuse scène finale du *Dieu d'osier*.

Aujourd'hui l'hiver a accouché du printemps de nombreuses semaines se sont écoulées et toujours ni corps ni indices ni pistes. Mettez cette enquête de côté lui a-t-on dit. Laissez courir. Il y a des dossiers bien plus épais à la Chambre froide. De nouvelles affaires. Vous ne savez même pas si la gamine est morte. Pour le moment considérez qu'elle a fugué. Vous vous pencherez sur son cas plus tard quand vous aurez pris du recul.

Mais Brindle est comme il est et il a secrètement revécu à d'innombrables reprises la perquisition désastreuse de Noël. Tourmenté par la honte. Tous ces agents mobilisés ce soir-là alors qu'ils comptaient sur leur jour de congé. La fouille de la maison d'un homme qui s'était montré plus malin que lui. Voilà ce qu'il avait ressenti. Une humiliation sans bornes à l'idée d'avoir été tourné en ridicule par un idiot bouseux.

Il s'était saoulé. Flagellé. Il avait bien failli se détruire.

Ils avaient constaté une différence au boulot. Son chef Alan Tate avait déclaré qu'il perdait sa concentration et lui avait recommandé des séances avec un psychologue. Il lui avait dit qu'il était humain et que tous les humains ont besoin d'aide de temps à autre. Thérapie cognitive comportementale avait-il ajouté. C'est un bon moyen de traiter les causes de l'angoisse. De réparer les erreurs et de tourner la page pour aller de l'avant. Il n'y a aucune honte à ça. Beaucoup d'enquêteurs sont passés par là – surtout ici à la Chambre froide. Brindle avait répondu qu'il y penserait.

Inutile l'avait coupé Tate. Vous avez déjà un rendez-vous de fixé. Ça va avec les méthodes policières du vingt et unième siècle avait-il conclu.

Du coup Brindle avait été obligé de retourner dans la vallée. Il devait réparer cette erreur-là. La question ne se posait même pas. Mais c'est un monde différent là-haut aujourd'hui. C'est à peine s'il reconnaît la petite ville sans sa couverture blanche étouffante.

Alors que tous les habitants sont dehors sous le soleil après des mois de pénombre hivernale et dans une atmosphère joyeuse de musique de danse et de cochon rôti il en viendrait presque à apprécier l'endroit. Presque – s'il n'y avait les crimes populaires. Les histoires et les secrets enfouis dans la terre.

Il retrouvera cette gamine. Il n'abandonnera pas. Il se dit qu'il le fait pour elle et pour sa famille mais au fond il sait qu'avant tout il le fait pour lui-même.

*

C'est tout juste si les matons ne font pas la queue pour venir le voir. Ils ne savent pas comment réagir. D'un côté il est soupçonné d'avoir commis les pires des crimes mais de l'autre c'est l'Aimable Larry Lister. Larry Lister – ici sous leur surveillance.

Il fait autant partie de leur enfance – à tous parce que Lister a occupé le petit écran pendant cinquante ans – que les vélos et les croûtes sur les genoux. Alors forcément ça les perturbe de le voir assis en cellule chaussé des mêmes grosses baskets qu'à la télé (sauf que maintenant il est obligé d'ôter les lacets).

Larry Lister coupable ? Non certainement pas. Pas lui. Pas ce bon vieux Larry. Ça doit être une erreur.

Il est sous protection mais il semble de bonne humeur. Pas du genre à présenter un risque de suicide et à nécessiter ces conneries de rondes particulières qu'ils mettent généralement en place dans l'aile des criminels sexuels.

Non. Il a un sourire un hochement de tête et un geste de la main pour tout le monde. Continuez de sourire répète-t-il aux matons – et même aux autres – et la chance vous sourira.

Parmi les gardiens les plus jeunes certains en oublient le règlement et se font prendre en photo avec lui sur leur téléphone. Ils ouvrent la porte de sa cellule et posent à côté de lui devant le mur d'un taupe terne. Ils aimeraient passer un bras autour des épaules du présentateur bedonnant mais ils n'osent pas ; de quoi auraient-ils l'air s'ils faisaient ami-ami avec (à en croire les charges qui pèsent sur lui – et les matons sont bien obligés d'y croire jusqu'à preuve du contraire) un prédateur sexuel ? Pour autant ils ne se privent pas de bavarder avec lui. Bavarder et plaisanter c'est sans conséquence. Ils le bombardent de questions sur la télévision veulent savoir qui est la personne la plus célèbre qu'il a rencontrée et combien de millions il a réussi à réunir pour les bonnes œuvres et combien de maisons il possède et combien de filles il a baisées et *bon sang c'est qui votre coiffeur ?* et est-ce qu'il ne manque de rien ? A-t-il suffisamment de réserves de clopes et de Mars ?

Mais aucun ne lui demande jamais s'il a fait les choses dont les journaux donnent à l'opinion publique un compte rendu presque quotidien. Chacune plus grave que la précédente et accroissant sans cesse la galerie de visages de nouvelles victimes apportant leur témoignage.

Car entendre un aveu de culpabilité dans la bouche de Larry Lister reviendrait à détruire une petite part de leur enfance ; un aveu de culpabilité serait une trahison de la confiance placée dans cet homme qui a toujours été avec eux.

Peut-être Larry Lister le sait-il. Peut-être est-ce la raison pour laquelle il porte son sempiternel masque.

Celui de l'Aimable Larry Lister le boute-en-train bla-
gueur et souriant : fils du Yorkshire et monument de
la variété. Roi du petit écran.

*

Roddy Mace sirote un café instantané amer en regardant en direct la libération sous caution de Larry Lister. Dans les locaux du *Valley Mercury* tout le monde
regarde.

Le présentateur ne quitte pas le bâtiment honteuse-
ment caché sous une couverture grise ni par une issue
latérale deux heures avant l'arrivée des journalistes.
Non il sort au contraire par la grande porte d'un air
déterminé puis s'arrête en haut du vieil escalier de gra-
nit et plaque sur ses lèvres un sourire qui ne tarde pas
à se muer malgré lui en grimace suffisante. Il arbore
ce qui semble être un costume trois-pièces en tweed
Harris sur une chemise hawaïenne – tenue complétée
par une paire de Nike fluorescentes et une casquette
de base-ball assortie qu'il a inclinée pour se donner
un petit air guilleret. Mace voit les scribouillards et
les paparazzis de tout poil se précipiter vers lui : *Larry
Larry. Par ici Larry.*

Le visage de la variété – l'homme qui incarne l'histoire de la télévision britannique – lève les mains en
un geste de supplication. Sourit. Réclame le silence.

Du chaos de flashs et de coudes devant lui s'élève
soudain une voix plus forte que les autres : le timbre
puissant d'un des reporters les plus coriaces du *Yorkshire Evening Post.*

Larry ? Que répondez-vous à ceux qui vous accusent
d'être un prédateur sexuel ?

L'Aimable Larry Lister qui a eu amplement le temps de préparer un tel scénario prend dans sa poche sa cigarette électronique et en tire une bouffée avant de souffler un épais nuage de fumée chimique aromatisée à la cerise en direction des objectifs braqués sur lui. Là-dessus avec un grand sourire radieux comme s'il présentait la première de *Get Down and Groove* en 1963 il adresse un clin d'œil à la foule de journalistes de chasseurs d'images de flics d'admirateurs de fans d'opposants de blogueurs de collectionneurs d'autographes de dégaineurs d'iPhone et de simples badauds et lance à la cantonade : Souriez messieurs dames souriez et la chance vous sourira.

Puis alors qu'il se fraie un passage au milieu de la cohue Mace entend une autre voix moins forte – grave monocorde marquée par un accent du Yorkshire qui sonne comme une bravade – grommeler près d'un micro de la BBC :

De la chance tu vas en avoir sacrément besoin mon vieux.

À vous les studios.

*

Combien de fois Brindle est-il remonté au village ? Il ne compte même plus. Il s'y rend tous les week-ends et parfois même en semaine. Chaque fois qu'il disposait d'un peu de temps libre il a quitté la Chambre froide – ses autres dossiers – enfilé ses bottes de randonnée rempli son sac à dos et passé toute la journée à explorer la région.

Il s'est familiarisé avec les hautes terres. Il y a maintenant ses repères. Les tourbières les marécages les éoliennes les bosquets et les habitations en ruine abandonnées depuis des lustres n'ont plus de secrets pour lui. C'est le territoire de Rutter. Il a inspiré à pleins poumons l'air frais et pur. Cartographié les lieux dans son esprit et découvert à sa grande surprise qu'il aimait la solitude des vastes espaces et la caresse du vent sur son visage. La lande et les immenses étendues de la vallée supérieure s'accordent parfaitement à sa personnalité. Il comprend mieux désormais pourquoi les habitants choisissent de rester ici.

Il a parcouru dans les deux sens le sentier au bord de la rivière qui va du terrain de camping de Muncy jusqu'au bourg. Il a fait le tour du lac artificiel et l'a trouvé sinistre laid et fonctionnel : une sorte de no man's land au-dessus duquel les nuages noirs semblent s'amonceler. Un lieu menaçant.

Et il nourrit désormais une véritable obsession pour Rutter. Il le sait. Il sait que c'est une étape nécessaire. Ça l'est toujours. Il a infiltré la vie du suspect et en a consigné tous les détails insipides : Rutter fait toujours ses courses auprès des mêmes étals du marché et dans le même supermarché en ville et prend toujours son essence dans la même station. Il n'a pas de téléphone portable. Pas d'accès Internet non plus. Il ne va nulle part sinon en bas de la vallée ou au sommet avec ses chiens. Hante la lande les bois les carrières. Surtout pour chasser et poser des pièges. Il ne boit pas – du moins dans les pubs. Aucune trace dans son histoire personnelle de femmes battues ni de pension alimentaire en retard ni de condamnations pour une raison ou pour une autre. Un permis de conduire qui a encore tous ses points et pas de passeport.

Son père est inconnu et sa mère malade en maison de retraite. Ce sont maintenant des machines qui assurent presque toutes ses fonctions vitales. Lésions irréversibles au cerveau après une crise cardiaque et la chute subséquente ont dit les médecins. Son espérance de vie se compte en jours.

Il y a si peu de traces de Steven Rutter dans le système qu'on pourrait presque croire qu'il n'existe pas.

Mais au sujet des autres – Bull Mason Roy Pinder et ce cercle d'hommes sur lequel Roddy Mace lui a conseillé de se renseigner – Brindle a découvert beaucoup plus d'informations au prix de longues heures de recherches fastidieuses. Peu à peu il commence à se forger une image de chacun d'eux à établir des liens à soupçonner des anomalies.

Il est allé jusqu'à s'introduire dans le pick-up de Rutter après la tombée de la nuit pour relever le niveau de la jauge à essence et les kilomètres au compteur. Il est revenu deux jours plus tard pour s'apercevoir que les changements correspondaient aux déplacements qu'il avait lui-même observés. Pas de sorties nocturnes ni d'expéditions mystérieuses.

La vie de Rutter toute d'habitudes et de solitude est aussi banale que morne et la similitude de certains aspects de sa propre existence avec celle de cet individu pathétique le met dans une rage folle.

Brindle traverse la place du marché prend la ruelle latérale résonnant toujours des pas de Steve Rutter puis tourne au coin de la rue pour tomber sur…

Mace.

*

Des bocaux. Il y a des bocaux partout dans la pièce. Sur le sol sur les étagères et les rebords de fenêtres. Certains avec des couvercles d'autres sans. La puanteur est forte. Comme du vinaigre – en pire. Plus âcre. Les bocaux sont de différentes tailles remplis à différents niveaux et contiennent de l'urine de différentes nuances qui vont du caramel brûlé au jaune presque transparent. Des bocaux de confiture de miel de pickles de chutney.

Et aussi une boîte de conserve par-ci par-là.

Les toilettes de Rutter ne fonctionnent plus. C'est d'abord le réservoir qui s'est cassé ensuite la cuvette s'est fendillée laissant échapper de l'eau sur le sol qui a fait pourrir le plancher. Il ne se rappelle plus comment c'est arrivé. Il ne se souvient plus de grand-chose aujourd'hui – par exemple comment il s'est fait cette coupure au-dessus de l'œil ou à quand remonte son dernier repas ou pourquoi il découvre de plus en plus de poules décapitées alors qu'il n'y a aucun signe d'intrusion dans le poulailler ou ce qui est arrivé à un des chiens pour qu'il se retrouve en sang dans la cour ou la date de son anniversaire ou pourquoi il a reçu un message au courrier disant : PARLER À TORT ET À TRAVERS PEUT COÛTER UNE LANGUE accompagné d'une photo manifestement récente de lui sur une partie reconnaissable de la lande prise de loin.

Alors maintenant il urine dans des bocaux – parfois aussi dans l'évier mais c'est plus rare – qu'il laisse traîner un peu partout. Il les videra bientôt se promet-il. Bientôt. Il y a tellement de choses à faire dans la ferme et il a du mal à…

Le jour succède à la nuit qui succède au jour et l'âtre contient les cendres blanches de l'hiver. Il faudra qu'il prenne sa scie sa hache son maillet et qu'il aille chercher du bois de chauffage. Bientôt. Il a vu de beaux troncs de bouleaux argentés. Si seulement il pouvait se souvenir de l'endroit.

Son matelas est posé au milieu des bocaux et les rideaux sont tirés en permanence. Il y a aussi des tas de vêtements amoncelés sur le sol mais c'est à peu près tout. Il porte toujours la même tenue. Gilet T-shirt pull chemise molletonnée. À force ils adhèrent les uns aux autres. Un jour ils ne formeront plus qu'un seul habit dont les diverses couches seront collées par la sueur et la saleté. Une seconde peau à motif écossais.

Il dort dans la pièce de devant dans un fauteuil près de la cheminée noircie et il songe à la fille morte presque tout le temps. Parfois il lui parle. Lui confie à mi-voix ses pensées dans un monologue ininterrompu. Il évoque les quelques moments cafouilleux qu'ils ont partagés la météo les recherches pour la retrouver qui n'aboutiront jamais et lui assure que ce n'est pas parce qu'ils sont séparés qu'ils ne sont plus ensemble. Ils auront toujours leurs souvenirs. Toujours. On ne pourra jamais les leur prendre quoi qu'il arrive. Ni sa mère ni Pinder ni Skelton ni Brindle ni Hood ni personne ne réussira à les leur enlever.

À une époque il s'adressait à sa mère de la même manière. Bien des mois après son départ il lui parlait encore à voix haute. Parfois il riait l'insultait ou la narguait parfois aussi il lui relatait sa journée et dans le village quand certains l'entendaient ils disaient ah évidemment c'est Steve Rutter que voulez-vous il a toujours été comme ça.

Mais aujourd'hui c'est à la fille qu'il tient ses discours lorsqu'il part braconner ou couper du bois ou sort simplement dans la cour regarder filer les nuages sur le vaste écran du ciel.

Dans un chuchotement de plus en plus frénétique il lui parle des bêtes et du temps qu'il fait. S'épanche sur leur passé ensemble et leur avenir commun et lui répète qu'il n'a jamais voulu que les choses se déroulent ainsi.

Un jour je me rattraperai lui promet-il. J'arrangerai tout tu verras. Je te remonterai de là-dessous je te ramènerai à la maison et je te sécherai. J'allumerai un feu un grand feu pour te réchauffer et te réconforter. Et si tu ne veux pas rester ici ça ne fait rien parce que bientôt je serai libre de partir alors je vendrai la ferme et on s'en ira en pleine nuit pour ne plus jamais revenir.

Ses phrases se bousculent se mélangent on dirait qu'il s'exprime dans un argot rural qui n'appartient qu'à lui. Une langue mystérieuse. Incompréhensible.

Il doit sans cesse se surveiller et s'empêcher de prononcer son prénom de crainte qu'il ne devienne trop familier dans sa bouche. Il pourrait alors le laisser échapper par mégarde dans le bourg.

C'est seulement la nuit assis dans son fauteuil qu'il ose l'énoncer :

Melanie.

Melanie.

Et il attend le jour de son cinquantième anniversaire parce que ce jour-là il vendra la ferme et la quittera pour toujours. Il remplira sa valise avec l'argent qu'il a caché libérera les poules et les chiens puis prendra le volant pour aller chercher la fille et ils seront enfin réunis.

Il peut rester ainsi pendant des heures jusqu'au moment où les premiers rayons du soleil de printemps illuminent les récipients en verre qui jonchent le plancher.

7

Ils se percutent maladroitement avant de s'écarter l'un de l'autre.

Hé marmonne Mace. Puis : Salut.

Il constate que Brindle porte une chemise et une cravate comme à Noël sauf que cette fois la chemise est à manches courtes. Et sans tours-de-bras. Ses cheveux gominés sont parfaitement en place et sa marque de naissance semble briller. Un seul détail détonne dans son apparence : ses chaussures de randonnée.

Impassible le policier transfère son poids d'une jambe sur l'autre.

Je ne t'ai pas vu depuis Noël reprend Mace. Depuis…

Oui le coupe Brindle.

Alors comme ça t'es revenu ? Oui évidemment. Question idiote.

J'ai eu d'autres dossiers à traiter. Des affaires prioritaires. La charge de travail est…

Il ne termine pas sa phrase. Sa mâchoire se crispe et il serre et desserre l'un de ses poings.

Elle est reléguée au second plan c'est ça ? l'interrompt Mace. La fille Muncy je veux dire.

Brindle ne répond pas.

T'es parti plutôt brusquement observe le journaliste.

J'avais du boulot. Des rapports à rédiger. Il fallait que je rentre à la Chambre froide.

Sûr je comprends. Tu t'es fait remonter les bretelles ? Pour ?

La perquisition foireuse chez Rutter.

Écoute je suis occupé là décrète Brindle en esquissant un pas de côté. Je dois y aller.

Puis comme s'il avait conscience de sa brusquerie il ajoute :

C'était sympa de te revoir.

Brian Laidlaw m'a dit qu'il t'avait croisé dans le coin. Que tu rôdais dans les parages en tenue de branleur.

Pardon ?

De randonneur si tu préfères. De touriste quoi.

Je ne suis pas un touriste. Je ne suis pas en vacances.

De la tête Mace indique les chaussures de randonnée.

Peut-être mais t'as l'équipement en tout cas.

L'air embarrassé Brindle garde le silence.

Je pensais à toi justement ces derniers jours ajoute le journaliste. Cette histoire…

Il faut que j'y aille Roddy.

Déjà Brindle s'éloigne.

J'ai fait des recherches lance Mace dans son dos. Je crois avoir déniché quelques trucs qui pourraient t'intéresser. Pas mal de trucs en fait dont certains dépassent le cadre de la vallée.

Brindle s'arrête et se retourne. Les deux hommes se dévisagent.

Désolé dit le policier. J'ai un rendez-vous.

Attends. Il y a vraiment des choses que tu devrais savoir.

*

Une serveuse leur apporte à boire et s'attarde un moment près de leur table comme si elle attendait un commentaire mais quand ils lèvent tous les deux les yeux vers elle sans rien dire elle retourne se poster derrière le comptoir. Reprend son livre et se replonge dans sa lecture. *Tandis que j'agonise* de Faulkner note Brindle.

J'ai essayé de t'appeler commence Mace.

Hein ?

Brindle aligne salière et poivrière sur la table puis resserre son nœud de cravate. Fait mine d'être distrait. Mace n'est cependant pas dupe. L'inspecteur joue mal la comédie.

J'ai essayé de t'appeler répète-t-il.

Ah bon ? Je ne savais pas.

Je t'ai laissé des messages. J'ai même parlé à un de tes collègues.

J'ai été occupé.

Je l'ai entendu te demander si tu voulais prendre l'appel d'un dénommé Roddy Mace et toi je t'ai entendu répondre non.

Qui c'était ? fait Brindle d'un air peiné. Tu te souviens de son nom ?

Ce n'est pas le propos. Et arrête tu ne sais pas mentir.

Sans un mot Brindle tire de sa poche un sachet de thé et le trempe dans sa tasse d'eau chaude. Il plisse les paupières. Il a le soleil dans les yeux. La lumière donne un aspect granuleux à sa marque de naissance.

En tout cas cette Chambre froide où tu bosses n'est pas facile à localiser poursuit Mace. On pourrait presque croire qu'elle n'existe pas.

C'est le but.

La plupart des gens que j'ai contactés dans les différents services de police n'avaient jamais entendu parler de vous.

Encore une fois c'est délibéré. La discrétion est notre mot d'ordre.

Pourquoi tu m'as évité ?

Brindle soupire.

Inutile de te faire des idées reprend le journaliste. D'ailleurs je vais t'épargner la peine de te poser des questions : je te téléphonais au sujet de Melanie Muncy. Rien d'autre.

Je n'ai pas l'habitude de boire déclare Brindle si doucement qu'il n'est pas sûr d'avoir prononcé les mots.

Le café est vide à l'exception de la fille au comptoir. Elle ne lève pas le nez de son livre. Brindle se mordille la lèvre inférieure. Pose ses paumes sur ses cuisses.

Pourquoi voulais-tu me parler d'elle ? demande-t-il au bout d'un moment.

Parce que je n'ai pas lâché cette affaire répond Mace. Et que j'ai découvert des infos importantes. Bon sang. T'es tellement inaccessible que j'ai bien failli appeler la police locale.

Qu'est-ce qui t'en a empêché ?

T'as rencontré Roy Pinder pas vrai ?

Brindle repousse salière et poivrière puis fronce les sourcils et remue son thé. En boit une gorgée. La porte s'ouvre et un groupe de six personnes entre. Des touristes. Deux autres les suivent. Huit nouveaux venus au total. Huit fois huit égale soixante-quatre songe Brindle. C'est un bon chiffre soixante-quatre. On peut jouer avec : six plus quatre égale dix et six fois quatre égale vingt-quatre plus dix égale trente-quatre. Parfait. Trente-quatre c'est bien. Sauf que trois fois quatre égale douze et que trois plus quatre égale sept et que si on additionne les deux on obtient dix-neuf. Dix-neuf ça ne va pas du tout. Ça ne pourra jamais aller parce que dix-neuf est un chiffre qui résiste : un multiplié par neuf fait toujours neuf et un plus neuf égale dix et les deux résultats additionnés donnent quoi ? Encore dix-neuf. Une impasse.

En face de lui Mace déclare :

Je reste persuadé que c'est vrai ce qu'on raconte – que t'es le meilleur dans ta partie. Tout comme je suis le meilleur dans la mienne. Ou du moins je le serais si j'avais enfin une putain d'occasion de le montrer. Je sais écrire ça j'en suis sûr. Personne d'autre dans cette feuille de chou locale ne prend autant à cœur les mots. C'est pareil pour toi hein ? Personne d'autre ne prend autant à cœur les affaires de meurtre.

Brindle ne dit rien.

Admets-le poursuit Mace. Ça te rend dingue ce boulot. Parce que c'est plus qu'un boulot : c'est une partie de toi – une sacrée partie. C'est ce que je ressens aussi. Mon grand roman est peut-être au point mort et moi je ne suis peut-être qu'un foutu imbécile un peu trop porté sur la bouteille qui n'arrive jamais à trouver le temps de faire sa lessive mais ça ne durera pas éternellement. Je suis encore jeune. Et j'ai vu comment toi tu vivais. J'ai eu un bon aperçu de tes tics de tes angoisses et de tes manies.

Dix-neuf pense Brindle. Putain de un putain de neuf et putain de neuf fois un et…

Tiens donc ironise-t-il.

Parfaitement confirme Mace. J'en ai assez vu. Tous ces cadavres t'affectent c'est évident et je sais aussi que tu as peur parce que tu ne sais rien faire d'autre.

Moi j'ai peur ?

Oui.

De quoi ?

Mace saisit sa tasse et le regarde droit dans les yeux.

275

T'as peur de sombrer complètement si tu renonces. Et t'as peur parce que t'as bien conscience de ne pas être si différent que ça des types que tu traques.

Un silence s'ensuit.

Bon écoute il faut qu'on parle de Larry Lister enchaîne Mace.

Pourquoi ?

Parce qu'il y a peut-être un lien avec l'affaire Muncy répond Mace en choisissant ses mots avec soin.

Tu viens bien de dire que tu avais essayé de me contacter ces derniers mois non ?

Exact.

Mais ce scandale a éclaté récemment. Lister vient juste d'être libéré sous caution. Alors quel rapport avec lui ?

Leurs tasses vides sont posées devant eux à présent. Dans l'intervalle le bar s'est animé.

Larry Lister énonce Mace. L'Aimable Larry. Tonton.

Et ?

Figure-toi qu'il a des intérêts dans la vallée.

Continue l'encourage Brindle.

Ray Muncy m'a raconté que Lister et Roy Pinder étaient amis et associés.

Raymond Muncy est un homme meurtri dit Brindle. On en est tous là non ?

Peut-être. Ou peut-être pas. Il est possible qu'on ait délibérément cherché à le rendre dingue et que ce soit en réalité le plus sensé d'entre eux.

Il semblerait que Lister connaisse tous les conseillers véreux du pays vu le nombre de récompenses qu'il a reçues et de clubs dont il est membre honorifique fait remarquer Mace. Mais c'est de Pinder que je voulais te parler. Roy Pinder qui ne s'est pas beaucoup remué pour t'aider dans ton enquête sur Steve Rutter. Qui je dirais même t'a mis des bâtons dans les roues. Qui fait la loi dans cette vallée.

Brindle hausse les sourcils. L'incite à poursuivre.

Or Larry Lister est impliqué dans des agressions sexuelles depuis des années continue Mace.

C'est ce que les apparences laissent supposer admet le policier. Mais je ne comprends pas pourquoi Pinder voudrait m'empêcher d'arrêter Rutter. Ni en quoi son amitié avec Lister pourrait influencer son attitude dans cette affaire.

Moi non plus avoue Mace. En attendant on ne doit pas oublier qu'au milieu de ce sac de nœuds il y a des victimes et une gamine toujours portée disparue. La fille unique de Ray Muncy – lequel soit dit en passant ne fait pas partie de la clique de Pinder.

Tu penses que Lister Pinder et Rutter sont liés ?

Je crois oui. Et ce n'est pas tout.

Ah bon ?

Steven Rutter. La fille Muncy n'est peut-être pas sa première victime.

Brindle regarde autour d'eux. Considère Mace. Se lève.

Viens on va dehors.

Ils sortent du café tournent à droite dans une ruelle puis descendent une volée de marches. Traversent un passage étroit pour déboucher dans Old Hardraw Road puis s'engagent sur un chemin qui les mène derrière la dernière rangée de maisons. Cherry Tree Lane. Au-delà s'étendent des enclos.

Bon tu peux m'expliquer ? lance Brindle.

J'ai essayé d'aborder le sujet à Noël mais tu me prenais tellement de haut que j'ai préféré garder l'info pour moi.

Quelle info ?

Quelqu'un a mentionné une autre fille disparue il y a des années.

Des filles disparaissent tout le temps.

Pas dans le coin.

Dans le coin ? Où exactement ?

La vallée. Le village. Vue pour la dernière fois sur le terrain de camping de Muncy. À l'époque Rutter était jeune mais il aurait très bien pu…

Oui quoi ?

Ils avancent toujours sur le chemin en contournant les crottes de chien et les détritus qui le jonchent.

Mace hausse les épaules.

Pourquoi personne ici ne m'a parlé de cette fille avant ? marmonne Brindle.

Pourquoi ils l'auraient fait ? Tu n'as pas spéciale-ment cherché à susciter les confidences des habitants je te signale.

Mais c'est l'affaire de la police.

Et eux estiment que ce sont leurs affaires réplique Mace. Et les deux ne se mélangent pas.

Comment tu sais ? Pour l'autre fille.

Je suis journaliste je te rappelle. C'est mon boulot de chercher à savoir. Comme c'est censé être le tien d'ailleurs.

Ils marchent un moment en silence.

Encore une chose reprend Mace. Larry Lister.

Oui ?

Il a acheté une baraque.

Et ?

Il y a des années. Ici. Dans la vallée.

Brindle s'arrête. Le regarde. La tache rouge sur sa joue semble palpiter.

D'accord Roddy. Il faut que tu me dises tout ce que t'as appris.

Ben voyons.

Tu veux bien…

Brindle tousse. S'éclaircit la gorge. Jette un coup d'œil autour d'eux puis reporte son attention sur Mace. Déglutit.

Oui ? le presse Mace.

Tu veux bien m'aider ?

*

C'est seulement quand il pleut que la symphonie des éoliennes s'atténue.

La pluie printanière qui tombe d'abord en bruine légère ne tarde pas à se muer en déluge. L'air immobile devient sépia puis le tonnerre gronde et l'averse s'intensifie. Les gouttes martèlent le sol comme des rafales tirées d'un pistolet à clous. Criblent la terre de petits trous.

L'eau gicle perturbe l'ordre des choses les réagence. S'accumule s'écoule et s'accumule encore.

Des flaques apparaissent partout dans la cour de la ferme. L'essence et le diesel imprégnés dans le béton et la poussière depuis une éternité remontent et forment une pellicule à la surface.

De temps à autre Rutter tue une des poules faméliques survivantes. La fait bouillir jusqu'à ce que la viande se délite puis trempe des morceaux de pain dans cette charpie. La réchauffe le lendemain et le surlendemain jusqu'au moment où il ne reste plus dans la casserole qu'une sorte de brouet. Il ne mange rien d'autre.

Les chiens sont agités. Négligés. Leurs côtes saillent tandis que les oreilles basses ils gémissent à l'unisson.

Et la pluie s'abat toujours en torrents. Comme des tirs de mitraille. Elle fait vibrer le toit en amiante de la réserve à bois et inonde la grange. S'insinue dans la maison par les fissures dans le toit et assombrit les murs couleur de nicotine. Les flaques dehors s'élargissent jusqu'à transformer la cour en bourbier noirâtre. Rutter la regarde de la fenêtre en fumant. Entend le fracas de l'orage résonner

279

dans la vallée. Comme si on secouait de grandes plaques de tôle appuyées les unes contre les autres.

Il y a aussi des éclairs. Il sent l'air autour de lui se charger d'électricité avant de voir le flash blanc zébrer le ciel. Il aperçoit les eaux gonflées de la rivière. Si ça continue le village sera inondé malgré les sacs de sable placés devant les seuils.

Un coup de tonnerre résonne. Assourdissant.

Rutter songe à la pluie sur le lac artificiel. Au son qu'elle produit et à la façon dont elle frappe la surface. Il songe au niveau s'élevant peu à peu et à la conception technique de l'ensemble qui empêche le débordement.

Il songe…

Aux tunnels de drainage.

Il songe…

Aux portes. Il songe…

Aux eaux souterraines déferlant invisibles à travers les tunnels les canaux et les passages. Dévalant le long des conduits en béton cachés dans le sol et jaillissant des points de sortie. Cascadant sur les versants jusqu'au fond de la vallée.

La panique…

Il imagine la fille en train de remonter à la surface tandis que des débris de toutes sortes malmènent son corps – des branches des ossements des algues des morceaux de plastique et tout ce que le lac recèle dans ses profondeurs troubles et glacées – le ballottent et le plaquent contre la grille. Se représente son visage bouffi pressé contre les barreaux sa bouche béante ses poumons noyés ses mains entravées sa peau boursouflée qui se détache après une saison entière en immersion.

La panique le gagne quand la sirène d'alerte aux crues revient à la vie. Une longue plainte emplit la vallée.

La panique le gagne parce que les inondations attirent les gens les ennuis les journalistes. Provoquent des amas de troncs des fuites et des obstructions dans les canalisations. Font surgir des sacs de sable des conseillers municipaux des ingénieurs des géomètres et des équipes de la télé. Déclenchent des intrusions. Même ici. Surtout ici. Sur ces hautes terres rurales battues par la pluie.

La panique le gagne.

Dans son esprit la fille s'élève toujours comme un ange aquatique.

La panique le gagne lorsqu'il voit ce qui pourrait arriver demain : des hommes en combinaisons et cuissardes pataugeant sur la terre détrempée et glissant sur les rochers tandis qu'ils grimpent jusqu'aux tunnels de drainage dont les grilles ont besoin d'être soulevées débloquées débouchées.

Il voit : un groupe d'individus coiffés de casques et munis de torches électriques et de perches. Entend leurs échanges et les grésillements des talkies-walkies. Les voit se scinder après avoir tiré à la courte paille pour décider lesquels d'entre eux iraient explorer les galeries les plus éloignées. Situées à des kilomètres. De l'autre côté du lac.

Et il voit des clés. Des clés dans des mains.

Il voit des cadenas. Des regards perplexes.

Demain.

En bas de la vallée la sirène hurle toujours comme pour annoncer la fin du monde.

*

J'ai rassemblé tous les éléments déclare Mace.

Ils sont chez lui. Mace déblaie le canapé pour que Brindle puisse s'y asseoir. Enlève vêtements et journaux. Un carton à pizza où ne subsistent que des miettes desséchées. L'inspecteur passe la main sur les coussins et ôte des saletés.

T'inquiète le rassure Mace. Tu n'attraperas rien.

C'est toi qui le dis.

Tout est là déclare Mace en lui montrant un dossier. Du moins le peu que j'ai pu trouver. Parce que Rutter est malin. Il a réussi à rester sous les radars pendant des années.

Il raconte à Brindle ce qu'il a entendu à propos de la randonneuse et du terrain de camping vingt ans plus tôt. Et de Rutter qui rôdait toujours à proximité. Brindle écoute en silence. Enregistre les informations puis demande :

Comment t'as appris tout ça ?

J'ai une source.

Qui ?

Un type.

Et tu lui fais confiance ?

Non. Je ne le connais même pas. Des infos transmises en état d'ébriété avancé dans un pub ne peuvent être qu'un point de départ. Il m'arrive aussi de bosser figure-toi.

OK.

Tu sais qu'il existe des microfiches j'imagine ?

Évidemment. J'ai aussi entendu parler du disco et des soirées fondue. Tout ça appartient à une autre époque.

Peut-être pour toi mais ici sur les hautes terres on utilise toujours les bonnes vieilles méthodes rétorque Mace. On n'a pas tous la chance de travailler dans des locaux flambant neufs à plusieurs millions de livres équipés de la technologie dernier cri. Alors j'ai fait des recherches. Pendant des heures et des heures. Comme toi j'ai creusé.

Brindle sort son ordinateur portable et l'allume. S'installe enfin sur le canapé sans masquer sa réticence et pianote sur les touches pendant cinq bonnes minutes.

Il n'y a rien sur Internet au sujet de cette affaire déclare-t-il. T'as au moins le nom de cette autre fille ?

Mace s'assoit à son tour. Pose le dossier sur la table basse devant eux sans répondre à la question. Savoure son avantage.

Au début de l'année j'ai appelé un contact au *Yorkshire Post* à Leeds raconte-t-il. Je ne lui ai pas dit pourquoi juste que j'avais besoin de renseignements sur un truc sans importance. Insignifiant. Il m'a invité pour la journée. Ils ont un service d'archives là-bas ; tous les articles pré-Internet sont sur microfiches.

Je sais.

Bon. Leurs annales couvrent des dizaines d'années. C'est énorme. Tu pourrais passer des mois à les éplucher sans trouver ce que tu cherches.

C'est drôle je sens arriver un mais.

Je n'avais qu'une vague estimation de la date enchaîne Mace. Il y a vingt ans. En été. *Mais* vers midi j'avais mon info. Un entrefilet.

Il ouvre son dossier le feuillette et sort une photocopie qu'il tend au policier.

Lis ça.

UNE CAMPEUSE PORTÉE DISPARUE

La police enquête sur la disparition d'une étudiante partie en randonnée sur le Coast-to-Coast.

Margaret Faulks, 19 ans, a été vue pour la dernière fois au cœur des Dales dans le nord du Yorkshire où elle devait rejoindre son petit ami, Ian Rogerson, 19 ans également.

La jeune fille, en deuxième année de médecine à Keele et passionnée de randonnée, avait parcouru seule environ la moitié de ce parcours de trois cents kilomètres quand elle n'a plus donné signe de vie après avoir quitté un terrain de camping situé dans l'un des endroits les plus reculés de ce célèbre sentier qui attire chaque année des centaines de randonneurs. Inquiet de ne pas la voir arriver son petit ami a alerté la police. Les recherches s'étendent maintenant aux hautes terres et à la lande environnante.

Rutter déclare Mace. Ça pue Rutter à plein nez. Non ?

Brindle relit l'article.

Peut-être. On est sûr qu'il était dans le coin à l'époque ?

J'ai tout vérifié répond le journaliste. Il n'a jamais quitté sa ferme. Il devait avoir le même âge que cette fille. À un ou deux ans près. Imagine : un garçon simplet désespérément solitaire. En rut. À peine socialisé.

Qu'est-ce qu'on a d'autre ?

On ? s'étonne Mace. Moi tu veux dire.

OK. Qu'est-ce que tu sais d'autre ?

Je sais que lui et sa mère Aggie Rutter ont été interrogés dans le cadre des investigations de routine – comme tout le monde dans le coin. Et je sais que les recherches ont été abandonnées faute d'indices concrets et de pistes. Affaire non résolue. Margaret Faulks n'a jamais été retrouvée. C'était sans doute l'enquête d'un de tes prédécesseurs. Depuis combien de temps la Chambre froide est-elle opérationnelle ?

Brindle ignore la question.

Et le petit ami ? demande-t-il en regardant l'article. Ce Rogerson ?

Il a été interrogé lui aussi mais il avait un alibi en béton. Elle s'est tout simplement volatilisée. Une fille saine et équilibrée qui avait de brillantes perspectives d'avenir et aucun ennemi connu – envolée. Pas de dettes pas de drogues. Rien de tout ça. Pas la moindre casse-role. Elle s'est évanouie dans la nature.

Il montre à Brindle une carte du Coast-to-Coast, Il a entouré l'endroit où l'étudiante avait été vue pour la dernière fois : le terrain de camping de Muncy. Il a aussi marqué d'une croix le site de la ferme de Rutter et passé au surligneur les carrières abandonnées le lac artificiel et une gorge au fond de laquelle coule une rivière. Il suit de l'index le tracé du sentier de randonnée – d'abord d'ouest en est ensuite d'est en ouest.

Ah et il y a ça aussi dit-il.

C'est un reçu délivré par le camping ; un simple tic-ket sur lequel sont notés quelques mots tremblotants au stylo bille dont l'encre a passé : FAULKS. EMPLACE-MENT 17. 1 NUIT. £3.

Au dos figure un tampon. KELLERHOPE CAMPING.

Il a été établi par Muncy observe Brindle.

Mace lui tend alors une brochure décolorée. Une publicité pour le site.

Sur la première page on voit des images d'un champ et d'une ferme au bord d'une rivière. Des campeurs sou-riants assis en cercle. Des tentes des vélos des réchauds à gaz.

Brindle ouvre le document et des formules lui sautent aux yeux :

Toute l'authenticité d'une ancienne ferme pittoresque.

Une étape devenue une tradition sur le Coast-to-Coast.

Le cœur des Dales.

Des paysages grandioses et sauvages.

Randonneurs et cyclistes bienvenus.

Équipements sanitaires. Barbecues autorisés.

Entreprise familiale.

Contacter June Muncy.

Et donc ? lance Brindle.

Donc on a la confirmation que la fille a disparu juste sous le nez de Steven Rutter répond Mace. Alors j'ai encore creusé. Décroché mon téléphone. Remonté la piste du petit ami.

C'est vrai ?

Le policier a l'air surpris.

Évidemment que c'est vrai réplique Mace. Ça n'a rien d'un exploit pour un journaliste expérimenté. Je n'ai pas eu de mal à le localiser. Il est marié aujourd'hui et père de deux gamins. Il habite dans le Kent. Voyage beaucoup pour son boulot. Aime faire de la voile le week-end. Brasse sa bière et a participé à *Qui veut gagner des millions ?* Apparemment il a touché trente-deux mille livres – pas mal hein ? Bref je lui ai parlé et il m'a donné sa version. Il soupçonnait un acte criminel mais ne pouvait rien faire ; c'était juste un gosse qui n'avait pas son mot à dire. D'après lui les flics du coin ont sacrément merdé. Des putains de bouseux incompétents – je crois que c'est l'expression qu'il a utilisée. Il a eu des cauchemars pendant des mois. Des années même. La famille de Faulks a engagé un premier détective privé puis un second – sans le moindre résultat. Rien. Autant chercher un fantôme. Rogerson dit qu'il a encore peur aujourd'hui qu'elle réapparaisse ; que c'est sa plus grande frayeur : pas qu'elle soit morte mais qu'elle revienne. Bizarre non ?

Ça me paraît compréhensible au contraire souligne Brindle. Au fait ton rédac chef est au courant pour ton enquête ?

Grogan ? Non.

Pourquoi ?

Mace hésite. Passe une main sur ses joues râpeuses.

Je ne sais pas. Je voulais que ça reste entre toi et moi je suppose.

Pourquoi ? insiste Brindle.

Parce que les collines ont des yeux et que les murs ont des oreilles et qu'il peut être dangereux de parler à tort et à travers. Maintenant on va devoir prouver que Rutter est coupable des deux meurtres. Et après…

J'ai l'impression que t'aimerais jouer au héros.

Possible. Mais peut-être que ce n'est pas aussi simple.

Brindle secoue la tête.

Il n'est pas question d'héroïsme là-dedans décrète-t-il. Seulement de boucler une affaire. Personne ne gagne quand on déterre des cadavres de jeunes filles. Bien sûr il faudra que je m'entretienne de nouveau avec Muncy. Et que je me penche sur le cas Lister.

Mace se lève prend une cigarette dans une boîte posée sur le téléviseur et l'allume.

Pourquoi Muncy ?

Parce que c'est le père. Et qu'il t'a parlé du lien entre Pinder et Larry Lister. Et parce que je crois qu'elle était enceinte.

Melanie ?

Oui. J'ai trouvé un test de grossesse dans ses affaires.

Mace tire une bouffée garde la fumée un instant puis exhale. Fait tomber la cendre dans une canette de bière vide qu'il pose sur la table basse.

Je viens avec toi.

Le policier chasse la fumée d'un geste.

Je ne peux pas t'emmener. Ça irait à l'encontre de la procédure.

Tu ne peux pas ou tu ne veux pas ?

Les deux admet Brindle.

T'as l'intention de m'exclure c'est ça ?

Comme Brindle ne répond pas Mace déclare :

C'est toi qui m'as demandé de l'aide je te rappelle.

Et je te suis reconnaissant de me l'avoir fournie réplique Brindle en se levant.

Il saisit le dossier. L'agite.

Je vais en avoir besoin.

Va te faire foutre grogne Mace.

*

Un déluge biblique s'abat sur lui tandis qu'il progresse laborieusement dans la boue. Il n'a pas allumé sa torche électrique. Ses pieds connaissent le chemin. Il a enfilé le vieux ciré de sa mère. Celui avec la cape sur les épaules. C'est le seul vêtement imperméable qu'il possède.

Quand elle portait ce ciré il lui arrivait aux tibias et il a conservé des traces d'elle. De son odeur. Même après trois ou quatre ans – ou quel que soit le nombre d'années écoulées depuis son départ. Rutter n'a jamais eu une notion précise du temps.

Il se retrouve pourtant trempé comme une soupe au bout de quelques minutes tandis que les longues herbes glissent sur son jean et collent à ses jambes. La pluie mouille sa peau ses sous-vêtements traverse même ses bottes.

Tout autour de lui il entend le son de l'eau en mouvement. De l'eau qui se fraie un passage coule sur la terre dévale les collines et pénètre dans le sol. De l'eau qui fait ployer les fougères et inonde les tourbières. Qui bouillonne. De l'eau qui sculpte le paysage remodèle les formes. Créant des ravines des sillons et des gorges en même temps qu'elle soulève les pierres et les charrie parfois sur des kilomètres. De l'eau au travail – toujours.

De l'eau qui noie le vrombissement des éoliennes pour une fois. Elles sont réduites au silence par le crépitement de la pluie.

De l'eau il y en aura aussi là où il va. En haut de la colline en bas de la galerie.

La fille ne le quitte plus depuis qu'il l'a transportée dans le tunnel avant Noël ; parfois elle s'insinue dans ses rêves et souvent dans ses cauchemars. Elle reste suspendue piégée entre deux mondes.

Elle le hante.

Une fois deux fois trois fois cette première nuit il s'était arrêté pour s'étendre dans la bruyère gelée à côté d'elle. Il avait entendu son corps craquer grogner et se briser sous lui tandis qu'il l'étreignait une dernière fois puis encore une toute dernière fois. Serrait contre lui la bâche qui l'enveloppait. Il ne pouvait pas la lâcher. Il lui avait fallu des heures pour atteindre son but. Des heures d'efforts de sueur et de tension.

Il avait eu de la chance. Il savait qu'il risquait de se faire prendre. Et ensuite ? Ensuite tout – des décennies de secrets – serait révélé au grand jour.

Il pénètre dans le tunnel de drainage. Descend les marches dans la pénombre. La galerie est maintenant inondée – il a de l'eau jusqu'aux genoux – et les débris emportés par les crues flottent à la surface : des bouts de bois et une bouteille en plastique. Un enchevêtrement de fils métalliques près de ses pieds.

Rutter a apporté un sac de matériel. Des outils et une torche. Un pied-de-biche. De la corde.

Il laisse le sac près de l'entrée encore au sec.

Allume la torche et avance prudemment sur le sol inégal. Les remous sont teintés d'ocre et de carmin par la tourbe et vont lécher les parois.

Quelque part en dessous de lui Rutter entend le grondement des canaux souterrains et au-dessus de sa tête le *ploc-ploc* régulier des gouttes chargées de dépôts minéraux qui tombent du plafond. La fille est tout près.

S'il continue à pleuvoir aussi fort les marches et l'entrée seront inondées d'ici à quelques heures seulement. Il faut qu'il fasse ça maintenant. Ce soir.

Parce que les inondations attirent les gens. Attirent les autorités et les hommes qui fouinent partout avec leurs perches leurs lampes frontales leurs plans et…

Il s'enfonce dans les profondeurs de plus en plus obscures du versant. La torche entre les dents.

La galerie s'incurve vers la droite et débouche dans une impasse. Il sent alors la grille sous ses pieds masquée par l'eau qui déborde. Bouillonnante. La fille est là. En bas. En dessous de lui.

Il a envie d'une cigarette – une envie comme il n'en a jamais eu. Il sort une blonde industrielle et coince la torche sous son aisselle pendant qu'il l'allume d'une main tremblante. Il en tire une longue bouffée. Retient la fumée. En savoure l'effet apaisant. Il fume jusqu'au moment où des gouttes tombées des stalactites au plafond éteignent la cigarette pour lui. Le mégot lui échappe.

Quelques secondes plus tard il se baisse éclaire la surface et récupère le mégot mouillé qu'il glisse dans sa poche.

Puis il s'accroupit près de la grille dissimulée par les remous bourbeux. Retrousse ses manches pour essayer de la localiser. L'eau est profonde. Et glaciale. Sa chemise est bientôt trempée.

Ses doigts finissent néanmoins par trouver les barreaux puis tâtonnent jusqu'à sentir le nœud de la corde qu'il a attachée. Il se souvient alors de quel côté se situe la charnière.

Ce ne sera pas facile. Il va falloir compter avec la résistance de toute cette eau. Sans parler du parpaing qui leste le corps.

Il se met à genoux agrippe les barreaux et tire. Sent le métal céder légèrement.

Alors il retourne à l'entrée prend le pied-de-biche dans son sac et patauge de nouveau jusqu'à la grille. Immerge ses bras d'abord jusqu'aux coudes ensuite jusqu'aux épaules. Insère l'extrémité aplatie dans une fente puis fait pression sur le levier encore et encore. Parvient à soulever la grille mais de quelques centimètres seulement. Le poids qu'elle retient est trop important.

Il la laisse retomber et se redresse. Ignorant les élancements dans son dos il repart vers l'entrée du tunnel et palpe le fond. Ses mains finissent par rencontrer quelque chose de solide. Un autre parpaing. Il le cale sur son épaule et le transporte dans le couloir glacial jusqu'à la grille. Récupère le pied-de-biche se baisse et recommence à faire levier. Quand la grille s'écarte il glisse le parpaing dans l'ouverture pour la coincer.

Il exécute ces manœuvres sous l'eau. Rien qu'au toucher.

Lorsqu'il a repris son souffle il s'accroupit et se retrouve trempé jusqu'à la taille. Ensuite il s'allonge et glisse une épaule sous la grille avant de se relever lentement. Cette fois elle cède. S'ouvre. De sa main libre il enroule la corde autour du pied-de-biche pour soulager un peu son effort.

Il est arc-bouté et les muscles de ses cuisses sont douloureusement contractés. Le métal s'enfonce dans son épaule. Il prend une profonde inspiration puis d'un mouvement vif jette le pied-de-biche et saisit la corde à deux mains. La charge à l'autre bout l'attire vers l'avant il se raidit et un de ses pieds plonge dans le néant.

Durant une fraction de seconde il oscille. Son pied est immobilisé au-dessus des abysses et il est tenté de se laisser entraîner mais au prix d'un effort surhumain il parvient à déplacer son centre de gravité et à reculer en titubant dans le tunnel. À s'éloigner du puits sombre.

Mais serait-ce si terrible de la rejoindre dans cet autre monde liquide ? se demande-t-il.

Un gémissement monte de sa gorge quand il recommence à tirer. Il entend sa voix ; son propre cri de désespoir. La corde glisse entre ses mains et lui brûle les paumes – lui déchire la peau – pourtant il resserre sa prise. Redouble d'efforts malgré la brûlure.

Peu à peu il ramène à lui deux puis trois mètres de corde qui retombent mollement dans l'eau sale derrière lui. Enfin il sent le métal des chaînes dans ses paumes à vif et comprend qu'il touche au but.

Il s'adosse alors à la paroi rassemble ses forces pour une ultime traction et dans un bruit d'éclaboussures accompagné par un autre gémissement le paquet constitué de la bâche de la corde des chaînes du parpaing et de la fille morte remonte des profondeurs.

Dans son élan il le hisse jusqu'aux marches. Avant de s'effondrer au clair de lune. Ruisselant hoquetant sanglotant. Incapable de reprendre son souffle cette fois. Ses mains le mettent au supplice.

Il laisse passer une minute. Deux.

Se relève et déplace le paquet de façon à le coucher sur la marche la plus large. Ses bottes trempées font un bruit de succion à chaque pas. Le ciment gris est sec. C'est une dalle mortuaire.

Il entreprend de dénouer la corde. D'ouvrir le paquet. Le retourne dans un cliquetis de chaînes et le regarde dégorger des flots impurs.

Il a conscience de l'eau sur sa peau. De l'immobilité de l'air. Du silence.

Puis il détache soulève hisse.

Déroule et déballe.

Une fois les nœuds défaits il tire la bâche d'un coup sec comme un magicien accomplissant un tour et soudain elle est là. Devant lui.

Elle est là. La fille.

Devenue une chose boursouflée abstraite. Une masse informe allongée sur le dos.

Elle a doublé de volume perdu ses contours. Elle semble si pâle et si ronde.

Dans sa hâte de se débarrasser d'elle il a oublié qu'il l'avait emballée nue ; ses vêtements gisent en tas près de ses pieds à côté du parpaing.

Lorsqu'il l'a plongée dans le bassin son épiglotte était sûrement fermée mais avec le temps l'eau a dû s'insinuer en elle car elle ressemble maintenant à un tonneau jaune recouvert d'une peau translucide sur laquelle se dessine tout un réseau de veines. Les tissus adipeux coagulés sont pareils à des résidus de savon durcis. Il y a des poches de gaz piégées en elle.

Les eaux froides n'ont pas stoppé le processus de décomposition elles l'ont seulement ralenti. Ses petits seins ont quasiment disparu. À la place de l'un d'eux ne subsiste qu'une charpie brunâtre et son torse cireux est maculé de sang de terre et de lésions assombries. Ses jambes sont encore dissimulées par la bâche.

Ses bras gonflés comme des ballons la font paraître ridiculement énorme. Ce n'est plus qu'une caricature d'être humain. Enflée jusqu'à la démesure.

Son visage. Elle n'a plus de lèvres plus d'oreilles plus de paupières. Sa figure est un masque de cire lisse dont un côté est envahi par une grosse tache brune semblable à une marque de naissance humide et cloquée. Une de ses joues partiellement pourrie tord sa bouche en une grimace qui révèle des gencives bleues une langue noire et des dents branlantes.

Les doigts de Rutter s'en approchent et effleurent l'une d'elles. Elle se déchausse. Il la touche de nouveau et elle tombe dans ce qu'il reste de la bouche. Disparaît dans le corps de la fille. Il a un brusque mouvement de recul.

Les rares cheveux qu'elle a encore pendent à l'arrière de son crâne. Plus foncés que dans son souvenir ils lui rappellent ces touffes accumulées dans la bonde d'une baignoire ou dans un siphon bouché.

Quant à ses yeux – c'est la vision la plus insoutenable. Ses orbites vides semblent le regarder. Le regarder sans le voir. Séparée de lui par un million d'années. Comme si elle était piégée sous la glace de l'Arctique.

Il bataille. Bataille en vain pour reconnaître la fille telle qu'elle était avant : un être vivant capable de penser d'agir. De respirer de rire et de rêver.

Aujourd'hui elle n'existe plus que dans une dimension appelée la mort.

*

Dans une sorte d'état second il s'assoit contemple la dépouille et tend la main vers elle mais soudain il se détourne et quitte le tunnel de drainage. Dehors immobile sous la pluie légère il fume une autre cigarette jusqu'au filtre et écoute la musique des gouttes.

Il se rend compte que toute tentative pour déplacer le corps est désormais impossible. Ce serait complètement idiot. Suicidaire.

Ses pensées sont si confuses depuis quelque temps. Si confuses.

Il fait toujours sombre mais la nuit ne durera pas éternellement et la fille ne sera pas là pour toujours et lui non plus.

Ils sont tout près se dit-il. La famille de la morte. Les flics. Les gens dans les maisons dans les villages et dans les villes.

Il se tourne vers l'entrée noire béante ouvrant sur le couloir en béton de ce mausolée qu'il a créé.

À l'idée de tout ce dont il est capable – toutes ces choses qu'il a faites dans sa vie et toutes celles qu'il pourrait encore faire – il se sent à la fois effrayé et excité.

Alors il se surprend à retourner vers elle. À s'accroupir près du corps. Ses semelles couinent sur le ciment. Seules existent encore la pluie et la lande obscure.

Et Steven Rutter.

8

Sur la route en haut de la vallée il repense aux crimes populaires. Aux histoires ensevelies. Aux squelettes.

À tout ce qu'on enfouit dans le sol. Aux mythologies muettes. À l'histoire de la terre.

Il compte les piquets de clôtures quand il les longe compte le nombre de cottages et de corps de ferme qu'il voit sur les versants. Joue avec les chiffres dans sa tête. Additionne soustrait divise et multiplie pour en créer d'autres.

Les chiffres défilent derrière la vitre.

Brindle s'engage dans le village sous un ciel bas. Les nuages filent. Il se gare et continue à pied.

Les crimes populaires. Tout ce que la terre pourrait raconter. Le nom des vivants et le nom des morts. Steven Rutter Melanie Muncy Aggie Rutter Margaret Faulks Ray Muncy Ian Rogerson Roy Pinder Roddy Mace June Muncy Bull Mason Johnny Mason – autant de noms qu'il ne connaissait pas trois mois plus tôt. Sans oublier Larry Lister quelque part dans tout ça.

Il remonte l'allée de la maison puis frappe à la porte. Attend un peu et frappe de nouveau. Pour finir un homme ouvre. Un homme dépenaillé – presque autant que Rutter à sa manière – aux cheveux trop longs et à la barbe broussailleuse. Lèvres humides et yeux gris aux paupières lourdes. Regard embrumé par les médicaments.

Monsieur Muncy ?

Brindle a prononcé les mots d'un ton interrogateur même s'il sait que c'est lui.

Un grognement de confirmation en guise de réponse.

Inspecteur Brindle ? dit-il en utilisant la même intonation interrogatrice – comme s'il n'en était lui-même pas sûr. James Brindle ? Nous nous sommes déjà entretenus au sujet de votre fille.

Son interlocuteur le dévisage en silence. L'air hostile. Il tient la porte. Semble s'y cramponner.

Euh oui. Bien sûr.

Un changement se produit soudain dans le regard de Muncy comme si quelque chose se ranimait en lui. Le réveil d'une brève lueur d'espoir sans doute. À cet instant Brindle comprend que le moment va être douloureux. Et que Muncy n'est pas suspect. Ce n'est pas lui qui a fait le coup.

Cet homme n'a pas assassiné son enfant pense-t-il. Il en est sûr à présent. Il lui a suffi d'une fraction de seconde pour en acquérir la certitude absolue.

Vous l'avez retrouvée ? demande Muncy.

Son visage blême est crispé par la tension.

Non répond Brindle. Je crains que non.

Les traits de Muncy s'affaissent tandis que l'espoir reflue. Il lâche la porte contre laquelle il s'appuyait et elle se referme lentement.

Puis-je…

Muncy contemple le tapis à présent. Brindle écarte le battant du bout des doigts et reprend à mi-voix :

Puis-je entrer monsieur Muncy ? J'aurais juste quelques questions à vous poser.

Les mots jaillissent alors en un torrent confus.

Elle est morte c'est ça ?

Eh bien on ne peut pas…

J'ai essayé d'entretenir l'espoir le coupe Muncy. Pas June. Elle a baissé les bras il y a des mois parce que ce n'est pas dans son tempérament de lutter. Ça ne l'a jamais été. Mais moi si. Oh oui. J'ai voulu croire qu'elle était toujours en vie. C'était crucial non ? De se raccrocher à l'idée qu'elle allait revenir un jour – peu importe quand. Juste qu'elle allait nous revenir. Le pourquoi nous aurait été bien égal. L'espoir. C'est ce qui nous permet de tenir le coup n'est-ce pas monsieur… ?

Brindle.

… mais c'est épuisant. L'espoir vous vide de vos forces. Et quand je vous vois devant ma porte – et oui je me souviens de vous bien sûr avec cette tache rouge sur votre joue – je comprends que je me suis bercé d'illusions. C'était idiot de ma part d'avoir pensé qu'elle pourrait rentrer. Tellement naïf. Parce qu'elle est morte n'est-ce pas monsieur – c'est quoi votre nom déjà ?

Brindle. James Brindle. J'ai peur de ne pas avoir de réponse à vous apporter monsieur Muncy. Mais compte tenu des avancées de l'enquête je pense malheureusement qu'il est temps de vous préparer à l'éventualité que votre fille ait été assassinée.

La mine de Muncy s'allonge.

Quelles avancées ? lance-t-il. Qu'est-ce que vous racontez ? Vous avez arrêté quelqu'un ?

Non. Nous n'en sommes pas là. Écoutez si je pouvais entrer un moment j'aimerais vous poser quelques questions. Il y a certains points que je souhaiterais clarifier avec vous. En particulier concernant votre alibi.

Muncy pince les lèvres.

Alors c'est ça ? Vous et vos collègues allez de nouveau braquer votre microscope sur moi alors que le salaud qui a tué ma Melanie est toujours en liberté ? Vous ne changerez jamais vous les flics.

Je vous assure que ce ne sera pas long. Je suis désolé de vous déranger.

Une semaine pas plus. Vous n'êtes tous restés qu'une semaine à crapahuter dans la neige et ensuite vous avez pris vos cliques et vos claques et je n'ai pratiquement plus eu de nouvelles depuis cet hiver. Vous savez combien de fois j'ai appelé vos services pour essayer de savoir ce qui se passait ? Et aujourd'hui vous vous présentez chez moi pour me parler de meurtre et de mon alibi ?

Je voulais vous demander des précisions au sujet d'une remarque que vous avez faite à l'un de mes amis.

Quel ami ?

Roddy Macé. Le journaliste. Vous lui avez dit que Roy Pinder avait des liens avec Larry Lister.

L'expression de Muncy change de nouveau.

Lister ? Oh oui. Je sais tout sur eux – des choses que vous ne pouvez même pas imaginer. Les journaux n'en ont pas rapporté la moitié. Ce sale porc.

Et je voulais aussi vous parler de l'autre fille.

Quelle autre fille ?

Ce n'est pas la première disparition inexpliquée dans la région il me semble.

Qu'est-ce que vous me chantez ?

L'étudiante monsieur Muncy. Celle qui a été vue pour la dernière fois sur votre terrain de camping et dont on n'a jamais retrouvé la trace.

Muncy le regarde. Examine ses traits.

Oui je me souviens d'elle.

Bien.

Et vous croyez qu'il y aurait un… ?

Oui. Oui je crois.

Apparemment rien n'a été dérangé. L'agent arrivé le premier sur les lieux supposera à juste titre que l'auteur des faits – quelle que soit son identité – est entré par la porte. Que la victime connaissait son meurtrier et l'a invité à l'intérieur. Il n'y a pas non plus de signes évidents de lutte. Pas de tables ni de chaises renversées. Pas de gouttes de sang sur les plinthes. Pas d'ecchymoses en forme de doigts sur le corps ni de blessures défensives sur les mains. Pas de désordre ni d'objets cassés.

Larry Lister est retrouvé assis dans le fauteuil du salon de sa petite maison à Horsforth. Il y a des photos encadrées de lui sur les murs et sa penderie est pleine de vieilles tenues de scène. Une odeur de tabac froid flotte encore autour de lui comme un linceul nauséabond.

C'est son avocat qui le découvre. Dans une rare démonstration de spontanéité atypique de sa profession il confiera à un reporter que la façon dont Larry Lister était assis dans ce fauteuil avec ses tennis délacées plantées sur le tapis lui a rappelé son attitude lorsqu'il déclamait face à la caméra son monologue d'ouverture d'*Uncle Larry's Party*. Et ajoutera qu'il l'avait d'abord cru endormi ou – plus perturbant pour lui – en train de lui faire une farce.

Comme ses coups répétés à la fenêtre ne parvenaient pas à le réveiller il avait prévenu la police explique-t-il. Personne d'autre n'a la clé de la maison.

Les policiers débarquent environ trente secondes avant les premiers journalistes. De toute évidence quelqu'un dans leurs rangs renseigne les médias.

Quand ils essaient de déplacer le corps la bouche s'ouvre leur révélant que l'Aimable Larry Lister a eu la langue coupée. L'absence totale de sang et l'expression calme – presque sereine – du mort déconcertent tout le monde.

C'est seulement des heures plus tard quand le légiste le deshabille sur la table d'autopsie que la langue manquante du roi de la variété – cet instrument qui a fait son succès et à bien des égards a aussi signé sa perte – est découverte en partie insérée dans son anus.

*

Mace reconnaît la voiture de Brindle en stationnement. Il est hors d'haleine. Il a laissé sa propre voiture au garage pour le contrôle technique et pris un taxi en ville qui l'a déposé sur la route principale. De là il a couru jusqu'au village et les poumons en feu s'est promis d'arrêter de fumer le plus tôt possible.

Il sait que Brindle est là. Chez Muncy. Où il se sert des informations qu'il lui a lui-même fournies. De son travail. De ses recherches. Lui volant le fruit de son labeur.

Furieux il tire son couteau de sa poche et s'approche de la voiture du policier. Plonge la lame dans un pneu. C'est un geste stupide et immature mais quand un sifflement s'élève du caoutchouc noir il éprouve un sentiment de triomphe. L'air qui s'échappe pue les entrailles de poisson.

*

Rutter déballe la moitié inférieure de la bâche.

La fille est étendue de tout son long les cuisses aussi décomposées que le torse. Peau marbrée translucide.

Cireuse et irréelle. Il la survole du regard. L'examine en détail.

Il y a quelque chose entre ses jambes. Ses yeux enregistrent ce détail avant son cerveau qui s'active ensuite pour lui donner un sens.

Quelque chose sort d'elle. Une forme ronde et réelle mais étrange et repoussante. Inconnue.

Son esprit tente toujours d'analyser ce qu'il voit.

C'est sûrement une illusion d'optique. Des ombres qui…

Il se penche. Plisse les yeux.

C'est peut-être…

Non ce n'est pas une ombre.

Il scrute la chose.

À force il lui semble distinguer une ébauche de traits – des orbites et les vestiges d'un nez. De stupeur il fait un bond en arrière et se plaque contre la paroi du tunnel. Il n'arrive plus à respirer. De la bile lui remonte dans la gorge. Il étouffe pourtant il ne peut s'empêcher de regarder.

En bas. Une minuscule créature émerge d'elle.

Les gaz abdominaux ont dû l'expulser. Révéler le secret qu'elle dissimulait.

La décomposition l'a mis au monde.

La mort a accouché d'une non-vie.

Un enfant mort-né.

Mort-né.

Il se détourne et s'élance dans la nuit. Il hoquette.

*

C'était l'hiver quand elle était tombée.

Là en plein milieu de la cour entre le poulailler et l'enclos des cochons.

302

Il l'avait vue de la fenêtre.

Sur le verglas noir au crépuscule. Elle avait dérapé. S'était cogné la tête. Les deux seaux de grain qu'elle transportait s'étaient envolés tandis qu'elle perdait l'équilibre.

Il n'avait pas bougé. Un des seaux avait roulé par terre en répandant son contenu. Il produisait un grincement aigu que Rutter avait trouvé excitant. Le son du métal froid sur de la glace. Puis soudain il s'était immobilisé.

Elle gisait par terre inerte le bout de ses bottes pointé vers le ciel les seins et le ventre aplatis sous son manteau.

C'est sa faute avait-il pensé en la regardant. Tout ça. Tout ça c'est sa faute. Tout ce qui lui était arrivé et toutes les choses qu'on lui avait faites et toutes celles qu'il avait faites aux autres – sa faute.

Comment supporter l'idée d'avoir été engendré par l'un des visiteurs de sa mère ? De savoir qu'elle l'avait porté pendant neuf mois pour donner naissance à cet être qu'il était ? Cette pensée-là aurait rendu fou n'importe qui.

Il lui arrivait souvent de souhaiter n'avoir jamais existé. Jamais enduré les douleurs de ce monde ni fait l'expérience de la solitude du désir du dégoût et de la peur. Jamais éprouvé de haine pour la seule famille qu'il avait jamais connue.

Dix minutes s'étaient écoulées. Le ciel s'assombrissait toujours. Les seaux renversés ne bougeaient pas.

Ça y est avait-il pensé. Peut-être que c'est fini terminé que je suis libre.

Il avait encore attendu dix minutes avant de s'écarter de la fenêtre et de descendre. D'enfiler sa chemise

303

molletonnée et son bonnet. De récupérer sa blague à tabac et les clés de son pick-up. De l'argent.

Il était sorti par la porte de derrière. Au moment de la verrouiller il avait hésité pour finalement décider de ne pas la fermer à clé. C'était inutile. Il s'était engagé dans la cour.

Gaffe au verglas...

Sa mère était allongée à quelques mètres seulement.

Il avait tranquillement contourné la maison jusqu'à son pick-up. Puis il avait grimpé dans la cabine. Mis le contact. Fait vrombir le moteur et constaté qu'il fallait régler l'allumage.

Quand il avait démarré le craquement de la glace sous les pneus lui avait paru agréable.

Il avait descendu le chemin en écrasant la pédale de frein.

Le véhicule dérapait et l'arrière chassait. Il avait traversé le hameau. Tourné à gauche. Évité le village pour s'enfoncer dans la vallée vers l'est et la ville – le seul endroit susceptible de lui fournir un alibi. Où il pourrait à la fois être vu et invisible.

Sa mère étendue là-haut sur la glace.

Le cœur battant de plus en plus faiblement.

*

Sa première pensée frénétique tourne en boucle dans sa tête : Est-ce le mien ?

Un bébé. Non c'est ridicule.

Il n'est pas expert en la matière mais il en sait assez : les filles mortes ne peuvent pas plus concevoir que les vaches mortes.

Impossible. Les mortes ne peuvent pas tomber enceintes.

Non.

Alors comment…

Une famille.

Aurait-elle tout de même pu…

Non.

Assis au milieu des jeunes pousses de bruyère détrempées il prend de profondes inspirations. L'obscurité l'entoure l'engloutit le dévore. Le détruit comme il a détruit la fille.

Cette chose peut-elle être de moi ? se demande-t-il.

Non.

C'est des conneries.

Bien sûr que non.

Alors si je n'y suis pour rien – de qui est-elle ?

*

Rutter. C'est forcément Rutter. Le pneu lacéré présente des entailles de près de trois centimètres. La voiture est affaissée côté avant gauche.

Qui d'autre dans le village…

Ça ne peut être que Rutter.

Brindle ouvre le coffre soulève le tapis de protection et prend la roue de secours. Retrousse ses manches déplie le cric et s'emploie à changer le pneu. Poussière cambouis gravier. La roue de secours a un aspect bizarre ; elle ne paraît pas assez large. Brindle n'a rien pour s'essuyer les mains. D'autres ont dans leur véhicule des chiffons des journaux ou des sacs mais lui veille à ce que l'habitacle soit toujours impeccable. Il n'y a que de l'eau minérale et des bonbons à la menthe. Un désodorisant. Le GPS. Un rouleau de pièces d'une livre pour les parcmètres.

Le cambouis s'est insinué dans les plis de sa peau et sous ses ongles. La vue de la saleté précipite son souffle. Lui noue la gorge. Il commence à réciter dans sa tête des séries de chiffres et se surprend à adopter le rythme d'une comptine pour enfants.

Parfois il aimerait payer quelqu'un pour vivre sa vie.

Il remonte en voiture et regarde ses mains en s'efforçant de respirer calmement. Puis il glisse un bonbon à la menthe entre ses lèvres et pose ses paumes sur le volant pour maîtriser ses tremblements.

Il voudrait que le monde soit différent et lui aussi. Que tout soit différent. Qu'il y ait une place pour lui quelque part. Il regrette de ne pas être ignorant parce qu'il a entendu dire que c'était un état de grâce.

Et soudain il perçoit un bruit de moteur. Jette un coup d'œil dans le rétroviseur. Voit un pick-up passer à toute allure. Sortir du village pour descendre la colline.

C'est lui.

C'est Rutter.

*

Roddy Mace est dans un magasin de spiritueux en train d'acheter quatre canettes de Stella et quatre bouteilles de bière blonde quand il entend la nouvelle à la radio.

La vendeuse et lui s'arrêtent pour écouter.

Le présentateur télé Larry Lister a été découvert mort dans sa maison du Yorkshire. Récemment libéré sous caution il était accusé d'abus sexuels sur mineurs. La police a recueilli le témoignage de plusieurs dizaines d'hommes et de femmes qui affirment avoir été victimes de cet animateur populaire depuis plus de quatre décennies et dispose désormais de nombreux éléments à charge. Larry Lister soixante-dix-neuf ans avait fait ses premières apparitions à la télé il y a plus de cinquante ans et avait été distingué comme membre de l'ordre de l'Empire britannique en 1999. La cause du décès n'a pas encore été établie.

Merde alors s'exclame le journaliste.

La vendeuse secoue la tête.

Personnellement je l'ai toujours trouvé bizarre lui confie-t-elle. Mais bon il a réussi à récolter beaucoup d'argent pour les associations caritatives.

Donnez-moi donc une demi-bouteille de vodka.

Elle lui tend la bouteille et il paie.

Je l'ai rencontré une fois vous savez reprend l'employée.

Ah oui ? réplique distraitement Mace. Où ?

Ici même figurez-vous. Il était venu acheter des cigarettes. Je me rappelle parfaitement qu'il a payé avec un billet de dix et m'a dit de garder la monnaie. Et je l'ai aperçu quelquefois dans le bourg. On a bien eu aussi un acteur d'*Emmerdale* un jour mais sinon les célébrités ça court pas les rues par ici.

Vous avez une idée de ce que Lister venait faire dans le coin ?

Je crois qu'il connaissait certains de nos gars. En particulier Roy Pinder. Ils étaient amis. Roy lui rendait souvent visite chez lui.

Où ? Où est la maison de Lister ? Dans la vallée ?

Bonne question. Tout le monde racontait qu'il avait une propriété dans la région mais personne ne savait où exactement. Il fallait que ça reste secret je pense. C'était un refuge pour échapper aux médias et à la faune de Londres.

Et vous ne voyez pas qui pourrait connaître l'adresse ?

La fille hausse les épaules.

Roy sans doute. Il lui apportait ses messages et tout. Y en a qui disent qu'ils étaient associés il y a long-temps. Bah j'imagine que tout va éclater au grand jour maintenant.

Associés ? Dans quel domaine ?

Nouveau haussement d'épaules.

Aucune idée. Faudrait poser la question à Roy mais je ne vous le conseille pas.

Pourquoi ?

Elle renifle.

Je n'ai jamais eu de problème avec lui. Il m'a aidée.

Vous en parlez comme s'il était intouchable. Mais croyez-moi ce n'est pas le cas. Pour moi vouloir le défendre c'est comme vouloir défendre Lister.

Quand il se tourne pour partir bouteilles et canettes s'entrechoquent dans son sac.

Attendez dit la vendeuse.

Mace pivote. À mi-voix elle déclare :

Roy n'était pas le seul à savoir où était la maison de Lister.

*

Encore indécis il avait roulé jusqu'à vider la moitié d'un réservoir avant de se retrouver à la sortie de la ville ce soir-là.

Il avait traversé des hameaux et des villages. Pris des bretelles d'accès à l'autoroute et fait le tour de ronds-points. Croisé des piétons. Et pour finir il s'était garé sur le parking de l'Odeon X. Cela faisait longtemps qu'il n'y avait pas mis les pieds et ce soir-là il avait besoin d'y aller pour qu'on enregistre sa présence. Qu'on se souvienne de lui.

Qu'est-ce qui passe en ce moment ? avait-il demandé à la fille qui avait pris son argent et lui avait rendu sa carte plastifiée.

Elle lisait un magazine sur papier glacé avec une femme orange en couverture. D'un air blasé elle lui avait indiqué du pouce une affiche punaisée au mur.

PROGRAMME DE JANVIER
Un os pour chiennes en chaleur
Chattes errantes
Quatre heures avec des MILF chaudasses
Fais plaisir à maman
L'Antre de la dépravation

Les titres lui avaient paru différents. Plus crus et racoleurs que ceux des comédies avec exhibitionnistes et écolières qu'il aimait bien au début des années quatre-vingt-dix – des films qui reflétaient l'époque. Mais depuis l'arrivée d'Internet le porno avait explosé dans toutes les directions. L'Odeon X essayait sans doute de s'adapter au nouveau millénaire.

Là maintenant c'est lequel qui passe ? avait-il insisté.

Toujours plongée dans son magazine elle l'avait ignoré.

J'ai dit c'est lequel ? avait-il répété encore une fois.

Pour le coup elle avait levé les yeux et soutenu son regard un moment avant de répondre qu'est-ce que ça peut faire ? et de retourner à sa revue.

Elle a raison avait-il pensé. Ça n'a aucune importance.

Il s'était engagé dans le couloir. Sur sa gauche la salle 1. Sur sa droite la 2 plus petite et la minuscule salle des Couples. Tout était exactement comme avant. Il était entré dans la 1 et avait laissé ses yeux s'accou-

tumer à la pénombre. Il y avait une demi-douzaine de spectateurs disséminés dans la salle. Le visage éclairé par l'écran. Chacun exilé dans ses propres fantasmes.

Le film projeté paraissait plus moderne que ceux dont il gardait le souvenir. Manifestement réalisé avec des techniques différentes. Des technologies différentes aussi. Les images n'avaient plus de grain et n'étaient plus interrompues par des coupures résultant d'un montage bâclé. Les scènes étaient tournées caméra à l'épaule et chaque plan était d'une telle netteté qu'il en paraissait presque irréel.

Quant aux femmes elles étaient toutes minces toutes bronzées toutes rasées. Pubis glabre et cheveux lisses. Il n'y avait plus ni buissons broussailleux ni permanentes. Les temps avaient changé. À présent elles portaient des strings des talons hauts fluo et leurs seins ronds bougeaient à peine. Et il n'était plus question de moustaches ni de torses velus chez les hommes qui les besognaient en grognant. Ils étaient imberbes et sculptés par la musculation. Et tatoués. Et aussi concentrés sur leur tâche que des laboureurs.

Les scènes se déroulaient dans des discothèques vides dans des voitures de sport dans des ruelles ou dans des salles de gym. Des endroits détournés de leur fonction première.

À son entrée la femme à l'écran s'occupait de deux hommes à la fois. Elle était blonde et déjà d'un certain âge. Elle les prenait dans sa bouche à tour de rôle. Il y avait beaucoup de salive.

Il avait regardé cette scène-là puis la suivante où une Noire et un Blanc coiffé d'une casquette de base-ball et arborant un motif celtique tatoué autour d'un bras s'envoyaient en l'air sur le canapé dans un appartement. Rutter n'aurait su dire de quelle nationalité *ils étaient vu qu'ils ne prononçaient pas un mot. Ils avaient enchaîné mécaniquement les positions pendant de longues minutes.*

Il avait fini par s'assoupir.

À son réveil il avait froid. Sur l'écran une femme aux petits seins et aux cheveux noirs introduisait un gode dans les fesses d'une femme à quatre pattes en pleine nature par une belle journée ensoleillée. Quand cette dernière avait tourné la tête il s'était aperçu qu'il s'agissait en réalité d'un homme avec une queue-de-cheval.

Il avait bâillé. Il avait envie d'une cigarette.

Il avait tenté de se concentrer sur ces actes d'humiliation pour ne pas penser à la ferme. Il était en sécurité dans ce cinéma. Il en faisait partie – tout comme le X faisait partie de lui. Il était un des rouages de la machine ; on lui avait donné l'occasion de le prouver. Plus rien ne serait pareil maintenant qu'elle était tombée sur la glace. Sa mère. Il s'était dit que ce n'était pas la fin mais au contraire un nouveau départ pour lui.

*

On ne voit rien depuis la route.

Mace demande au chauffeur de taxi de le déposer à environ huit cents mètres de sa destination et au début il se dit qu'on l'a peut-être mal informé ou qu'il s'est trompé en notant les indications. Il s'engage néanmoins sur un chemin creusé d'ornières qui traverse une vaste pinède. L'atmosphère y est sombre et étouffée ; une cathédrale de verdure où règne un silence absolu. Un silence de mort. De chaque côté du chemin le sol est recouvert d'aiguilles desséchées de souches pourries de racines entrelacées d'arbres morts et de plaques de mousse.

Les médias mettent déjà le paquet sur l'Aimable Larry. De nombreux journalistes et rédacteurs attendaient depuis longtemps ce moment ; certains ont fait toute leur carrière en espérant trouver autre chose que des ragots sur Lister. Aujourd'hui ils ont assurément de la matière pour leurs articles : les allégations récentes au terme d'une exceptionnelle longévité à l'écran ; ses récompenses sa mobilisation pour les œuvres de bienfaisance et son apparence excentrique. Et toutes les rumeurs de sombres secrets qui n'étaient jamais évoquées qu'à voix basse devant une pinte dans les arrière-salles des pubs aux alentours de Fleet Street depuis des années. Des rumeurs d'amitiés entretenues avec les puissants les intouchables dans les médias la politique et le clergé. Mais on ne formule pas d'accusations par écrit sans avoir au préalable chargé une petite armée d'avocats de tout éplucher.

Même encore maintenant tous les journaux doivent faire attention à ce qu'ils impriment – en particulier une feuille de chou régionale aussi modeste que le *Mercury*. Ce n'est pas pour rien que Lister était également connu autour de Chancery Lane sous le surnom de Larry les Litiges.

Mais ce que les scribouillards au niveau national ignorent – et par conséquent ce qui donne l'avantage à Roddy Mace – c'est l'existence de cette planque dans les Dales. L'endroit que Lister a réussi à cacher à tout le monde sauf à quelques habitants du bourg qui pour des raisons inconnues n'ont pas non plus ébruité la chose.

Le cottage se niche au fond d'une clairière. De toute évidence il était là bien avant les arbres qui ont été plantés tout autour comme pour l'enfermer et l'emprisonner. L'isoler du monde extérieur. Mace songe aux contes de Grimm. À *Hansel et Gretel*. Aux maisons en pain d'épice et aux présentateurs télé.

Celle-ci se situe à environ cinq kilomètres de la ville tout en haut d'un chemin qui va en rétrécissant – dans une sorte d'impasse au milieu de la végétation qui la plonge pour moitié dans l'ombre.

Mace a exploré d'autres pistes sans aboutir nulle part. Ses sources locales se sont taries. Il a bien essayé d'appeler Roy Pinder un peu plus tôt sur le trajet – avez-vous un commentaire à faire sur la possibilité que Larry Lister possède une maison dans la vallée ? – mais il s'est entendu répondre : Officiellement ? Allez vous faire foutre pauvre tache.

Et quand il a suggéré pourquoi pas officieusement alors ? Pinder lui a raccroché au nez.

*

Les rideaux sont tirés mais il y a une voiture garée dans l'allée gravillonnée. Un modèle sport rapide. Une MG bleue qui semble assez récente. Mace regarde par les vitres teintées et voit des boîtiers de CD sur le siège passager : Tiny Tim et Noel Coward ; Slade et Bucks Fizz. Des bons. Noddy et Jay et Cheryl et la bande. Il n'y a rien d'autre dans l'habitacle.

Il prend une photo de la plaque d'immatriculation puis va frapper à la porte. Le heurtoir est un renard en cuivre dont il faut soulever la queue. Il le laisse tomber une première fois compte jusqu'à dix et le laisse de nouveau tomber. Pas de réponse. Mace longe les fenêtres en façade puis le côté de la maison où se dresse un garage – fermé – et débouche à l'arrière. Il s'approche d'une petite fenêtre. Place ses mains en coupe de chaque côté de ses yeux et scrute l'intérieur. Aperçoit un couloir.

Une rampe en bois. Une photo encadrée de la reine lors de son couronnement. Un portemanteau auquel sont suspendus un pardessus et une casquette de base-ball. Il se dévisse le cou pour tenter de voir plus loin. Distingue une porte ouverte donnant sur ce qui semble être une cuisine vide. Un tapis marron miteux.

Son regard tombe sur une photo de Larry Lister occupant le faux trône incrusté de joyaux dans lequel il présentait l'émission *Uncle Larry's Party*. Il est entouré d'enfants souriants. Il porte une chemise verte une cravate violette et un chapeau au sommet duquel est fichée une canette de Coca d'où part une longue paille incurvée qu'il aspire en levant des pouces triomphants.

Il louche.

*

Brindle garde ses distances. Les virages lui permettent de ne pas se faire remarquer et à deux ou trois reprises il perd Rutter de vue mais il ne s'inquiète pas : il n'y a que des champs aux alentours.

Il a presque l'impression de sentir son odeur.

Au moment où il prend Hareton Lane en direction de la ville il aperçoit une silhouette familière devant lui. Un homme à pied qui tient une canette dans une main et un sac dans l'autre.

Brindle pile en arrivant à sa hauteur. Les pneus crissent. Il baisse sa vitre.

Monte.

Mace se retourne regarde la voiture et paraît déconcerté.

Pourquoi ?

Je file Rutter.

Et ?

Bon d'accord je suis désolé. Pour ce que j'ai dit. Monte.

Après avoir hésité un instant Mace hausse les épaules et s'installe sur le siège passager.

T'as entendu la nouvelle ? demande-t-il. Pour Lister.

Il a été libéré sous caution c'est ça ?

Non il a été refroidi.

Il est mort ?

C'est une autre façon de le dire.

T'as appris ça quand ? interroge Brindle.

Tout à l'heure à la radio.

Qu'est-ce qui s'est passé ? C'est un suicide ?

Ils n'en savent rien.

Ils restent silencieux un moment puis Mace déclare :

Et merde. Autant que je te révèle le meilleur puisque tu m'as déjà fauché toutes mes infos : Lister avait une baraque par ici. Et Roy Pinder lui rendait régulièrement visite. Ils étaient en affaires semble-t-il. Ou l'avaient été à une époque.

Quel genre d'affaires ?

Pour le coup je l'ignore. Rien de reluisant j'imagine.

Ils suivent la route qui s'enfonce dans la vallée.

Quoi qu'il en soit j'ai vu sa planque reprend Mace. J'y suis allé.

Quand Brindle négocie un virage ils aperçoivent le pick-up de Rutter une centaine de mètres devant eux qui maintient une vitesse constante de soixante kilomètres heure.

Les deux hommes ne disent plus rien. De temps à autre Mace avale une gorgée de bière.

Au bout de quelques minutes Brindle appelle la Chambre froide.

C'est vrai pour Larry Lister ? demande-t-il au téléphone. Qu'est-ce que tu sais ? Oui c'est ce qu'ils ont

315

dit à la radio. Mais nous on n'a rien d'autre ? Alors tâche d'en apprendre plus. Non pas lui. Ne lui en parle pas. On ne peut pas lui faire confiance. Renseigne-toi directement et rappelle-moi. Et surtout pas un mot dans l'intervalle. À personne. J'aurais besoin que tu regardes aussi du côté de ses finances. Et des propriétés qu'il possédait. Hein ? Non aucune idée. Et reste discret OK ?

Puis il raccroche.

Il s'est probablement suicidé pour ne pas affronter la justice déclare Mace. Toutes ces filles. Ces gamins. À mon avis c'est ce qui s'est passé. Il a préféré emporter ses secrets dans la tombe.

Ça on ne peut pas en être sûr.

Ils traversent de minuscules villages des Dales dont le nom ne leur dit rien. Ils paraissent hostiles et rébarbatifs. Fermés au monde.

La route leur fait franchir la rivière une deux trois fois et au passage Brindle jette des coups d'œil furtifs aux berges de gravier et aux étendues peu profondes où mousse l'écume. Des truites les sillonnent comme du vif-argent. Mace tripote la languette de sa canette.

À ton avis qui est le père ? demande-t-il soudain.

Hein ?

Melanie Muncy. Qui est le père de son gosse ?

Aucune idée répond Brindle. J'ai trouvé un test de grossesse dans ses affaires mais ça ne veut rien dire.

De la route ils voient la rivière s'élargir et le courant ralentir. Ici et là ils aperçoivent un pêcheur posté sous les branches des saules qui effleurent délicatement la surface. Mace boit sa bière et Brindle s'éclaircit la gorge et compte d'abord les arbres ensuite les lignes blanches puis les plaques réfléchissantes jusqu'au moment où ses yeux fatiguent et le brûlent et où la nausée le gagne.

Rutter traîne toujours autour du hameau et du bourg ou sur la lande observe-t-il.

Exact.

Du coup c'est peut-être significatif

Quoi ?

Qu'il quitte la vallée aujourd'hui répond Brindle.

Mace lui oppose un regard sceptique.

J'ai une intuition ajoute le policier.

J'avais cru comprendre que tu ne croyais pas aux intuitions.

J'ai tendance à varier mes méthodes ces derniers temps.

Ils longent des parcs à caravanes bordés de pins et des forêts plantées sur les versants quelques décennies plus tôt. Quinze ou vingt minutes plus tard la vallée s'élargit et s'aplanit et des maisons apparaissent sur les bas-côtés. La rivière n'est plus visible mais le pick-up de Rutter est toujours devant eux.

Brindle laisse d'autres voitures s'interposer.

T'as changé ta roue au fait ? lance Mace.

Le policier le regarde. Reporte son attention sur la route. Le regarde de nouveau.

J'ai tout de suite su que c'était toi.

Faux affirme Mace. T'en savais rien.

Ils roulent à présent le long de terrains de golf et de maisons de retraite puis ils pénètrent dans une banlieue. Rutter ne s'y arrête cependant pas et bientôt ils s'engagent sur l'autoroute en direction du sud mais Brindle n'a aucun mal à garder le pick-up en vue dans la mesure où il ne semble pas capable de dépasser les quatre-vingts kilomètres heure. Il laisse la distance entre eux s'accroître. Agrippe plus fermement le volant et essaie de ne pas compter les réverbères qui s'inclinent

au-dessus d'eux tels des hérons géants guettant le poisson au bord d'une mare.

La canette de Mace est vide. Il l'a posée entre ses
cuisses.

Pourquoi tu m'as emmené au fait ? demande-t-il.

Parce que je te dois une faveur répond Brindle.

Oh que oui. N'oublie pas que je suis ton seul allié
ici. Tout le monde t'a pris en grippe au village. Et au
poste ils te détestent encore plus. Ils te méprisent.

Brindle jette un coup d'œil dans le rétroviseur et
hausse les épaules.

Ça ne te dérange pas ? s'étonne Mace.

Quoi ? Qu'on me déteste ?

C'est ça. De susciter l'hostilité de tes pairs.

Ce ne sont pas mes pairs.

De tes collègues alors.

Ce ne sont pas mes collègues non plus. Ce sont juste
des policiers que je ne reverrai sans doute jamais. Quant
à Roy Pinder il est dans un sacré merdier ; quand j'en
aurai fini avec lui il n'existera même plus pour moi.
Ses jours sont comptés.

En attendant ils te considèrent tous comme un sale con.
Et ?

Mace tourne la tête vers lui et éclate de rire.

Brindle lui coule un bref coup d'œil et Mace croit
discerner l'ombre d'un sourire sur ses lèvres.

C'est peut-être vrai après tout.

Oh ça ne fait aucun doute confirme Mace. Mais de
toute évidence ça ne t'empêche pas de dormir la nuit.

Brindle porte la main à son nœud de cravate. Le
tripote. Le rajuste.

Un million de choses m'empêchent de dormir la nuit
dit-il. Mais ce que les gens pensent de moi n'en fait
pas partie.

*

La nuit où sa mère était tombée dans la cour verglacée il avait passé des heures à l'Odeon X. Il avait d'abord regardé la suite de Quatre heures *avec des* MILF chaudasses *puis s'était accordé un café et une cigarette avant d'entrer dans la salle 2 voir* L'Antre de la dépravation *tandis qu'autour de lui des vieillards se masturbaient. Certains portaient des bas d'autres non. L'un d'eux manifestement ivre commentait à la fois le film et ce qui se passait parmi les spectateurs.*

À la fin de la séance les autres étaient partis mais lui n'avait pas bougé et s'était replongé dans L'Antre de la dépravation.

Au bout d'un moment il s'était assoupi et avait été réveillé par quelqu'un qui lui tapait sur l'épaule. En ouvrant les yeux il avait reconnu la lèvre tordue de Skelton penché sur lui.

Il s'était levé et l'avait suivi docilement hors de la salle puis en bas dans le labyrinthe sous le cinéma. Aucune parole n'avait été échangée. Skelton l'avait conduit jusqu'à une pièce au fond où il n'était encore jamais entré. Une solide porte métallique y donnait accès et l'intérieur ressemblait à une vaste cellule de prison sauf qu'il y avait un tapis et un portant auquel étaient suspendus des vêtements. Une veste de smoking et plusieurs nœuds papillon. Une photo de la princesse Diana arrachée à un magazine était punaisée au mur de brique peint.

Asseyez-vous avait ordonné Skelton. On va attendre.

Quelques minutes plus tard Larry Lister les avait rejoints.

Tiens tiens avait-il lancé. Ainsi c'est vous le porcher.

Rutter s'était redressé.

Oui.

On s'est déjà rencontrés ?

Oui.

Larry Lister ne semblait pas aussi chaleureux qu'à la télé. Il paraissait différent sans son sourire forcé.

Je suis allé faire un tour dans votre coin avait-il déclaré. Dans la vallée. C'est sauvage là-haut. Très beau. Oui c'est ça un bel endroit où se réfugier. Alors quelles nouvelles de notre relation commune ?

De qui ? avait demandé Rutter.

Vous savez bien : votre ami qui est aussi le nôtre. Le coq de la décharge. Raymond Muncy.

Muncy ?

Lister avait jeté un coup d'œil à Skelton.

Il lui manque une case à ce garçon ou quoi ?

Répondez avait dit Skelton à Rutter.

L'air déconcerté celui-ci avait reniflé.

Je savais pas que vous étiez copain avec Muncy.

Ce n'est pas le cas avait répliqué Lister. En fait c'est même tout le contraire. Il semblerait que M. Muncy soit un moralisateur. Qu'il préfère agir tout seul dans son coin. En solitaire si vous voyez ce que je veux dire.

Rutter s'était borné à le dévisager.

Nous l'avons accueilli parmi nous pour qu'il puisse goûter à nos plaisirs mais ensuite il nous a tourné le dos avait continué Lister. C'était sacrément embarrassant pour Roy Pinder. Alors aujourd'hui Muncy connaît nos secrets et ça ce n'est pas acceptable. Surtout compte tenu des atteintes à ma réputation. Ça ne va pas du tout. Vous comprenez ?

Je crois avait répondu Rutter.

Non vous ne comprenez rien du tout mon garçon avait rétorqué Lister. Mais heureusement pour vous M. Hood a dit que vous nous aviez rendu de précieux services.

Il avait haussé les épaules

Il a dit aussi que vous aimiez bien vous amuser avec les restes. C'est vrai ?

Une nouvelle fois Rutter s'était retranché dans le silence. Il contemplait le tapis près de la porte.

Ne soyez pas timide mon gars. On a tous nos faiblesses. C'est d'ailleurs pour ça que cet endroit existe. Vous devriez le savoir. Alors vous ne répondez pas ?

Rutter avait fait non de la tête.

Bien avait approuvé Lister. La discrétion ça me plaît. Muncy parle trop mais pas vous. Tenez prenez une cigarette fiston.

Il avait tiré un paquet de sa poche et lui en avait proposé une. Rutter avait décliné d'un signe de tête.

Allez-y prenez-en une.

Au moment où Rutter secouait de nouveau la tête Larry Lister avait répété prenez-en une d'un ton si impérieux qu'il n'avait pas osé refuser. Puis tout de suite après Lister lui avait demandé comment va votre mère ? et il avait été pris de court parce qu'il n'avait jamais imaginé que l'Aimable Larry Lister puisse posséder la moindre information sur lui sa mère la ferme ou les cochons.

On doit tous veiller sur nos mères parce que ce sont elles qui nous ont mis au monde avait poursuivi le présentateur. Sans elles on ne serait rien. Et on ne laisse jamais tomber les siens.

Rutter l'avait dévisagé en se demandant si Lister et Skelton et même Hood étaient au courant de ce qui venait de se produire à la ferme. Mais comment

*auraient-ils pu l'apprendre ? Pinder l'avait-il fait sur-
veiller ?*

*Vous vivez tout près de chez lui avait repris Lister.
Ray Muncy a une fille pas vrai ?*

Sûr.

Vous la connaissez ?

*Je l'ai déjà vue avait répondu Rutter en haussant
les épaules.*

Souvent ?

Elle va à l'école ailleurs.

Mais elle revient à la maison non ?

Nouveau haussement d'épaules.

*Ce n'est décidément pas facile de lui tirer les vers du
nez avait dit Lister à Skelton. Et d'ajouter à l'adresse de
Rutter : Quoi qu'il en soit vous savez qui est cette fille ?*

Oui.

*Bien. M. Hood semble convaincu que vous ne nous
laisserez pas tomber.*

*Sur ces mots Larry Lister avait fait tout un sketch
pour allumer une cigarette avec une allumette et en
tirer quelques bouffées.*

*Montrez-vous loyal envers nous mon gars et vous
obtiendrez tout ce que vous désirez comme ç'a été le
cas pour moi avait-il déclaré d'un ton solennel. Vous
ne voudriez quand même pas vous faire des ennemis
ici hein ?*

*Pas comme cet enfoiré de Muncy était intervenu
Skelton.*

*Non ce ne serait pas dans votre intérêt avait confirmé
Lister.*

*Parce que les connards dans son genre ont besoin
d'une bonne leçon avait ajouté Skelton.*

*Lister avait plongé les mains dans les poches de son
pantalon de survêtement et en avait retiré une poignée*

de badges. Après les avoir agités dans sa paume il en avait choisi un.

Tenez c'est pour vous. Vous êtes un brave garçon.

Il l'avait lui-même épinglé sur la chemise molletonnee de Rutter.

On vous contactera avait dit Skelton. Peut-être dans une semaine ou peut-être l'année prochaine mais vous aurez de nos nouvelles.

Rutter avait baissé les yeux vers le badge.

Tout ce que vous désirez avait répété Lister. Tout ce que la vie a à offrir.

Sans un mot Rutter avait tourné les talons et quitté la pièce.

*

Ce n'est pas un suicide déclare Brindle en rangeant son téléphone.

Hein ?

Lister ne s'est pas suicidé. Je viens d'avoir l'info.

Ah bon ? s'étonne Mace. Alors de quoi il est mort ?

Une langue dans le trou de balle.

Hein ? Ça signifie quoi ça ? C'est un code entre flics ?

Il avait la langue coupée et fourrée dans le cul.

Aïe.

Comme tu dis.

Les deux hommes gardent le silence quelques instants. Mace est le premier à le rompre :

C'est une blague ?

Tu m'as déjà entendu blaguer ?

Mais est-ce qu'on peut mourir de… ?

Manifestement. En tout cas c'est symbolique. Et pratique : si tu coupes la langue de quelqu'un c'est pour l'empêcher de parler. Les gangs mexicains font ça pour que leurs victimes ne puissent pas les balancer. C'est un bon moyen de s'assurer de leur silence. D'inspirer la peur.

C'est surtout moyenâgeux l'interrompt Mace. Non – biblique plutôt. Digne de l'Ancien Testament. *La langue est un mal qu'on ne peut réprimer ; elle est pleine d'un venin mortel.*

Je n'aurais jamais cru que t'étais du genre à aller à la messe observe Brindle.

Je n'y vais pas. Mais j'ai une très bonne mémoire.

Mace a maintenant bien entamé sa bouteille de vodka.

En même temps c'était prévisible fait-il remarquer. On se doutait tous qu'un jour ou l'autre il finirait par l'avoir dans le cul.

Je savais que t'allais dire ça réplique Brindle.

Et moi je savais aussi que t'allais dire ça.

*

Il était resté à l'Odeon X jusqu'à deux heures du matin. Quand il était sorti dans la rue le froid l'avait immédiatement assailli. Dans une gargote dont l'éclairage trop cru faisait mal aux yeux il avait acheté des frites et un soda à l'orange qu'il avait avalés dans son pick-up en regrettant de ne pas avoir choisi plutôt une boisson chaude.

Pour dégivrer le pare-brise il avait dû laisser le moteur tourner un long moment. Le fond sirupeux de son soda posé sur le tableau de bord commençait déjà à geler. La fumée de sa cigarette se mêlait à la vapeur de son souffle et dans cette partie de la ville tout était silencieux.

Il avait roulé jusqu'au bout de la nuit. Emprunté des portions d'autoroute. Une voie express. Il s'était arrêté prendre de l'essence avec sa carte de crédit avait soigneusement rangé le reçu et s'était assuré qu'il était filmé par les caméras de surveillance. Il avait ensuite sillonné des petites routes de campagne le chauffage poussé à fond et traversé des villes et des villages où il n'était jamais allé auparavant.

À un moment il s'était retrouvé dans une banlieue où les maisons les voitures et les jardins se déclinaient tous sur le même modèle. Un environnement ordonné propre entretenu et uniforme. Il s'était perdu dans un dédale de rues et de culs-de-sac avec l'impression d'être le dernier survivant de la planète.

Il s'était enfoncé dans des vallons inconnus des vallées enténébrées. Avait traversé de vastes étendues de lande.

Les yeux rivés sur la route il laissait son instinct le guider.

Les premières lueurs de l'aube l'avaient ramené chez lui. La lumière du jour semblait lui dire que l'heure était venue de rentrer. Que la nuit le froid et le verglas avaient conspiré pour faire ce dont il n'avait jamais été capable : réduire sa mère au silence. Que c'était terminé. Fini. Qu'elle était partie.

Il était encore tôt quand il était remonté au hameau. Dans l'air glacé et piquant le givre formait une pellicule brillante sur les clôtures les murets de pierre et les dalles des toits.

Un seul endroit était éclairé : le bureau de poste tenu par Brian et Sheila Laidlaw.

Il s'était engagé en première sur le chemin de la ferme. Ses pneus dérapaient sur le verglas. Il avait envisagé de faire demi-tour et de s'en aller. De disparaître pour ne plus jamais revenir.

Il ne voulait pas voir la silhouette maternelle affalée et gelée. À partir de là il faudrait mettre en branle un processus qui ne l'intéressait pas.

Une fois garé sur le côté de la maison il avait encore fumé une cigarette avant de descendre et de prendre de profondes inspirations. Et quand il avait enfin débouché dans la cour il avait découvert...

Rien. Un espace vide à l'endroit où elle était tombée. Elle n'était plus là.

Sa mère n'était plus là.

Il avait regardé la bâtisse. Aucune lumière ni aucun mouvement à l'intérieur.

Il s'était gratté la tête. Avait ôté son bonnet ébouriffé sa tignasse humide. Puis le coq avait commencé à chanter.

Ta gueule avait-il ordonné.

Alors qu'il cherchait sa blague à tabac dans sa poche de poitrine ses doigts s'étaient refermés sur le badge. Il montrait le visage souriant de Lister au milieu d'une étoile avec dessus la formule Souriez – et la chance vous sourira.

C'est le facteur qui l'avait trouvée.

Il était rare qu'il engage sa camionnette sur le chemin verglacé jusqu'à la ferme à cette époque de l'année mais il l'avait fait ce matin-là.

Aggie Rutter avait commandé une nouvelle blouse dans un catalogue et il avait besoin d'une signature sur le reçu.

Le jour n'était pas encore levé lorsqu'il avait vu le corps dans la cour. Sur le coup il l'avait pris pour un tas de bois mais quelque chose l'avait poussé à aller vérifier.

Quand il avait cherché le pouls il avait senti les battements – à peine. Il avait frappé à la porte de la maison

*mais comme personne ne répondait il avait recouvert
la blessée de son manteau et d'une demi-douzaine de
sacs postaux vides puis il avait dévalé la pente jusqu'au
bureau de poste de Brian et Sheila Laidlaw.*

*Sl ça se trouve elle est restée là toute la nuit leur
avait-il dit.*

*Ils avaient appelé les secours puis Brian et lui étaient
remontés à la ferme avec d'autres couvertures.*

*L'ambulance était arrivée une heure et vingt minutes
plus tard. Aggie Rutter souffrait d'hypothermie et d'une
grave fracture du crâne.*

*Le choc à la tête avait causé un anévrisme et plus
tard ce même jour dans son lit d'hôpital elle avait fait
plusieurs attaques. Elle ne devait plus jamais parler.
Elle avait ensuite attrapé une pneumonie et subi un
pneumothorax. De quoi tuer n'importe qui d'autre.*

*Pourtant son cœur avait continué de battre. Les soins
intensifs l'avaient accueillie pendant trois semaines puis
elle avait passé quatre mois sous surveillance à l'hôpital. Elle avait ensuite été transférée dans un établissement pour les invalides les infirmes et les malades
en phase terminale. Soins assurés vingt-quatre heures
sur vingt-quatre. Les frais étaient prélevés sur le futur
héritage de Rutter qui n'aurait bientôt plus que la maison à son nom. Il avait reçu des lettres d'un comptable
souhaitant lui parler de questions financières mais il
les avait flanquées à la poubelle. Au bout d'un moment
les courriers avaient cessé d'arriver.*

*

Le téléphone de Brindle sonne de nouveau. Il
décroche sans rien dire. Se contente de hocher la tête
puis déclare oui. Et encore oui. OK. Tu es sûr qu'il y

a les empreintes de Lister dessus ? On peut prouver que ça lui appartenait ? Quand ça ? OK d'accord. C'est logique. Bon maintenant il faudrait que tu te penches sur ses fonds. Tâche de savoir quels étaient ses revenus d'où il les tirait et ce qu'il en faisait. Entre en contact avec l'équipe qui enquête sur les différentes plaintes contre lui – ils ont probablement une longueur d'avance. N'oublie pas de dire que c'est pour la Chambre froide. Mentionne Tate. Mentionne mon nom si nécessaire mais débrouille-toi pour mettre la main sur ces infos. J'aurais aussi besoin que tu me fasses d'autres recherches. Oui. Roy Pinder. *Pinder*. C'est un flic. Non ne t'inquiète pas ce n'est pas l'un des nôtres. Là encore tu fouilles du côté de ses investissements de ses revenus et de ses comptes. La totale. Oui. Merci. Le plus tôt possible.

Après avoir coupé la communication l'inspecteur se tourne vers Mace.

Les dominos vont bientôt tomber conclut-il. Les uns après les autres.

9

Ils avalent les kilomètres sur l'autoroute. Mace est ivre et Brindle nerveux. De part et d'autre s'étendent des terres arables. La journée s'annonce lumineuse.

Des repères familiers défilent derrière les vitres. La caserne militaire. La station-service avec le parking réservé aux poids lourds où Brindle et une équipe avaient un jour surveillé un règlement de comptes matinal entre deux familles gitanes rivales. Ils avaient attendu que leur suspect – dont ils ne connaissaient que le surnom Yarm Kenny – ait été laissé pour mort puis ils avaient menotté ses poignets brisés et l'avaient arrêté dans le cadre d'une autre enquête pour homicide. C'était plus facile comme ça.

Ils voient des carrières abandonnées. Une guérite et les hauts murs d'enceinte d'une propriété délabrée. Brindle qui conduit garde un œil sur la ligne blanche et l'autre sur le compteur de vitesse.

Au bout d'un long moment des panneaux de signalisation indiquent plusieurs sorties. Rutter en choisit une et Brindle le suit.

Il reste cependant à distance prudente. Il est soulagé de se retrouver en territoire plus familier. Là-haut dans les Dales il y a trop d'espace trop de silence. Des choses pourrissent à l'insu de tous. En ville au moins la pourriture est visible. Il y a des yeux derrière chaque fenêtre et tout se passe à la surface. Chacun est un témoin potentiel.

Tu avais raison pour Lister déclare Brindle. Pour sa planque.

Je sais réplique le journaliste. Je te l'avais dit.

En ce moment même la Chambre froide renseigne les enquêteurs chargés de cette affaire.

Mace cherche sa bouteille de vodka dans sa poche. Il la débouche avale une gorgée puis la tend au policier qui secoue la tête. Quelques instants plus tard pourtant Brindle tend la main s'en empare et boit lui aussi. Grimace. Mace sourit.

C'est peut-être le moment pour toi de me remercier non ?

Le téléphone de Brindle sonne. Il prend la communication et écoute.

T'en es sûr ? Tu peux me répéter le nom ? T'en es bien certain ? OK.

Il raccroche.

C'était qui ? demande Mace.

Un des meilleurs. C'est bon on a notre lien.

C'est-à-dire ?

Lister faisait partie du conseil d'administration d'une société. De plusieurs même – une bonne dizaine apparemment. Mais une seule verse à Roy Pinder un revenu trimestriel : Blue Kingdom.

Jamais entendu parler.

Elle possède des biens immobiliers en ville – un club une salle de billard un cinéma – mais pas grand-chose d'autre. C'est sûrement une façade. Elle a également effectué des transactions sous le nom de Cellar Entertainment en attendant elle n'a jamais payé d'impôts.

C'est une entreprise fictive. Ou une couverture pour quelque chose qui doit impliquer l'Aimable Larry Lister.

Devait impliquer songe Mace.

Soudain sans prévenir Rutter s'arrête le long du trottoir. Ils sont en pleine ville à présent dans une ruelle latérale dont Brindle ignore le nom. Il continue à rouler comme si de rien n'était. Une centaine de mètres plus loin il fait demi-tour devant un centre de contrôle technique puis revient vers Rutter.

Qu'est-ce qu'il fabrique ? demande Mace.

Brindle se gare à distance.

Rutter descend de son pick-up puis monte sur le trottoir et lève les yeux. Tend le cou. Examine un imposant bâtiment en pierre qui était peut-être autrefois une banque ou le siège d'un cabinet comptable ou encore une salle de spectacle. Les ornements d'origine sont toujours en place sur la façade mais souffrent d'un manque évident d'entretien.

L'incongruité de la présence de Rutter en ville frappe Brindle. Ça lui fait un drôle d'effet de le voir au milieu de la pagaille urbaine. Amoindri par les panneaux publicitaires les immeubles et l'architecture alors qu'il sème la boue des Dales sur les trottoirs fissurés. Il n'est pas à sa place.

Un autre aspect de lui l'intrigue qu'il n'identifie pas tout de suite. Puis un déclic se produit dans sa tête : Rutter est habillé différemment. Il a changé de vêtements pour la première fois depuis que Brindle le surveille – pour la première fois depuis des semaines. Il a troqué sa chemise crasseuse à carreaux bleus contre une à carreaux rouges un peu moins sale et un peu moins élimée. Il n'a pas coiffé non plus son habituel bonnet de laine. Le pantalon est peut-être le même les bottes en caoutchouc le sont indéniablement mais de leur poste d'observation de l'autre côté de la rue il leur paraît un peu moins malpropre. Comme s'il avait fait un effort particulier en prévision de cette visite.

Mace semble frappé par la même pensée.

Il ne porte pas les mêmes fringues déclare-t-il.

Oui.

À ton avis qu'est-ce qu'il a en tête ?

Aucune idée.

Ils regardent Rutter tendre de nouveau le cou puis se gratter la tête. Se tourner vers la rue et la scruter dans les deux sens avant de reporter son attention sur l'édifice. Il semble déconcerté. Ils le voient ensuite gravir le perron de pierre jusqu'à la porte en bois et essayer de l'ouvrir. Elle est manifestement verrouillée. Alors il redescend retourne vers son pick-up s'installe au volant et démarre.

Une minute plus tard Mace et Brindle se tiennent devant la façade.

La négligence et le climat du Yorkshire se sont associés à la pollution urbaine pour la noircir. Quelle qu'ait été la fonction initiale du bâtiment ce n'est plus aujourd'hui qu'une carcasse vide. Un panneau y a été apposé mais il est trop haut pour qu'ils arrivent à lire les inscriptions dessus.

Qu'est-ce qu'il dit ce panneau ? demande Brindle.

Attends.

Mace recule prend une photo avec son téléphone et agrandit la pancarte – un simple rectangle de plastique sur lequel figurent des caractères islamiques imprimés en bleu sur fond blanc et dessous un nom :

MOSQUÉE ABU MADINA

Suit un numéro de téléphone. Mace montre la photo à Brindle.

Pas vraiment l'image de l'opulence commente-t-il. Tu sais comme ces constructions récentes avec de jolis minarets financées par des nouveaux riches.

Le policier étudie de nouveau le bâtiment.

Il est décrépit observe-t-il.

Je comprends mieux pourquoi t'as été promu inspecteur ironise Mace.

Il va falloir que j'envoie quelqu'un à l'intérieur.

Le téléphone de Brindle sonne. Il décroche. Garde le silence. Mace ne le quitte pas des yeux. Brindle écoute toujours. Puis il raccroche.

*

Ils ne suivent pas Rutter.

Brindle sort de la ville pour prendre l'autoroute et parcourir les soixante-cinq kilomètres jusqu'à la Chambre froide.

On va où ? demande Mace.

Comme le policier ne répond pas il grommelle :

Génial. C'est pas comme si j'avais des tas de trucs à faire.

La nuit n'est pas encore tombée mais la lune est déjà visible – énorme dans un ciel de printemps qui rosit au crépuscule.

Après avoir roulé un moment ils s'engagent dans ce qui ressemble à une zone industrielle. S'y enfoncent et abordent un rond-point. Les routes sont désertes ; il n'y a ni véhicules ni piétons. Brindle poursuit son chemin à travers un labyrinthe de bâtiments trapus et finit par se garer près de l'un d'eux. L'extérieur ne révèle rien. Il pourrait tout aussi bien s'agir d'une usine de pots d'échappement d'une imprimerie spécialisée dans les catalogues ou d'une fabrique de plats congelés.

On est où ? lance Mace.

Là où je voulais aller répond Brindle.

C'est bien ce que je me disais.

Ils franchissent des portes vitrées et Brindle sort de sa poche une carte qu'il scanne pour actionner un tourniquet qui se referme derrière lui. Puis il se dirige vers un petit portillon latéral passe de nouveau sa carte devant le lecteur et fait signe à Mace d'avancer.

Après avoir poussé d'autres portes ils gravissent un escalier.

Alors c'est là que tu bosses ? lance Mace. C'est le placard où on t'a envoyé ?

Question de discrétion dit Brindle.

Ben je vous plains tous. Coincés ici au milieu de nulle part...

Tu peux parler.

Je préfère de loin les crottes de mouton et une bonne bière des hautes terres rétorque Mace. Cet endroit est mort. Un vrai désert. Un cauchemar de chrome et de verre.

Brindle le guide dans les couloirs et pour finir ils débouchent au dernier étage dans un immense open space.

Il n'y a personne ? s'étonne Mace.

Ça va peut-être te surprendre mais les autres enquêteurs ont une vie réplique Brindle. Des femmes énervées à calmer et des gosses à nourrir.

Il va remplir d'eau le réservoir d'une cafetière allume la machine y insère une dosette de café. Prend dans un placard un sachet d'Earl Grey pour lui.

T'as besoin d'un café décrète-t-il.

OK. Donc c'est la fameuse Chambre froide. Je comprends mieux pourquoi on l'appelle comme ça. Je parie qu'il y a des macchabées partout. Qu'est-ce qu'on est venus faire ici au juste ?

Essayer d'en savoir plus sur ce bâtiment qui intriguait Rutter répond Brindle.

On aurait pu lancer une recherche sur Internet de n'importe où non ?

J'ai besoin de me montrer au bureau de temps en temps figure-toi.

Sauf qu'il n'y a personne pour te voir.

C'est encore mieux.

C'était qui au téléphone tout à l'heure ?

Un collègue. Un contact.

T'as dit qu'il était à la Chambre froide.

J'ai dit qu'il était de la Chambre froide. Nuance.

T'es vraiment trop zarbi vieux.

Bon j'espère que t'as conscience de l'avalanche d'emmerdes qui pourrait me tomber dessus pour avoir amené un journaliste bourré ici.

J'apprécie la poésie de l'image. Mais je ne suis pas…

Quoi ? Journaliste ?

Bourré. Connard.

Pendant que Mace se sert un café et prépare le thé de Brindle celui-ci se connecte à Internet. Cherche mosquée Abu Madina. Étudie les transactions passées et les différents titres de propriété.

Le journaliste apporte les tasses tire une chaise et s'assoit à côté de lui. Lui tend son thé. Examine le poste de travail. Voit l'ordre l'organisation la propreté. Un système. Un environnement stérile.

Ton bureau est toujours aussi bien rangé ?

Brindle ignore la question.

Ce n'est pas une mosquée.

Comment ça ?

Ça en sera bientôt une. Mais pour le moment rien n'est fait. La pancarte à l'extérieur est une première étape. Le bâtiment a été acquis par un conglomérat musulman. Comme beaucoup d'autres.

Ah. C'est bien ce que je pensais.

Brindle lui oppose un regard vide.

Tiens donc.

Mais quel rapport avec Rutter ? Il n'a rien d'un musulman. Ni d'un propriétaire immobilier. Ni d'un être humain à vrai dire.

Brindle avale une gorgée de thé et grimace quand le liquide brûlant descend dans sa gorge.

Il n'a aucun lien avec la mosquée déclare-t-il.

Sa présence sur place semble pourtant indiquer le contraire souligne Mace.

Il a un lien avec le bâtiment oui. Mais avec ce qu'il était avant. On connaît son avenir mais pas son passé. Tu n'as pas remarqué l'expression à la fois inquiète et surprise de Rutter quand il s'est approché ?

Je lui ai surtout trouvé l'air ahuri. Comme toujours d'ailleurs.

À mon avis il s'attendait à autre chose. Ou espérait autre chose.

Genre ?

Brindle décroche son téléphone fixe et compose un numéro. Attend. Active le haut-parleur puis s'adosse à son siège. Les sonneries se succèdent longtemps avant qu'une femme réponde.

Allô ?

Bonsoir j'aurais besoin de renseignements sur les propriétaires d'un bâtiment explique-t-il.

Je serais heureuse de vous aider monsieur mais le bureau est fermé. Alors si vous pouviez rappeler…

La mosquée Abu Madina dans City Road.

Je vous le répète nous sommes fermés. Si vous pouviez...

Non je ne peux pas.

Eh bien je crains de...

Et vous avez raison.

Pardon ?

Inspecteur James Brindle à l'appareil. Police de Londres. C'est urgent.

Urgent vous dites ?

Plus que ça. Redoutablement urgent.

Mace se fend d'un sourire narquois en secouant la tête.

Le refus de coopérer dans le cadre d'une enquête peut être assimilé à une entrave à la justice assène Brindle.

Oh soupire la femme.

Je suis certain que ça ne vous prendra pas plus de soixante secondes même s'il ne vous reste que deux neurones encore actifs.

La femme soupire de nouveau et marmonne quelque chose. Mace croit entendre connard et réprime un rire.

J'allais rentrer chez moi dit-elle.

On aimerait tous rentrer chez nous rétorque Brindle. Bon voilà il s'agit de la mosquée Abu Madina dans City Road. J'ai besoin de savoir quelle était la fonction de cette bâtisse avant et à qui elle appartenait. Remontez disons sur les cinq dernières décennies.

Il attend un moment. Pas de réponse.

Vous avez compris ?

Oui déclare son interlocutrice. Mais ça va prendre plus d'une minute.

Je vous en donne dix.

Il raccroche et boit son thé.

C'est fou ce que tu peux être chaleureux au téléphone commente Mace. Réconfortant. T'as déjà pensé à faire du bénévolat pour SOS Amitié ?

Dix minutes plus tard exactement la femme rappelle. Brindle ne met pas le haut-parleur cette fois. Il écoute et prend des notes sur un calepin.

Merci pour votre aide conclut-il. Je vous souhaite une bonne soirée.

Il coupe la communication.

Bingo.

*

Et puis un jour Skelton avait cessé de l'appeler. Rutter n'avait plus reçu de messages. Des semaines puis des mois s'étaient écoulés ainsi sans sa mère pour le harceler et sans missions nocturnes. Sans remises de cash non plus.

Aggie Rutter était devenue juste un nom et une enveloppe charnelle. Un débit mensuel. L'ombre avait envahi la ferme et peu à peu la vie l'avait désertée.

Une seule note était parvenue à Rutter. Dactylographiée et envoyée par la poste : Gardez vos distances. Il avait obéi en essayant de ne pas penser aux films ni aux soirées ni à Pinder à Lister à Hood et à tous les autres hommes avec leurs secrets leurs costumes et leurs cigares ; à toutes les choses qu'il avait vues et qu'on lui avait demandé de faire. Il avait gardé ses distances jusqu'au moment où l'envie d'y retourner était devenue irrépressible parce qu'à la ferme il sombrait. Il avait cessé de se laver de manger de soigner les bêtes. Les chiens en liberté hantaient les collines et les cochons enfermés crevaient de faim.

Ces cochons qui s'étaient nourris de la tragédie grattaient maintenant furieusement la terre à la recherche d'un gland oublié ou d'un ver ou de n'importe quoi à se mettre sous la dent et quand les plus faibles tom-

baient les autres se jetaient sur eux. Ils déchiraient d'abord les parties les plus charnues puis dévoraient le reste. Mais la dépouille ne leur assurait qu'un bref sursis. Deux jours plus tard ils recommençaient à couiner. Donnaient des coups d'épaule et de tête contre les planches de l'enclos. Tournaient en rond et parfois tels des prisonniers désespérés tentaient de fuir. Ils griffaient le bois le rongeaient essayaient de creuser dessous. Des gémissements plaintifs s'élevaient dans la nuit auxquels Rutter restait sourd. Il était ailleurs. Chaque porc émacié qui s'effondrait servait de pâture au troupeau de plus en plus restreint. Au fil des semaines seuls les plus féroces avaient survécu. Cinq puis quatre puis trois puis deux et enfin un seul. La chaîne alimentaire s'était réduite à un unique maillon qui avait dépéri à son tour. Jusqu'au jour où Rutter n'avait plus vu dans l'enclos qu'une carcasse sur une couche d'excréments de dents et d'os. Le dernier maillon avait bouclé la boucle. Avait été transformé en zéro.

Ce même jour il avait reçu un appel de Skelton le chargeant d'une ultime mission – et pas seulement une opération de nettoyage cette fois. L'ordre émanait directement de M. Hood. C'était non négociable.

Il n'avait pas éprouvé le besoin de demander pourquoi Muncy ? Pourquoi sa fille ? Parce qu'il connaissait Ray Muncy ; il savait que c'était une grande gueule et que certains secrets ne peuvent pas rester enfouis éternellement.

Il avait néanmoins répliqué :

J'ai plus mes cochons.

Alors trouvez un autre moyen avait dit Skelton.

Lequel ?

Débrouillez-vous. Vous avez une dette envers nous.

Hein ?

*On a eu la visite des flics il y a plusieurs semaines.
Pourquoi ?*

*Ils voulaient savoir si vous étiez bien au cinéma le
soir où votre mère est morte il y a quelques années.*

Elle est pas morte.

*Skelton n'avait pas relevé. Rutter l'entendait respirer
à l'autre bout de la ligne.*

*Ils ont parlé de consulter nos archives. De vérifier
notre système de sécurité.*

*C'est pour ça que le cinéma a fermé ? avait demandé
Rutter.*

Ça n'a rien à voir. Ça c'est juste du business.

*Alors c'est à cause de Ray Muncy ? Ou de Larry
Lister ? Y a un rapport avec eux ?*

De nouveau Skelton avait gardé le silence.

Allô ? Allô ?

*

Skelton lui avait donné un ordre alors il l'avait exé-
cuté. Et tout ce qu'il veut maintenant c'est passer un
dernier moment avec elle. Lui rendre une dernière visite.
Parce que Steven Rutter ne dort pratiquement plus ne
mange pratiquement plus. La fille – du moins ce qui
subsiste d'elle là-haut dans l'immensité de la lande –
occupe toutes ses pensées.

Comme les cochons avant eux les chiens crèvent de
faim. Les côtes saillantes le regard éteint ils ne semblent
revenir à la vie que pour se disputer les restes qu'il
leur lance dans leur enclos – quand il se rappelle leur
existence.

Les poules privées de nourriture ont attrapé une
maladie. Elles ne pondent plus. Prises de folie celles
qui sont encore en vie se retournent les unes contre les

340

autres. Elles se battent et se déchirent à coups de bec. Les carcasses des plus faibles jonchent le sol du poulailler ; les autres leur arrachent les plumes et picorent leur peau blanche et élastique.

Lui est devenu une créature nocturne.

Dans l'obscurité il longe les éoliennes. Les sent fendre l'air et entend les sons démoniaques qu'elles produisent. Cet hymne insupportable.

Il se traîne dans la mousse la bruyère les tourbières.

Jusqu'au moment où il se retrouve là-bas – où de nouveau il soulève tire et manie le pied-de-biche.

Mais il s'est préparé cette fois. Il a apporté d'autres outils et une nouvelle bâche. Et aussi des gants des chiffons et des cordes. Un masque et de la chaux.

Un colis d'adieu.

La chaux éteinte sera son ultime cadeau. Aussi appelée hydroxyde de calcium. Utilisée pour éliminer les odeurs et repousser animaux bactéries et mouches. Facile à se procurer. Répandue sur la chair humide la poudre déshydratera et consumera le passé. Calcinera la dépouille. Fera disparaître tout souvenir de lui et préservera Melanie Muncy pour l'éternité dans la dimension du mythe et de la mémoire plutôt que dans la réalité.

La chaux effacera toute trace physique d'une personne qui est allée dans les parcs à thèmes les centres commerciaux les concerts pop les bibliothèques et qui est montée en voiture avec des garçons.

Le bruissement de la bâche lui paraît assourdissant quand il l'écarte du corps. Ses sens sont avivés par ce geste – et soudain elle est là devant lui incroyablement petite et flétrie. Le gonflement a cessé et ce qu'il reste de peau s'est racorni. Ratatiné. Elle semble avoir rétréci de moitié et la vue de cet abandon visible de son enveloppe charnelle l'émeut aux larmes.

Un sanglot lui échappe. C'est un choc pour lui.

Alors il s'allonge sur la bâche près de la matière qui a été un jour une fille puis ramène la toile sur eux. Leur crée un refuge – un cocon. La chair en décomposition qu'il écrase sous son poids produit de nouveaux sons et libère sans doute de nouvelles odeurs dont il ne fera jamais l'expérience. Il s'imprègne de ses fluides et de ses gaz. Leurs os se heurtent.

Dans l'obscurité ses doigts vont plus bas effleurer la courbe du crâne minuscule qui émerge d'elle.

Et soudain il a l'impression que le sang circule plus vite dans ses veines bouillonne et pétille à ses oreilles. Dans cette communion avec la mort il se sent plus vivant que jamais.

Il caresse la tête de la fille. Sous sa main ce qui était le cuir chevelu a maintenant la texture d'un résidu de savon dans un porte-savon.

Il lui semble irradier lumière et énergie.

*

Encore ce nom fait remarquer Brindle en regardant son écran. C'était Blue Kingdom qui possédait le bâtiment avant.

Attends je vais le noter.

Laisse tomber Roddy. Pour le moment contente-toi d'écouter. Il semblerait que cette société en ait été propriétaire pendant plus de trente ans. C'était un cinéma.

Ah.

Un cinéma pour adultes je précise. L'Odeon X. Une espèce de bouge malfamé. Je me rappelle le nom. Du moins vaguement. Je l'ai déjà entendu mentionner. Je me souviens très bien en revanche d'avoir vu City Road gamin au début des années quatre-vingt.

Dix-huit cent quatre-vingt tu veux dire ?

Très drôle. Non sérieux je me souviens de l'atmosphère. De la saleté partout.

Ça ne s'est pas arrangé souligne Mace.

C'était encore pire à l'époque. Dangereux même. Comme dans le Nord.

Qu'est-ce que tu veux dire ?

Le vrai Nord tel qu'il était avant répond Brindle. Avant la gentrification. Avant que les coffee-shops et la culture des bars lounge uniformisent les villes. Avant qu'elles essaient de faire tout leur possible pour s'européaniser mais sans pouvoir changer ni la météo ni les gens ni l'architecture ni les mentalités.

Tu n'aimes pas l'Europe ?

Je n'ai rien contre. Du moment qu'elle reste où elle est.

T'es conservateur ?

Je ne m'intéresse pas à la politique.

Brindle avale une nouvelle gorgée de thé puis lance une recherche sur l'Odeon X. Il obtient des dizaines de résultats pour Odeon mais un seul avec le X.

Mace lui montre une ligne sur l'écran.

C'est là qu'il faut qu'on regarde déclare-t-il.

Il s'agit d'une référence à une discussion sur le site d'un échangiste.

Lorsque Brindle clique sur le lien il est aussitôt invité à s'inscrire. Il sort sa carte de crédit entre les informations demandées dans les cases correspondantes puis appuie sur Valider.

Bonne chance pour faire passer ça en note de frais ironise Mace.

Le policier ne relève pas.

On se rapproche dit-il. Roy Pinder est payé par une société qui tire ses revenus de l'exploitation du porno.

Il est mêlé à tout ça. Feu Larry Lister l'était aussi. Et aujourd'hui c'est Rutter qui va tourner autour du bâtiment. Ça ne peut pas être une coïncidence.

Des indications apparaissent sur l'écran les invitant à créer un profil pour poursuivre.

Brindle hésite. Sa main s'immobilise au-dessus de la souris.

Attends je vais le faire déclare Mace. J'ai plus l'habitude d'écrire que toi.

Il s'installe devant le clavier et commence à taper. Remplit d'autres cases. Paraît hésiter cinq secondes puis continue. Finit par cliquer sur un lien qui leur révèle des photos. Femmes et couples. Couples en vacances couples au visage flouté couples en tenue latex kitsch. Et aussi des photos de gros hommes solitaires dans des chambres nues et solitaires. Chacune est comme une fenêtre sur leurs univers désespérés respectifs.

Tu crois que tous ces gens en font autant qu'ils le prétendent ? lance Mace.

Un mail arrive dans la messagerie de Brindle. Mace clique sur un lien pour confirmer son adhésion et pénètre dans la zone du site réservée aux membres. Il sélectionne aussitôt un fil de discussion intitulé *quiaconnulOdeonX ?*

Il fait défiler les réponses – des pages et des pages de souvenirs et d'évocations.

Regarde-moi ça marmonne Mace. Les délires de tordus à moitié analphabètes nostalgiques du bon vieux temps où ils se branlaient tous ensemble devant des trucs de cul mal filmés. C'est déprimant.

Tous deux lisent en silence les commentaires d'internautes aux pseudos tels que TurboTommy ou Hevvy-Repeater déplorant que la télévision et Internet aient changé la façon dont chacun peut satisfaire ses goûts particuliers. Mace entend Brindle respirer à côté de lui.

Les participants à la discussion semblent tous s'accorder pour dire que c'était bien mieux dans les années soixante-dix quatre-vingt et même quatre-vingt-dix quand on pouvait encore payer les cinq livres à l'entrée de l'Odeon X et y rester toute la nuit. Il y a aussi des débats sur d'anciens pornos.

Ils vivent tous dans le passé observe Mace. J'ai l'impression d'entendre les vieux parler du rationnement.

Il continue de parcourir les messages jusqu'au moment où Brindle l'arrête.

Attends. Là.

> Salut. Est-ce que quelq1 ici se rappelle Neville Hoyle ? Il a disparu en nov 1992 et a été vu pour la dernière fois quittant l'Ode X. Nev était un travelo bien connu du milieu. 35 ans. Employé à la British Gas. La police a trouvé que dalle. Svp contactez-moi si vous vous souvenez de mon père. Merci.

Brindle note le nom. Neville Hoyle.

Ils explorent les pages suivantes. Encore des souvenirs. Encore des nostalgiques de l'époque des imperméables et des petites annonces. De nombreuses évocations des trous à branlette dans les murs des toilettes publiques et du porno vintage où les filles ressemblaient à des filles avaient des formes et aussi des poils. Le tout émaillé de quelques digressions sur le foot et de quelques messages racistes. Puis un autre post attire leur attention.

> Hello mon chou. Je me rappelle ton papa Neville. C'était un bon copain un type bien. Me suis toujours demandé ce qu'il était devenu. Y a aussi une nana qui a disparu à peu près au même moment. Vue pour la dernière fois au X comme lui. Peut-être qu'elle bossait là ou que c'était une pute. Rousse. D'accord avec toi que les

flics sont nuls. On a beaucoup parlé de trucs louches à l'époque parce qu'ils étaient nombreux à fréquenter le X pour se branler entre autres. Alors qui sait. Pots-de-vin pornos parties fines. Ça vaudrait la peine de se pencher là-dessus. Contacte-moi en mp pour échanger des souvenirs de Nev.

Brindle tapote son stylo sur son calepin puis établit une liste de mots-clés. Termine son thé.

Montre le calepin à Mace.

Il est tard à présent et la pénombre a envahi le bureau. Les deux hommes ne sont éclairés que par les lueurs de l'écran. Mace a posé son coude sur la table et calé son menton dans sa main.

Ils lisent d'autres publications regardent d'autres photos de femmes au foyer à moitié ou entièrement nues puis Mace quitte le site et s'adosse à sa chaise.

On ne sait toujours pas quel est le rapport avec Rutter observe-t-il.

Brindle se frotte les yeux un long moment puis les écarquille et ouvre la bouche en grand pour détendre les traits de son visage.

Ça va venir dit-il. Chaque étape nous rapproche du but.

Ça va venir.

*

Le chien creuse. Gratte la terre meuble. Son maître a beau l'appeler il ne décolle pas la truffe du sol. C'est un épagneul.

Ce clebs n'en fait qu'à sa tête dit le promeneur à son ami.

Bah il doit bouffer des crottes de mouton réplique ce dernier. Certains adorent ça. C'est des bonbons pour eux.

Comme l'animal ignore toujours les appels de son maître celui-ci se débarrasse de son sac à dos et va voir ce qu'il en est. Au loin le lac artificiel scintille comme un mirage. Au moment d'attraper le chien par son collier l'homme aperçoit une boîte métallique. Il s'accroupit et la ramasse. La secoue et entend un cliquetis à l'intérieur. L'ouvre. Elle contient des pièces de monnaie des tickets de bus le photomaton d'un adolescent des autocollants une carte bancaire une carte d'identité quelques boulettes de hasch et un briquet. Les mots MELANIE MUNCY POUR TOUJOURS ont été gravés sur un côté – peut-être avec la pointe d'un compas.

Melanie Muncy crie-t-il à son ami. C'est pas la fille de Ray Muncy ?

L'autre hausse les épaules.

Ray Muncy ? C'est qui ?

Il possède le garage en ville où je fais réviser ma voiture. Sa fille a disparu.

Ah bon ? Où ?

Ici je dirais.

*

D'après toi ce serait un serial killer ?

Quoi ? lance distraitement Brindle.

Il explore la base de données des personnes disparues. Mace est avachi sur deux chaises à côté de lui.

Steven Rutter est peut-être lié à un certain nombre de disparitions précise le journaliste. Voire de meurtres. Alors il est possible que ce soit un serial killer. C'est bien ce que t'es en train de dire non ?

Je n'ai jamais parlé de serial killer.

Il fait complètement nuit à présent. La seule source de lumière est la lampe de bureau de Brindle. Près de Mace se trouve une pile de boîtes d'archives qu'il a pour consigne de passer en revue. Pour sa part le policier se concentre sur son écran dont les lueurs teintent de bleu pâle sa tache de naissance.

Je n'aime pas ce terme ajoute-t-il.

Pourquoi ? demande Mace.

Trop américain. Trop racoleur.

Comment ça ?

Tout le monde s'excite à propos des meurtriers récidivistes. On fait des films sur eux ils ont des fan-clubs et des femmes veulent les épouser. On les élève à des rangs supérieurs dans l'univers criminel et du coup ils deviennent des figures quasi mythiques – une partie du folklore. Ce n'est pas bien. Alors laissons ça aux Américains tu veux ?

Mais c'est probablement inévitable souligne Mace. Les gens aiment les histoires. Ils aiment les démons.

Et ça t'arrange bien pas vrai ? T'es journaliste c'est ton gagne-pain.

Et donc tu préfères les appeler comme ça ?

Hein ?

Des meurtriers récidivistes ?

Oui.

Ça revient au même il me semble.

Non s'entête Brindle. Les serial killers sont les personnages des séries télé qu'on regarde tard le soir. Ce sont des cas dont discutent les criminologues amateurs ; des noms qui apparaissent sur les T-shirts les mugs et les pochettes d'albums des groupes de métal scandinaves. Les serial killers sont des croquemitaines qui se délectent du statut particulier qui leur est accordé. Mais les meurtriers récidivistes sont des êtres pitoyables qui ne méritent pas cette attention. Rutter est un minable qu'il faut livrer au système judiciaire et ensuite enterrer pour toujours.

Enterrer tu dis ?

Dans le système. Là où il ne pourra plus nuire à personne.

Tu crois en la justice ?

Le système judiciaire est un processus sur lequel je n'ai aucune prise. Ma mission consiste à enquêter. Mon travail à trouver des réponses aux mêmes questions : qui quand et pourquoi. Ensuite je les transmets à d'autres en même temps que les suspects. J'étaye le dossier puis je le transfère. Après ça ne me concerne plus. Je ne suis là que pour le servir ce système.

Eh bien tu vois ça me paraît bizarre. Tu ne penses pas que…

Tu vas finir par me faire regretter de t'avoir amené ici.

Pourquoi ?

J'essaie de bosser répond Brindle. Je te fournis un sujet en or – quand j'aurai arrêté ces salauds ce sera sans doute la plus grosse affaire criminelle de l'année – pourtant j'ai l'impression que tu ne te rends même pas compte à quel point c'est énorme.

Tu rigoles ? Quand t'es rentré à Londres lécher tes plaies c'est moi – *moi* – qui ai découvert que Roy Pinder était le lien entre Rutter et Lister. C'est grâce à moi qu'on en est là aujourd'hui. Il n'y aurait pas d'affaire – pas de sujet – sans moi. Et corrige-moi si je me trompe mais en l'absence de témoins pour confirmer ou corroborer nos soupçons communs au sujet de Rutter on ne devrait pas chercher des preuves ?

Si bien sûr. C'est même crucial.

Alors on a besoin de Melanie Muncy. Vraisembla-blement sa plus récente victime. Il faut qu'on sache où il a caché le corps.

Exact.

On a déjà des éléments de réponse il me semble.

Continue.

On ne voit jamais Rutter qu'autour du hameau ou au bourg. Tu l'as dit toi-même. Ou sur la lande. Il ne quitte pas la vallée. Peut-être parce qu'il a peur ou parce qu'il est trop enraciné dans ses habitudes. Quoi qu'il en soit il n'a certainement pas pu quitter le village la semaine où la gamine a disparu – toi et moi on est bien placés pour le savoir puisque la neige nous a tous coincés pour Noël. Sans compter qu'il y avait des flics partout. On sait aussi qu'il n'est pas très futé et qu'une bonne douche au kärcher ne lui ferait pas de mal mais il n'est pas complètement débile. Il n'aurait pu aller nulle part avec le corps. Nulle part sauf plus haut je veux dire. Au-dessus de la ferme. T'as fouillé la maison sans rien trouver. Rien dans les dépendances non plus. Donc il l'a emmenée ailleurs.

Brindle le considère et se frotte de nouveau les yeux. Ils sont irrités. Larmoyants. En manque de sommeil.

Melanie Muncy est toujours dans le coin j'en suis sûr poursuit Mace. Toujours proche de chez lui. Forcément. Il n'aurait pas pris le risque de la déplacer après l'avoir cachée. Et il n'a pas pu aller très loin vu qu'il devait la porter ou la traîner dans la neige. Alors pourquoi se donner la peine de chercher d'autres cas dans ta base de données ? Retrouve le corps et le reste suivra.

Sans un mot Brindle ouvre un tiroir et en sort le dossier que Mace lui a remis. Déplie ensuite une carte de la région.

*

Les promeneurs envisagent de se rendre au poste de police. Ils réfléchissent longtemps à cette possibilité – si longtemps qu'ils finissent par se convaincre que ce n'est pas une bonne idée : ça signifierait descendre jusqu'au bourg alors qu'ils sont en plein milieu d'une randonnée d'une soixantaine de kilomètres sur deux jours. Une expédition qu'ils ont préparée pendant des mois dans les moindres détails – postes de triangulation coordonnées de l'Ordnance Survey étapes repas une visite aux roches de Six Standard Bride et même éventuellement (si le temps le permet) un plongeon dans un lac de montagne éloigné – censée s'achever en beauté le lendemain soir dans un pub qui sert la meilleure bière de Wensleydale.

Au bout du compte ils décident d'aller directement chez Ray Muncy. Ça ne fera qu'ajouter deux ou trois kilomètres à leur itinéraire or ils ont un planning serré à respecter s'ils veulent traverser les tourbières de jour. Ils s'écartent de leur chemin et descendent vers la vallée puis longent la pinède et la ferme délabrée jusqu'à la construction moderne qui jure dans le paysage.

Les rideaux sont tirés quand ils arrivent alors ils sonnent mais personne ne répond. Ils sonnent de nouveau et attendent. En vain. Ils ne savent pas quoi faire. Ils débattent un moment puis se résignent à laisser leur trouvaille dans la boîte aux lettres accompagnée d'un message. Ils prennent dans leurs affaires un papier et un stylo pour expliquer où ils ont ramassé l'objet. Ajoutent qu'ils ont les coordonnées de l'endroit au besoin. Notent leurs noms et numéros de téléphone. Glissent le tout dans la boîte aux lettres avant de remonter vers les hautes terres. Ils parlent de la disparue encore quelques minutes puis il se met à bruiner et ils changent de sujet. Le chien court devant eux.

Ils ne veulent pas discuter des implications de leur découverte. Surtout pas.

*

Quand son téléphone sonne de nouveau – le fixe cette fois – Brindle décroche puis lève une main à l'adresse de Mace en articulant silencieusement : Muncy.

Il écoute son correspondant quelques instants avant de déclarer :

Monsieur Muncy ? Attendez je vais vous mettre sur haut-parleur. Vous êtes d'accord ?

Près de lui Mace se redresse et se frotte le visage.

À peine Brindle a-t-il pressé la touche que s'élèvent les intonations bourrues de Ray Muncy. Il est essoufflé et les bruits environnants laissent supposer qu'il est dehors. Il semble y avoir du mouvement autour de lui.

… et il croit peut-être pouvoir m'intimider mais je l'emmerde.

Parlez moins vite monsieur Muncy s'il vous plaît l'interrompt Brindle. Que vouliez-vous me dire au juste ?

Rutter.

Eh bien ?

C'est lui qui a tué notre Melanie. J'en suis sûr maintenant. Alors qu'est-ce que vous comptez faire ?

Pourquoi il y a du nouveau ? demande Brindle. Vous avez découvert quelque chose ?

Vous allez l'arrêter ? Parce que sinon je vous jure que je vais m'occuper de lui. J'ai aussi entendu la nouvelle aux infos pour Larry Lister. Ce sale pervers a enfin eu ce qu'il méritait.

J'ai appris sa mort oui.

Mais vous êtes au courant pour Roy Pinder et lui ?

Je sais qu'ils étaient associés.

Et pour le reste ?

Comment ça ?

Pour le cinéma porno en ville. Entre autres.

La réponse prend Brindle de court. Il regarde Mace puis le téléphone.

Vous avez des informations à nous communiquer monsieur Muncy ?

Sur l'Odeon X ? Bien plus que je ne voudrais.

Vous pouvez préciser ?

Les soirées. Les soirées qu'ils organisaient là-bas. Des horreurs.

Dans leur cinéma ?

Ce n'était pas leur cinéma.

Je ne comprends pas dit Brindle. Si ce n'était pas leur cinéma alors à qui appartenait-il ?

Lister et Pinder organisaient leurs soirées à l'Odeon X après les projections. Mais le propriétaire du cinéma était quelqu'un qui leur flanquait une frousse bleue.

Qui ?

Dans le silence qui suit Mace et Brindle entendent la respiration de leur interlocuteur. Et le souffle du vent. Mace a même l'impression d'entendre la lande – les sons de cette vaste étendue désolée et nue.

Je n'ai qu'un nom dit enfin Muncy.

Je vous écoute.

Hood.

Hood ? répète Brindle.

C'est ça. Hood.

Un prénom ?

Non.

Pour en revenir à ces soirées – comment en avez-vous eu connaissance ?

353

J'ai été invité une fois répond Muncy. Il y a des années.

OK.

Je croyais que ce serait – je ne vous fais pas de dessin vous voyez ce que je veux dire ? Quelques verres. Un petit spectacle. Des stripteaseuses. Un peu de cul. Des trucs inoffensifs.

Mais ? lance Brindle en regardant Mace.

Mais c'était bien plus que ça répond Muncy d'une voix étranglée. Je n'ai même pas les mots pour…

Essayez monsieur Muncy l'encourage Brindle.

Il y avait une fille reprend-il en baissant d'un ton. Toute jeune. Trop jeune. Je n'ai pas voulu m'associer à ça. Elle paraissait complètement partie.

Continuez.

Elle était avec un garçon. Très jeune lui aussi. Ils auraient pu être frère et sœur. Et il y avait des caméras. J'ai pensé qu'ils étaient peut-être originaires d'Europe de l'Est.

Pourquoi ?

À cause de leur apparence physique. Ils avaient l'air de Roumains ou quelque chose comme ça.

Qui d'autre était là ?

Ils y étaient tous.

Qui monsieur Muncy ? Qui ?

Tous je vous dis. Roy Pinder. Johnny Mason. Bull Mason. Les frères Farley. Benny Bennett. Wendell Smith. Et d'autres aussi. Un dénommé Skelton – un type glaçant. Steve Rutter. Et Larry Lister. Il était là lui aussi. Et ils obligeaient les deux jeunes à faire des choses pendant qu'ils les filmaient.

Et ensuite ? Que s'est-il passé monsieur Muncy ?

Je pensais sans cesse à notre Melanie. Cette fille devait avoir à peu près le même âge. Je me demandais comment ces deux-là avaient pu se retrouver dans ce sous-sol et ce qui pouvait leur traverser la tête et s'ils manqueraient à quelqu'un au cas où…

De nouveau il s'interrompt.

Le sous-sol ? le presse Brindle.

Oui. Sous le cinéma.

Mace articule les mots à l'intention de Brindle : Cellar Entertainment.

Je leur ai dit d'arrêter poursuit Muncy. J'ai traité Lister de malade et je lui ai dit que je ne voulais pas être mêlé à ça.

Pourquoi vous être adressé à lui spécifiquement ?

Parce que c'est lui qui semblait tout orchestrer. Et il était célèbre. Il usait et abusait de sa position.

Et ensuite ?

J'ai voulu partir.

Je sens qu'il y a un mais observe Brindle. Je me trompe monsieur Muncy ?

Mais il y avait ce Skelton. Il m'a retenu en disant que personne ne quittait la salle de spectacle. Apparemment c'était lui qui assurait le service d'ordre. Il a ajouté qu'on ne déclinait pas leurs invitations. Qu'une fois intégré dans le cercle on ne le quittait pas. Je lui ai dit que c'était mal ce qu'ils faisaient. Très mal. Après il m'a obligé à regarder le reste. C'était à vomir.

Pourquoi ? Qu'est-ce qui s'est passé ?

Muncy ne répond pas.

Qu'avez-vous vu monsieur Muncy ?

Quand ce dernier reprend la parole c'est dans un chuchotement caverneux qui fait frissonner le journaliste et le policier.

Tout. Jusqu'au bout.

Pourquoi m'en parlez-vous seulement maintenant ?

À cause de Lister. Il était question de le faire chevalier. Il y a quelques mois je l'ai vu à la télé déclarant le bruit court que Sa Majesté pourrait bien poser son épée sur mon épaule. Ces mots m'ont révolté. La seule idée de le voir parader me donnait la nausée. Pas lui. Impossible. C'est une blague. Je n'en dormais plus. Lui au palais ? Ah non. Alors j'ai envoyé une lettre.

À qui ?

À Lister bien sûr.

Brindle et Mace échangent un coup d'œil.

Écoutez monsieur Muncy nous aimerions venir vous voir pour parler de tout ça déclare Brindle. De tout ce que vous pensez savoir sur Roy Pinder Larry Lister et Steven Rutter. Et aussi de tout ce dont vous avez été témoin. Le plus tôt possible.

Pas de réponse.

Monsieur Muncy ? Vous m'entendez monsieur Muncy ?

Mais ce dernier a raccroché.

10

Il est trois heures de l'après-midi ou peut-être onze heures du matin ou encore minuit quand on frappe à la porte. À grands coups sourds. Rutter ignore l'intrusion mais le martèlement ne cesse pas. Puis on secoue la poignée et une voix s'élève. Une voix furieuse.

Rutter. *Rutter.*

Celui-ci reconnaît Muncy. Il garde le silence.

Je sais que t'es là. Je t'ai vu rentrer.

Rutter cherche sa carabine en vain. Il va prendre un couteau dans la cuisine et le glisse dans son dos derrière sa ceinture. Sent l'acier froid contre sa fesse et le haut de sa cuisse noueuse. Ouvre la porte.

Ray Muncy est là. Dans la cour. Il se tient de dos et scrute la nuit. Quand il se retourne et s'avance dans la lumière Rutter remarque qu'il a l'air hagard. Et qu'une veine palpite dans son cou. Elle lui fait penser à un ver.

J'ai parlé à ce flic annonce le visiteur. L'inspecteur.

De quoi ?

De notre Melanie.

Rutter examine l'homme sur le seuil. Voit ses cheveux hérissés ses yeux fous. Des yeux implorants des yeux désespérés. Il voit la salive au coin de ses lèvres et ses vêtements élégants à l'origine mais tout abîmés. Voit des traînées de boue sur son pantalon chic. On dirait que quelque chose s'est brisé en lui et que les morceaux ont été mal recollés.

Un flic est monté à la ferme l'autre jour dit-il. Pour poser des questions.

C'était Brindle ? demande Muncy.

Sais pas. Ouais je crois.

Je lui ai tout raconté.

Tout quoi ?

Ce qui s'est passé cette nuit-là.

Quelle nuit bon Dieu ? lance Rutter.

Comme si tu l'ignorais. Dans les caves du X. La nuit où ils m'ont forcé à rester.

Muncy crie à présent. Il postillonne. Rutter songe combien c'est étrange d'entendre s'emporter de la sorte un homme auparavant si sûr de lui arrogant préoccupé uniquement par son apparence et son statut.

Je vois pas de quoi tu veux parler prétend-il.

T'étais là espèce de salaud. T'en faisais partie.

Non. Pas moi.

Oh si affirme Muncy. Toi Pinder Lister et tous les autres. Toute cette bande de gros dégueulasses. Je lui avais dit. À Pinder. Je lui avais dit que je voulais pas être mêlé à leurs saletés et qu'un jour ils le paieraient. C'est ce qui arrive aujourd'hui. Ils vont tous tomber.

Rutter tient d'une main la porte à moitié ouverte. Les doigts refermés sur le vieux bois gondolé.

C'est le fait de rien savoir qui te ronge comme un parasite poursuit Muncy. Tu peux plus manger ni dormir ni rien faire parce que ça te bouffe la tête. T'es au courant que June s'est massacré les cheveux ?

Rutter le regarde sans comprendre.

Hein ?

Oh oui. Elle se les est coupés aux ciseaux. Un vrai carnage. Elle a même essayé de se trancher les doigts.

Encore un peu et elle les sectionnait. On voyait l'os. Elle a perdu l'usage de deux d'entre eux.

Ben qu'est-ce qui lui a pris ?

J'ai dit à Pinder qu'il allait avoir ce qu'il méritait. Je lui ai dit que c'était terminé pour lui pour Lister et tous les autres.

Quand ? demande Rutter.

Y a pas longtemps. Je ne pouvais plus garder ça pour moi. Eux ils peuvent peut-être mais pas moi.

Le cinéma est fermé. Tout ça c'est du passé. Et Lister est mort.

Sûr et je lui avais aussi écrit une lettre pour lui dire ce que je pensais de lui. Mais c'est pas fini hein ? Non pour moi c'est pas fini. Ça le sera jamais. Ni pour moi ni pour les parents de ces gosses et les familles de ces petites putes que Hood a fait disparaître. Tant que ces films infects existeront encore quelque part. C'est ce que je lui ai dit. À Pinder. Et maintenant tout est clair.

Rutter fronce les sourcils.

Comment ça ?

J'ai tourné et retourné ça dans ma tête jusqu'à me rendre à moitié dingue et j'en revenais toujours à la même conclusion. À la même pensée encore et toujours. Toi Rutter. Toi. Je sais que c'est toi. Pinder a paniqué il m'a balancé et maintenant ma Melanie reviendra plus.

Toujours appuyé contre la porte Rutter baisse la main gauche et la passe derrière son dos.

Non c'est pas…

Menteur rugit Muncy. Bien sûr que c'est toi. Sinon pourquoi ils t'auraient admis dans leur club ? Ils t'ont jamais apprécié. Ils se sont servis de toi pour faire le sale boulot. T'étais leur nettoyeur. Pinder parlait souvent de tes porcs pour blaguer – sauf que c'était pas une blague hein ?

Je vois pas ce que tu…

Alors j'ai réfléchi. Qu'est-ce que t'avais à y gagner ? Qu'est-ce qui était en jeu pour Steven Rutter ? Pas du fric. Non je crois pas qu'il ait jamais été question de fric. Mais j'ai fini par comprendre : ils t'ont donné ce que tu pouvais pas avoir dans le monde réel. La possibilité d'accéder à ce que tu convoitais. Quand les caméras s'arrêtaient et qu'il restait plus que des corps sans vie ils te laissaient t'amuser avec. En contrepartie tu devais t'occuper du ménage et fermer ta grande gueule. J'ai pas raison ?

Non s'obstine Rutter.

Oh si t'es un menteur. Un putain de menteur dégénéré qui...

Non.

Oh si c'est toi. Forcément. Ils ont retrouvé sa boîte à crayons pas loin de ta ferme mon vieux. Eh ouais. T'en savais rien pas vrai ? T'étais leur larbin. Alors je suis sûr que c'est toi qui as fait du mal à notre Melanie. Pour me punir parce que j'avais menacé de parler. C'est ça ? Parce que je connais tous vos secrets. Parce que j'ai dit à Pinder qu'un jour la vérité éclaterait.

Puis Muncy braille :

C'est pour ça qu'il t'a toujours couvert.

Il se jette sur la porte qui s'ouvre à la volée écrasant l'épaule et le bras de Rutter contre le mur.

Qu'est-ce qu'elle est devenue ?

Rutter pousse un cri de douleur.

C'était toi salaud.

Muncy est dans la maison désormais et Rutter vacille quand il bondit sur lui la bave aux lèvres les yeux exorbités. Il lui attrape le visage. Il est partout à la fois. Il lui laboure la joue de ses ongles et lui enfonce ses pouces dans les yeux. Les cris de Rutter se muent en hurlements. Muncy va lui crever les yeux – il va lui crever les yeux ce putain de taré.

Dis-moi où elle est tonne Muncy. Qui a donné l'ordre ? Où est-elle ?

Rutter tente de se dégager à coups de pied mais ils sont trop étroitement enlacés dans l'entrée. Le couteau est toujours coincé contre sa fesse. Il ne peut pas l'atteindre et la pointe s'enfonce dans l'arrière de sa cuisse. La transperce. Les deux hommes trébuchent et tanguent et il n'y a pas de place alors en désespoir de cause Rutter lui expédie son genou dans le bas-ventre. Il le touche à peine mais Muncy le lâche un instant et Rutter en profite pour le frapper de nouveau au même endroit. Plus fort. Muncy se plie en deux le visage en accordéon. Il tousse et crache. Les yeux de Rutter le brûlent après l'attaque de Muncy et il voit des éclairs de couleur. Éblouissants. Entre deux flashs il aperçoit la laisse suspendue à un crochet derrière la porte. S'en empare la passe autour du cou de Muncy toujours voûté. D'une main Rutter lui appuie sur l'arrière de la tête et de l'autre il donne un coup sec sur la laisse.

La laisse en cuir rouge est serrée. La laisse en cuir rouge est tendue. La laisse en cuir rouge est implacable.

Muncy agrippe le garrot de fortune sans parvenir à glisser ses doigts dessous. Il ne trouve pas de prise et Rutter lui enfonce son genou dans le dos à présent. Appuie sur sa colonne et la fait ployer. Son bras heurté par la porte le met au supplice et du sang lui coule dans la bouche mais il presse de plus belle l'arrière de la tête de Muncy sans lâcher la laisse. À leurs halètements se mêlent les raclements saccadés de leurs semelles sur le plancher. La chorégraphie intime et désordonnée d'une danse mortelle.

Ils se battent et se débattent.

Titubent et se cognent contre les murs.

S'ensuivent des piétinements frénétiques. Rutter resserre Rutter écrase et Muncy cède Muncy s'affaisse.

Il est penché en avant. Les yeux brillants striés de capillaires éclatés. Toussant faiblement s'étouffant inexorablement s'éteignant en silence.

Et Rutter de penser corde chaînes caoutchouc déchirures cicatrices entailles trous cheveux oreilles dents mâcher grogner porcs chiens rats merde merde sang sang dur lourd fer acier naissance mère chaos sang saillant. Merde merde Muncy.

Et aussi putain de Pinder putain de Skelton putain de Lister putain de Hood putains de cadavres partout.

Les jambes de Muncy se dérobent et il s'étrangle et leurs pieds ne se déplacent plus que par petites saccades mais il faut encore un moment à Rutter pour lui ôter la vie. Un long moment.

Puis il se penche et lui murmure à l'oreille dans un souffle rauque :

Bien sûr que c'était moi pauvre con.

*

Qu'est-ce que t'aurais fait à sa place ? demande Mace.

Brindle et lui sont tous les deux fatigués et même épuisés pourtant ils recommencent à s'animer.

À la place de qui ?

Qu'est-ce que t'aurais fait si t'avais tué une gamine ? Ou plusieurs.

Je n'aurais jamais tué une gamine rétorque Brindle. Jamais.

Mais admettons que t'en aies tué une.

Impossible. Je suis policier. Je suis censé être du côté des gentils.

Si je te pose la question c'est pour avancer dans nos investigations. Alors joue le jeu tu veux ? Dans l'intérêt de ton boulot.

Je me débrouille très bien tout seul dans mon boulot.

Brindle est penché sur ses cartes : une des Dales et deux autres de la vallée. La première montre les anciennes carrières et les chemins et l'autre est une carte d'état-major.

Bon laisse-moi reformuler mon hypothèse dit Mace. Si t'étais Steve Rutter et que t'avais tué une gamine – la fille de ton connard de voisin – où t'aurais mis le corps ? Quelle solution t'aurais choisie pour t'en débarrasser ? Qu'est-ce que ton expérience t'a appris sur la méthode la plus typique ?

Le policier répond sans lever les yeux :

Il n'y a rien de typique dans ce domaine mais tu te doutes bien que l'ensevelissement est la méthode la plus courante.

OK. Imaginons qu'il l'ait enterrée. À quel endroit alors ?

Sur la lande réplique aussitôt Brindle en passant une main sur la carte. Comment veux-tu fouiller tout cet espace ?

Bien sûr admet Mace. Ça semble logique. Après l'affaire des meurtres de la lande on n'a jamais retrouvé les corps de tous ces malheureux gamins sur Saddleworth Moor pas vrai ? Deux peut-être mais pas tous. Sauf que dans le cas de la fille Muncy c'était en plein hiver. Avec un sol gelé et dur comme de la pierre recouvert en plus d'une couche de neige et des flics partout dans le coin. Il aurait fallu faire brûler un feu toute la journée pour ramollir la terre avant même de pouvoir y planter une pelle. Et qui se serait risqué à allumer un feu là-haut ? Autant brandir une pancarte pour attirer l'attention.

Bonne remarque commente Brindle.

Venant de toi je prends ça pour un sacré compliment.

D'accord essayons de réfléchir. S'il n'a pas enterré le corps alors soit il l'a entreposé quelque part en attendant le dégel pour s'en débarrasser soit il a utilisé une autre méthode qui n'impliquait pas de creuser. En tout cas on n'a rien trouvé à la ferme. Peut-être parce que…

Il avait été tuyauté le coupe Mace.

Il se penche par-dessus l'épaule de Brindle pour regarder les cartes. Ajuste la lampe orientable pour mieux voir.

Brindle fait de nouveau courir ses doigts sur le plan devant lui puis tousse et secoue la tête. Avant de laisser échapper un rire à la grande surprise de Mace.

Qu'est-ce qu'il y a ?

Le rire du policier se mue en un petit sourire crispé.

Je suis en train de perdre la boule. C'est pas possible autrement.

Pourquoi ?

Je suis vraiment trop con. Aveugle et con.

Tu m'expliques ? lance Mace.

J'ai bossé sur cette affaire pendant des semaines. Des mois même. Des mois à me prendre la tête à cause de ce bouseux. À en perdre le sommeil. Et pendant tout ce temps la réponse était là. Juste sous mon nez.

Quoi ?

C'est de loin le mystère le plus facile que j'aie eu à résoudre. C'est moi qui l'ai compliqué à plaisir. Moi seul.

Mais qu'est-ce que tu racontes bon sang ?

De l'index Brindle tapote la carte.

Il l'a jetée dans le lac. Il me l'a pratiquement avoué.

Quand ?

Quand je l'ai interrogé la première fois. J'ai voulu savoir ce qui avait changé dans la région ces dernières années et il m'a répondu pas grand-chose. J'ai mentionné le lac artificiel en lui demandant s'il y avait des répercussions sur la ferme. Il m'a dit que non. Qu'il n'y montait jamais.

Ah bon ?

Et moi je n'ai pas réagi.

Une nouvelle fois Brindle secoue la tête.

Il aurait pu tout aussi bien me dire c'est là que je l'ai mise. Parfois c'est comme si les criminels cherchaient à se faire prendre. Lorsque le meurtre est leur seul accomplissement il devient un événement majeur dans leur existence ; un moment symbolique. Certains l'investissent d'une signification spirituelle : leur acte change la face du monde et ils veulent que le monde le sache. Évidemment qu'il est allé rôder du côté du lac. C'est une créature des tourbières. Il hante la lande. Et la retenue est juste à côté de chez lui. Oui c'était le signal.

Quel signal ?

Celui qu'il m'adressait. Mais je n'ai pas su le voir.

Parce que t'as débarqué ici avec tes certitudes et ta mentalité de citadin affirme Mace. Il aurait suffi que tu poses des questions à droite à gauche.

Ils restent silencieux quelques instants puis Mace reprend la parole :

Pourquoi Melanie Muncy à ton avis ?

Sûrement des représailles répond Brindle. Pinder ou Lister quelqu'un qui tire les ficelles en coulisses savait que Muncy était le maillon faible. Qu'il avait refusé de faire partie du réseau. Et comme ils n'avaient pas de moyen de pression sur lui ils ont décidé de frapper un grand coup.

En confiant le travail à Rutter ?

Oui.

Pourquoi lui ?

Ça je l'ignore. Mais je dirais que notre porcher est leur larbin. Qu'il leur obéit pour de l'argent ou parce qu'ils ont recours à l'intimidation voire au chantage.

Et tu crois que c'est possible de la retrouver ? Il doit y avoir des courants dans ce lac des grottes au fond ou des cachettes.

Non. Tu te trompes. Il a été construit par l'homme. C'est une réalisation moderne et il y a toutes les chances pour qu'elle soit en béton. Les autres retenues d'eau de la région le sont. Crois-moi on finira par récupérer le corps quitte à la vidanger. T'as déjà vu un lac artificiel vidé ?

Non.

Moi si. C'est comme si tu plongeais ton regard dans la gueule de l'enfer.

*

Tard ce soir-là lorsque Roy Pinder rentre chez lui les yeux rougis de fatigue sa femme n'est pas là mais Skelton l'attend. Assis dans le salon il fume une cigarette et regarde un jeu télévisé.

Bonjour Roy.

Pinder sursaute. Se fige. Comprend tout de suite. À partir de maintenant plus rien ne sera pareil. Ce moment qu'il sait inévitable depuis des années est arrivé.

Comment êtes-vous entré ? Où est Val ?

Votre femme est partie.

Pinder sent ses jambes flageoler et doit s'appuyer sur le buffet.

L'écran de télé montre une quinzaine de femmes alignées cherchant à attirer l'attention d'un homme qui ressemble à un gorille rasé. Skelton se fend d'un petit sourire goguenard quand l'homme-gorille entame une danse lascive. Les femmes l'imitent et les spectateurs applaudissent en rythme.

Elle est allée se reposer ailleurs un moment ajoute Skelton. Ne vous en faites pas.

Où est-elle espèce de salaud ?

Je vous le répète elle avait besoin de dormir un peu jusqu'à ce que tout soit réglé. Vous saviez que j'allais vous rendre visite n'est-ce pas Roy ? Je veux dire vous deviez bien vous attendre à recevoir des nouvelles de M. Hood.

À la télé l'homme-gorille a éliminé de la compétition certaines des participantes. Les projecteurs au-dessus de leurs têtes se sont éteints. L'animateur a l'air complètement idiot. Il est coiffé de manière à paraître moins dégarni.

Lister dit soudain Pinder. C'était vous ?

Skelton se détourne lentement du téléviseur. Feint l'innocence. Dans la lumière blafarde il ressemble plus que jamais à un cadavre.

Moi quoi ? fait-il en se levant. Bon vous allez oublier ça Roy et m'écouter.

Pinder recule.

Steve Rutter le porcher continue Skelton. Ce garçon qui ne sent pas la rose. Est-ce qu'il risque de nous poser un problème ?

Il a fait ce qu'on lui a demandé. M. Hood ne devrait pas s'inquiéter.

Et que lui a-t-on demandé ?

Vous le savez très bien. J'ai vraiment besoin de le dire ?

Oui. Allez-y.

La gamine. Personnellement je pensais…

Oui Roy ? Vous pensiez quoi ?

Je pensais que ce n'était pas une bonne idée déclare Pinder. Que ça risquait d'attirer des ennuis à tout le monde dans la vallée. Une attention inopportune. Et c'est ce qui est arrivé.

M. Hood n'en a rien à foutre de votre vallée merdique Roy. Vous auriez dû le comprendre depuis longtemps. M. Hood est très loin d'ici. Vous auriez dû le comprendre aussi.

Mais pourquoi avoir confié le travail à Rutter ?

Parce que personne ne le regrettera.

J'ai été obligé de me mettre en quatre pour le couvrir. Il a été à deux doigts de se faire coffrer par un connard venu de la capitale.

Oh vous voulez parler de James Brindle.

Vous le connaissez ?

Bien sûr répond Skelton. Bien sûr. M. Hood surveille l'inspecteur Brindle depuis un moment déjà. On dit qu'il ira loin. Peut-être jusqu'au sommet. Et il est jeune. Ça ne vous fait pas un drôle d'effet Roy ?

Pourquoi ?

Skelton se rassoit. L'écran projette une lumière froide sur son visage.

Eh bien vous êtes flic depuis – combien de temps ? Toute une vie. Et pourtant vous êtes toujours là. Au milieu des mêmes personnes avec lesquelles vous avez grandi. Coincé dans le trou du cul du monde. Un petit poisson dans une petite mare.

Pinder s'efforce de ne pas paraître blessé.

J'aime ma vie ici figurez-vous réplique-t-il. Et c'est moi qui dirige tout ne l'oubliez pas.

Skelton se redresse. S'approche de lui.

Vous ne dirigez rien du tout. Vous dirigez ce que M. Hood vous dit de diriger. C'est pour ça qu'il vous charge de régler les détails laissés en suspens.

Des acclamations s'élèvent de la télé. L'homme-gorille a choisi une femme. Elle est orange et maintenant elle gravit avec lui un escalier décoré de chaque côté de rangées de spots clignotants dont les lueurs éclairent le visage de Skelton. La femme chancelle sur ses talons hauts. Le couple s'arrête se retourne agite la main et adresse un clin d'œil à la caméra avant de s'en aller vers un avenir indéterminé.

De quoi vous parlez ? demande Pinder.

Skelton éteint sa cigarette.

Rutter a fait son temps.

Je croyais que vous le considériez comme fiable.

Avec l'Aimable Larry qui fait les gros titres de la presse nationale et ce Brindle qui ne lâche rien Rutter est devenu le maillon faible. Alors vous allez y remédier. Le porcher doit nous quitter ce soir.

Pinder le regarde.

Ce soir ? Mais comment ?

Peu importe. Comme vous l'avez dit c'est vous qui dirigez la vallée. Donc c'est à vous que revient cette tâche.

Écoutez je suis policier…

Tout juste. Vous êtes policier et vous êtes mouillé jusqu'au cou. Ça Rutter le sait. Il ne sera donc pas étonné que vous débarquiez chez lui en pleine nuit.

Le générique de fin défile à l'écran sur des images de l'animateur tournant sur lui-même et se pavanant devant la caméra. Le public ravi est debout.

*

Il se sert de la même corde que pour elle. Celle avec laquelle il l'a attachée et entravée. Pieds et poings liés. Il lui semble logique d'utiliser ce qu'il en reste c'est un moyen de les relier symboliquement – le père et la fille. Et aussi de compromettre Muncy.

Le corps de Ray Muncy est plus lourd que celui de la gamine et Rutter doit s'arrêter toutes les cinq minutes pour reprendre des forces mais au moins les intestins du mort ne se sont pas vidés. C'est ce qu'il se dit. Au moins il ne s'est pas chié dessus.

Il va encore falloir planquer les ciseaux chez les Muncy pour que June ne les trouve pas pense-t-il.

Il n'a pas trop de chemin à parcourir jusqu'à sa destination : le bosquet le plus proche de chez ses voisins. Il met néanmoins une demi-heure à faire un trajet de cinq minutes. Son bras et son épaule gauche l'élancent sans compter que la lame de son couteau lui a entaillé la cuisse. Et ses doigts sont gourds. Il s'efforce toutefois d'ignorer la douleur. Le sac contenant ses outils est sanglé sur son torse.

Il allume sa lampe frontale.

Le bosquet de pins n'offre pas la solution idéale pour ce qu'il a en tête mais dans la partie la plus dense il finit par repérer un conifère solide avec de belles branches bien épaisses. Il adosse Muncy au tronc en s'attendant presque à le voir revenir à lui et reprendre la bagarre.

Il lance la corde vers une branche à quatre ou cinq mètres du sol et au bout de plusieurs tentatives parvient à l'expédier de l'autre côté. La laisse pendre.

Après avoir fait un nœud coulant à une extrémité il le passe autour du cou de Ray Muncy puis recule et tire. Enroule l'autre extrémité autour de son épaule valide et progresse à reculons. Plante ses pieds dans le sol pour pouvoir mieux soulever et hisser. Son épaule proteste mais il prend une courte inspiration puis une autre et imprime une brusque secousse à la corde qui agite le poids mort au bout. Ray Muncy s'élève lentement. Ses pieds quittent le sol. Ce n'est plus qu'une marionnette à présent – comme sa fille dans le tunnel. Et comme elle il se retrouve suspendu entre deux mondes : le ciel et la terre. Le mouvement et la décomposition.

Regardez-le cet enfoiré pense Rutter. Bien sûr que c'était moi pauvre con répète-t-il.

Sa voix rend un son étrange. Distant et pourtant sonore.

Tu fais moins le malin hein ? dit-il. Vas-y maintenant essaie de fouiner dans ma vie. Tu me prenais pour un loser mais cette partie-là qui vient de la perdre ? T'avais quand même raison sur un point Raymondo : c'est moi qu'ils appellent quand ils ont besoin que le boulot soit fait correctement. Moi – pas toi. *Moi.*

Il hisse le corps jusqu'à ce que celui-ci délimite son propre espace en tournoyant. Puis il enroule la corde autour du tronc. Deux trois quatre fois. Muncy se balance avec un air niais. La corde grince.

Rutter examine le sol autour de lui. Prend une grosse pierre et la fait rouler sur quelques mètres dans la terre pour aller la placer sous le pendu. Puis il ramasse une branche et en reculant efface toutes les traces de son passage – y compris celles que Muncy est censé avoir laissées mais tant pis. On ne pourra jamais m'attraper.

À peine s'est-il éloigné qu'il se ravise et s'arrête. Pose son sac. L'ouvre. En sort son canif. Retourne vers l'arbre. Dans l'ombre du corps oscillant. Il se penche et commence à entailler le tronc.

Forme des caractères grossiers. Des lettres dont les lignes sont réduites à des diagonales semblables à des cicatrices dans la chair. Il entame creuse gratte et griffe. Incise et taillade alors que la corde lestée de sa charge grince toujours derrière lui. Au-dessus de lui. Sa lampe l'éclaire. Il s'écarte encore une fois. Admire son œuvre. Le message gravé dans le bois :

CÉ MOI

QUI L'A FAIS

JE REGRETE

CÉTÉ MOI

11

Mace s'allonge sur des chaises dans une salle d'attente et s'endort quelques heures. Son corps est las mais le café fait naître dans son esprit des rêves de spectres dont les os s'entrechoquent et des images de chair projetée sur des écrans. Des voix transpercent son sommeil. Des accents des visages des sons se chevauchent. Il y a des policiers. Des présentateurs télé. De la musique. Des femmes au visage flouté occulté pixellisé. Effacé. Des caves humides. Des recoins obscurs. Des ombres. De la fumée. Des yeux écarquillés. Des torses imberbes.

S'y mêlent des visions fugaces de son passé. Discothèques. Sueur. Stroboscopes. Saunas. Regards. Doigts. Torses. Nuits sans fin. Défilé interminable d'inconnus.

À son réveil le jour se lève.

Comme Brindle n'est pas là il en profite pour déambuler dans la vaste salle en open space. Passe entre des bureaux sur lesquels il n'y a rien d'autre que de fins ordinateurs portables des gobelets en plastique vides et des chargeurs de téléphone. Ici et là sont installés des tableaux blancs recouverts de notes décousues griffonnées au marqueur bleu et vert. Dans certains coins ont été aménagés des espaces plus accueillants avec canapés et tables basses.

Il essaie d'ouvrir plusieurs portes – donnant peut-être sur des placards des couloirs ou d'autres pièces – mais elles sont verrouillées alors il se dirige vers la fenêtre et regarde la zone industrielle illuminée par le soleil levant. Ses rayons se réfléchissent sur les bâtiments métalliques trapus. Soudain son téléphone bipe. Un message de Brindle :

> J'ai dû partir et tu ferais bien de t'en aller aussi avant que les équipes d'entretien arrivent à 6 h 30. Il y a de l'argent sur mon bureau pour un taxi. Prépare ton papier. Surtout pas un mot. C'est toi qui as l'exclusivité. Je te rappellerai plus tard. Salutations. Inspecteur James Brindle. PS : ne touche à rien il y a des caméras.

Mace ricane devant ce respect de la grammaire et de l'orthographe que tant d'autres ignorent dans les SMS. Il ricane aussi devant la formule de politesse employée par Brindle à la fin – comme s'il était besoin de préciser qui lui envoyait un message avant 6 heures du matin. Et le ton sévère du policier le fait sourire : même à distance Brindle le sermonne.

Il regarde encore un moment le soleil éclairer le bitume puis songe à Steve Rutter à Melanie Muncy à Roy Pinder à Larry Lister et aux interactions entre eux. Il n'ignore cependant pas que de nombreux aspects de l'affaire lui échappent encore. Il reste tant de choses dissimulées cachées enterrées – peut-être à jamais.

Il pense au sujet – son sujet – qui bien sûr est trop ambitieux pour le *Valley Mercury* tout comme lui est un journaliste trop ambitieux pour cette feuille de chou. Peut-être était-ce d'ailleurs ce que Brindle avait vu en lui ce premier soir au Magnet à Noël : un potentiel sous-exploité. En l'occurrence il est en passe de devenir celui qui aura dévoilé la plus grosse affaire criminelle du Yorkshire depuis l'Éventreur. C'est à lui Roddy Mace que reviendra le scoop l'exclusivité le dernier mot – et même lorsque la nouvelle sera diffusée au niveau national dans les quelques heures voire les quelques minutes qui suivront l'arrestation de Rutter il disposera toujours de plus d'informations que ne pourraient en obtenir les reporters des grands quotidiens : sur le contexte les autres meurtres les autres victimes le cinéma la mère de Rutter les policiers corrompus les filles le vice et l'argent – sans parler de sa connaissance approfondie de la géographie singulière et hantée de la vallée et de ses villages et hameaux environnants. Cette histoire a de quoi lui assurer du travail dans les semaines les mois peut-être les années à venir et s'il s'y prend bien elle pourrait lui permettre de se faire enfin un nom. Il est possible qu'elle représente son billet de retour à la vraie vie – pourquoi pas à Londres ? – au journalisme sérieux aux articles signés aux sujets de fond aux voyages aux prix et aussi – à quoi au juste ? Un retour à une existence d'angoisse d'excès d'épuisement de vide d'isolement de tripotages sans amour dans des discothèques sombres au rythme assourdissant des basses et de matins sinistres à se réveiller nauséeux et poisseux dans des chambres inconnues au fin fond de banlieues lointaines avant d'entamer un long trajet pour rentrer et retrouver un studio froid et désert. Les voisins qu'on ne croise jamais dont on ne perçoit la présence qu'aux bruits assourdis traversant les murs humides. Une solitude abjecte.

Non pense-t-il. Non pas ça. Ça ne recommencera pas. Non.

Non : c'est un livre qui doit devenir son objectif. Il a besoin de tout raconter dans un livre. Exactement comme il se l'est toujours promis. C'est l'occasion ou jamais de devenir un écrivain digne de ce nom. La vallée lui a fait un cadeau en fin de compte : elle lui a offert ce qu'il cherchait quand il a quitté Londres.

Sauf que rien ne sera plus jamais pareil après cette journée se dit-il. Quand la première édition sera distribuée dans les kiosques tout sera joué : son article attirera l'attention de l'opinion publique sur cet avant-poste sanglant. Lequel sera à jamais souillé par Rutter. Par toute cette clique.

Le soleil éclaire maintenant la cour de la Chambre froide. Mace distingue du mouvement en bas. Il voit un merle picorer et s'acharner sur quelque chose. Redresser la tête et tirer. C'est un ver de terre qu'il tient dans son bec.

Il faut qu'il mette de l'ordre dans ses notes. C'est sa priorité. Il faut qu'il rassemble ses esprits et qu'il aille au journal. Qu'il creuse encore plus profondément afin de pouvoir rapporter l'histoire de Rutter du cinéma de l'Aimable Larry Lister et du reste. Qu'il parle à Dennis Grogan pour lui demander de faire place nette et de se tenir prêt. Qu'il termine les préliminaires et commence à conclure. Il y a encore tant de choses à prendre en compte.

Il se dirige vers le bureau de Brindle et ramasse sur la table de travail les deux billets de vingt lisses et impeccables – comme tout dans la vie du policier.

Puis il appelle un taxi.

*

C'est seulement en approchant de la ferme que Roy Pinder se rend compte qu'il ne connaît pas le prénom de Skelton. Il ne sait pas non plus où il habite ni ce qu'il fait d'autre dans la vie à part s'adonner au vice et à la violence et servir Hood – sur lequel il en sait encore moins. Comment est-ce possible ? se demande-t-il. Après toutes ces années il ne possède pas la plus petite information sur lui. Mais ce rapport de force inégal est sans doute voulu comprend-il. C'est un moyen pour Skelton de maintenir son pouvoir. Peut-être qu'il ne s'appelle même pas Skelton d'ailleurs. Peut-être qu'il s'agit juste d'un surnom parce qu'il ressemble à un squelette. Quant à Hood il est encore plus énigmatique à ses yeux. Ce n'est qu'une silhouette noire indistincte. Une absence plus qu'une présence et pourtant puissante – surtout par le sentiment qu'elle lui inspire : la peur.

Et c'est seulement aussi en approchant de la ferme qu'il en vient à regretter ses vingt années d'association avec eux – les soirées les films les hommes l'alcool les femmes l'argent et – oui – les gamins. Mais pas parce que sa femme a été enlevée est peut-être déjà morte ni parce qu'il va devoir commettre un meurtre et risque lui-même d'être tué ni parce que c'est sans doute la fin de sa carrière dans la police. Et ses regrets n'ont rien à voir non plus avec les junkies les prostituées et les jeunes fugueurs qu'ils ont enlevés utilisés filmés tués et fait disparaître – et dont personne ne se souciait de toute façon.

Non. Il déplore la situation parce qu'il est conscient que les plus beaux jours de sa vie sont désormais derrière lui. Tout ce qui se passera après ne pourra lui paraître que terriblement ennuyeux. Insipide. Et ce ne sera pas facile à supporter.

Et vous comptez vous y prendre comment ? demande-t-il.

Ce n'est pas moi qui suis concerné mais vous rétorque Skelton.

Je vous ai dit que c'était impossible.

M. Hood tient à ce que ce soit vous. Alors ce sera vous.

Et si je refuse ?

Si vous refusez nous avons un associé en Russie. Un intermédiaire.

Et alors ? Je ne vois pas…

Il vend nos productions aux oligarques et aux généraux de guerre. Vous imaginez à quel point ils apprécient les plaisirs extrêmes s'ils s'adressent à nous pour les divertir.

Pinder le regarde et déglutit. Sans piper mot.

On s'arrangera pour que votre femme reste en vie pendant des semaines déclare encore Skelton d'un ton sec.

Vous ne pouvez pas faire ça.

Je pense que vous n'êtes vous-même pas dupe de cette affirmation.

Je croyais que toutes ces histoires étaient derrière nous. Que tout s'était terminé avec la fermeture de l'Odeon X.

M. Hood a des intérêts commerciaux un peu partout. L'Odeon X n'était qu'un minuscule rouage de la machine. Nous avons procédé à un transfert d'activité rien de plus.

Mais pourquoi tout déclencher maintenant ?

Vous le savez très bien. À cause de Larry Lister. De Rutter. Et de Brindle. Les accusations portées contre Lister n'allaient pas s'effacer comme par magie et Muncy était le seul qui risquait de parler. Brindle aurait fini par lui tirer les vers du nez. Quant à Rutter il était là pour nous éviter de nous salir les mains. C'est tout.

Comme Pinder reste muet il poursuit :

Alors vous allez vous occuper du porcher et moi de l'autre.

Vous allez faire disparaître Brindle ?

M. Hood n'aime pas l'idée qu'on puisse nuire à ses affaires.

Mais si je supprime Rutter comment je peux être sûr que vous n'allez pas me tuer après ?

Vous ne pouvez pas admet Skelton.

Je ne dirai rien si vous la laissez partir. Laissez ma femme partir et ensuite je vous débarrasserai de Rutter.

Non c'est maintenant ou jamais. Aujourd'hui. Ce matin. Voyons Roy après vous être amusé toutes ces années vous deviez bien vous douter qu'il y aurait un prix à payer non ? Toutes ces soirées spéciales Roy. Imaginez que la presse tombe sur certaines des photos que M. Hood a dans sa collection. Vous montrant vautré sur des fugueuses mineures par exemple. Vous êtes d'accord avec moi pour dire que ça ne ferait pas bonne impression n'est-ce pas ?

Pinder déglutit de nouveau et demande :

Mais comment je dois m'y prendre ?

Skelton soupire.

Ah bon sang.

Il tire de sa veste une arme de poing.

*

Brindle se douche se change puis retourne à la Chambre froide. Il craint que Mace n'y soit encore ; qu'il n'ait fait une connerie comme s'acheter un pack de bière et prendre ses quartiers dans le service. Qu'il n'ait organisé une fête.

Avant de sortir de chez lui il a passé une bonne dizaine de minutes à tripoter les interrupteurs vérifier la gazinière ouvrir et fermer les stores verrouiller et déverrouiller la porte d'entrée. Il a donné à ces rituels une importance particulière parce qu'aujourd'hui est un grand jour. Il le sent. Un jour crucial.

Quand il arrive au travail Mace est parti.

Il est un peu plus de sept heures et ils sont tous les deux à leurs bureaux respectifs. Brindle prépare les documents nécessaires à de nouvelles recherches – impliquant cette fois des plongeurs – demande un mandat d'arrêt et dresse une liste de toutes les suites possibles de l'enquête. De son côté Mace s'agite s'efforce de donner un sens à la montagne de notes dont il dispose. De recenser les différentes ramifications de l'affaire. Les relater une par une au compte-gouttes lui paraît la meilleure solution – d'abord dans le *Mercury* ensuite peut-être par l'intermédiaire d'une agence de presse. Ça va beaucoup trop loin pour un journal local. Il sera sans doute en mesure de vendre ses informations à tous les quotidiens sérieux à tous les tabloïds à tous les sites web de Grande-Bretagne et au-delà.

Il songe aux éléments marquants. Meurtres. Corps disparus. Porchers. Policiers corrompus. Showbiz. Pornographie. Et pire encore.

Toutes ces pensées lui font tourner la tête. Et l'idée que Brindle soit chargé de superviser le processus jusqu'à sa conclusion et que son propre rôle de journaliste consiste à en témoigner ne fait qu'accentuer sa sensation de vertige.

Il a envie d'un verre. Il voudrait éteindre son ordinateur quitter son bureau traverser la ville rentrer chez lui s'enfouir sous la couette avec une ou deux bouteilles et ne plus mettre le nez dehors. Il voudrait se défiler renoncer à cette responsabilité. Tout oublier. Laisser tomber cette histoire. Ne pas saisir cette chance.

Une part de lui en meurt d'envie. L'autre aspire à rapporter chaque détail de l'affaire ; à ciseler des phrases qui rendront dans toute leur complexité les désirs sordides de l'homme et ses actes diaboliques. À creuser profondément et à étaler au grand jour ; à cartographier l'existence de Rutter comme l'a été autrefois cette région âpre. À établir un relevé de chaque haut et de chaque bas. De chaque coin sombre et de chaque pic. À instaurer un ordre pour faire apparaître un sens. En même temps il a peur de ce qu'il risque de découvrir.

À onze heures à la Chambre froide James Brindle se dirige vers le bureau de son supérieur Alan Tate avec un dossier sous le bras. Ses cheveux paraissent plus soigneusement gominés qu'à l'ordinaire et sa chemise encore plus blanche. Le dossier contient des clichés et des cartes. Des fichiers pris aux Archives et des coupures de presse. Des photos de Steve Rutter de Melanie Muncy de Margaret Faulks d'Aggie Rutter de Larry Lister de Roy Pinder et aussi de la ferme du lac artificiel du terrain de camping du bourg et de l'Odeon X. Il y a des tirages papier de conversations sur des forums Internet et des actes de propriété et des relevés de comptes bancaires et des dépositions concernant Lister et des plans du lac artificiel et des formulaires de demande de mandat. Il y a tout ce dont il a besoin pour étayer les charges à l'encontre de Steven Rutter. Tout est classé. Tout obéit à un fil conducteur. À une logique. L'affaire n'est plus seulement celle du village et de la lande alentour ; elle s'est déplacée jusqu'à la capitale et sera bientôt connue de tous les foyers de la nation.

Les deux hommes parlent un moment puis Tate indique dans un coin un espace plus propice à la discussion. Avec table basse et canapés – un aménagement adapté à la police moderne. Ils s'assoient. Brindle reprend son récit. Étale ses documents devant eux. Tous deux chassent d'un geste quiconque fait mine d'approcher.

À treize heures trente Brindle se lève s'étire et Alan Tate l'imite avant de s'éclaircir la gorge et d'émettre un sifflement. Derrière les écrans d'ordinateur des têtes se redressent.

Laissez tomber ce que vous êtes en train de faire ordonne-t-il. Stoppez tout.

*

La chaux a rempli sa mission. Rutter la sent lui brûler la gorge et les sinus à travers les deux épaisseurs de bâche.

Après avoir pendu Ray Muncy il est rentré chez lui. Le jour n'était pas encore levé alors il a ranimé le feu et s'est endormi devant l'âtre pendant plusieurs heures. À son réveil il lui a fallu quelques instants pour retrouver ses repères après quoi il a préparé du thé et l'a bu en grignotant des biscuits des sardines et des noix. Puis il a refait du thé.

Il a rempli son sac de provisions auxquelles il a ajouté de la corde un pull une torche électrique un couteau de cuisine et une machette. Une autre bâche. De l'eau son tabac et son briquet.

Ce n'est pas encore le matin quand il libère les chiens. Il ouvre leur enclos et les attire vers la cour où il a entassé la viande qu'il lui restait dans le congélateur. Jarrets côtes et épaules dégèleront lentement. Les nourriront pendant des jours. Ils s'en repaîtront un moment et après ils seront livrés à eux-mêmes.

Il s'approche du poulailler pour libérer aussi les poules mais les dernières sont mortes. Inertes. Sans vie.

Il entre les retire une par une puis les jette sur le tas de viande congelée.

Après avoir posé à côté deux seaux remplis d'eau il envisage de mettre le feu à la ferme – de l'arroser d'essence de craquer une allumette et d'illuminer le ciel nocturne – mais il ne le fait pas. Il se détourne et prend le chemin de derrière. S'éloigne de la maison de la cour de la grange et gravit la colline. Sans un regard en arrière.

*

Alan Tate veut envoyer l'équipe au grand complet mais Brindle l'en dissuade. Use de tout son capital stratégique comme moyen de pression.

Vous en êtes bien sûr ? demande son supérieur.

Certain répond Brindle qui ne sait cependant plus si c'est vrai.

Ce ne sera pas comme la dernière fois ?

Non. Je peux vous le garantir.

Tate le connaît. Le comprend. Sait à quel point il a besoin qu'on lui fasse confiance. Sait aussi que tous les enquêteurs de la Chambre froide sont différents – spéciaux. Il sait que Brindle négocie la situation de façon à pouvoir la gérer à sa manière. Parce que James Brindle est un stratège.

Il me semble tout de même que vous faites une fixation excessive reprend Tate.

Pardon ?

Sur ce Steven Rutter.

Je fais toujours une fixation excessive sur les meurtriers rétorque Brindle. Vous ne l'ignorez pas. Je pensais d'ailleurs que c'était la raison de ma présence ici. Dans ce service je veux dire.

On ne peut pas se permettre un nouveau fiasco.

Il n'y en aura pas.

Et pour les proches de la gamine ? Ils habitent tout près n'est-ce pas ?

Oui.

Il va falloir les informer. Les préparer à la suite des événements. Vous n'avez aucun doute sur l'existence de ces liens avec les autres affaires hein ?

Non. Aucun.

Vous ne tirez pas de conclusions hâtives ?

Non répond Brindle. Je pensais que vous aviez compris comment je fonctionnais. Que vous aviez eu l'occasion d'apprécier mes méthodes.

C'est le cas affirme Tate. Alors forcément quand vous avez foiré à Noël...

C'était un accident de parcours le coupe Brindle. Il fallait en passer par là pour arriver où nous en sommes aujourd'hui. L'erreur est parfois nécessaire à l'accomplissement du processus. Quand on est dans un cul-de-sac on peut se tromper en tournant à gauche au lieu de tourner à droite à la sortie. Mais l'essentiel c'était d'y entrer pour pouvoir prendre cette décision. Je n'ai pas lâché Rutter d'une semelle depuis Noël. Je l'ai observé et j'ai complété son profil. Le dossier est plus solide aujourd'hui. Beaucoup plus solide.

Les médias vont se régaler. On a intérêt à être prêts.

Je suis prêt.

On va devoir briefer le service de presse.

Bien sûr.

On va bosser pendant des semaines comme des dingues.

Pas de problème.

Bon je m'occupe d'obtenir les mandats pour qu'on puisse l'appréhender.

Parfait conclut Brindle. C'est parfait.

Brindle appelle Mace sur le trajet vers la vallée. Des champs s'étendent de part et d'autre de la route. Des murets de pierre délimitent son horizon.

Il compte les poteaux électriques compte les pylônes et songe aux crimes populaires. Aux histoires ensevelies. Aux squelettes. Aux jeunes filles sous l'eau.

Il songe au Yorkshire. Aux Dales. À la région.

À cette contrée sombre. Aux vastes étendues désertes. Aux eaux noires.

Au vent qui les fouette.

Au clapotis des vaguelettes.

Aux lambeaux de peau qui se détachent et remontent à la surface. Aux poissons qui s'en nourrissent.

Tiens-toi prêt dit-il quand Mace décroche.

Maintenant ?

Oui. Ton rédacteur est au courant ?

Je lui ai parlé de Rutter.

De Pinder aussi ?

Non.

Tant mieux. Ne le mentionne pas pour le moment. Et ne lui dis pas que je t'emmène là-haut. Pas encore.

On y va tout de suite ?

Oui. Pourquoi ? Ça te pose un problème ?

Non c'est juste que…

Tu voulais ton article non ? Pour raconter toute l'histoire il faut que tu t'impliques. Que tu la vives de l'intérieur en temps réel.

Tu comptes arrêter Rutter ?

Bien sûr. Mais d'abord je dois parler à Ray Muncy.

Pourquoi ?

Considère ça comme une visite de courtoisie.

Je ne peux vraiment pas en parler à mon rédacteur ?

Non parce que je veux faire les choses à ma manière. C'est une question de confiance tu te rappelles ? Ou plutôt de défiance. Se méfier de tout le monde c'est la règle. Même de ceux que tu crois fiables.

T'as déjà fait les choses à ta manière la dernière fois.

Raison pour laquelle j'y tiens encore plus maintenant. Je veux rectifier le tir.

Il va me falloir un photographe. Laisse-moi au moins prévenir…

Non. Tu te passes de photographe. Tu n'auras pas de mal à obtenir toutes les photos dont tu auras besoin après coup.

Tu pars avec combien d'hommes ?

Aucun.

Quoi ?

Il n'y aura que toi et moi.

On ne t'envoie pas de renforts ? s'étonne Mace.

Non.

Pourquoi ?

Parce que je me méfie de tout le monde à ce stade.

Même de la Chambre froide ?

Comme Brindle garde le silence Mace déclare :

Mais tu ne te méfies pas de moi.

Brindle hésite un moment.

Contre toute logique non.

Tu ne risques pas de t'attirer des ennuis ? demande Mace. Je veux dire il n'y a pas des règles à suivre pour une telle opération ? Des mandats à établir des mesures préventives à prendre ou je ne sais quoi ?

J'ai les mandats. Et c'est moi qui suis censé m'inquiéter du règlement pas toi. Ton boulot c'est d'enregistrer et de consigner. D'ouvrir grands les yeux et les oreilles et ensuite de construire le récit. De te servir de ce talent littéraire que tu prétends posséder.

Et si ça tourne mal ?

Qu'est-ce qui se passe ? T'as peur ?

Je ne sais pas.

Tu devrais pourtant.

Pourquoi ?

Parce que le monde est un endroit sombre et chaotique gouverné par le désordre le désir et l'impulsion. Parce que rien n'a de sens et que si on y réfléchit trop on n'a plus qu'une envie : se foutre en l'air.

Eh ben…

Tiens-toi prêt c'est tout déclare Brindle. Je serai là dans vingt minutes.

*

Il est maintenant là où il voulait être. Dans la cuvette. Dans les profondeurs d'Acre Dale Scar où il se repose et caresse la bâche dont le contenu mou dégage des relents âcres. Il perçoit l'ammoniaque sans la sentir. Le corps qui se liquéfie à l'intérieur perce des trous dans la toile enduite.

Il s'allonge plaque le paquet sur sa poitrine et le serre contre lui. Le berce. Le chérit.

Un creux dans l'une des parois escarpées leur sert de refuge. Il s'est caché dans l'ombre d'un rocher et a ramené sur lui – sur eux – des branches de fougères. Pour les recouvrir. Les camoufler.

La carrière foisonne de balsamites de séneçons et de fleurs sauvages. Certains des plus gros arbres qui ont poussé au fond de l'excavation en atteignent presque le sommet et les feuilles s'épanouissent sur leurs branches.

La visibilité est limitée et il a posé son arme près de lui. Mais il est sûr d'entendre quiconque s'approcherait.

Il s'autorise une cigarette. Puis deux. Il a mal à la tête. Il s'assoupit.

Il ne fait pas de rêves pas de cauchemars non plus. Il est juste heureux de dormir et il se réveille plus tard dans la journée. Il se lève s'étire et urine puis mange quelques biscuits et boit un peu d'eau. Quand le besoin de déféquer se fait sentir il déplace la bâche pour que la fille ne le voie pas même si elle est morte et n'a plus d'yeux. Même si sa chair grésille sous l'effet corrosif des produits chimiques qu'il a soigneusement répandus sur ce qu'il reste de son visage de son torse et surtout de ses doigts.

À la nuit tombée Rutter soulève la bâche quitte Acre Dale Scar et s'engage sur la lande.

*

La brise souffle sur les hautes terres au-dessus d'eux. Dessine des motifs ondoyants dans les herbes.

Bon commence Mace sur le siège passager. On monte là-haut et on frappe à la porte ? C'est ça l'idée ?

Non.

Parce qu'il pourrait nous voir arriver.

Tu pourrais peut-être essayer de dire autre chose que des évidences.

Au niveau d'un dégagement l'inspecteur se gare et coupe le moteur.

Viens. On continue à pied.

Ils descendent de voiture et suivent la route jusqu'au hameau. Brindle éternue sort de sa poche un mouchoir et s'essuie le nez.

Désolé. J'ai le rhume des foins.

Qu'est-ce que tu vas dire à Muncy ? demande Mace.

Il a le droit de savoir ce qui se prépare. Qu'on va explorer le lac artificiel. Sa maison en est tout près. Il faut le mettre au courant.

Et s'il fait quelque chose de stupide ?

Genre ?

Attaquer Rutter.

Je ne lui parlerai pas de Rutter. Je vais m'entretenir avec lui et ensuite j'irai appréhender Rutter. Je m'arrangerai pour qu'ils ne soient pas en présence l'un de l'autre. Ils ne se reverront qu'au tribunal.

T'es sûr de ton coup ?

On ne peut jamais être sûr de rien rétorque Brindle. Alors non. Mais j'ai bien l'intention d'aller jusqu'au bout. En ce moment même mon patron use de son influence pour me soutenir. Deux dizaines d'enquêteurs ont reçu l'ordre de laisser tomber leurs affaires en cours et de considérer celle-ci comme prioritaire. Ils sont chargés de vérifier jusqu'à la plus petite information. On établit un lien avec les investigations concernant Lister et les Affaires internes ont été prévenues pour Pinder. Des communiqués de presse sont en préparation. Je vais tout démanteler tu peux me croire.

Tu passeras à la télé alors.

Oh non. Ça ne risque pas.

Tu seras un putain de héros.

J'en doute aussi.

Les deux hommes ont atteint l'entrée de l'allée de Muncy.

Va m'attendre quelque part pendant que je lui parle ordonne Brindle.

Où veux-tu que j'aille ?

Je ne sais pas. Disparais c'est tout. Donne-moi cinq minutes.

Facile à dire. Il n'y a nulle part où aller.

Débrouille-toi. Cinq minutes.

Brindle s'éloigne dans l'allée. Arrivé devant la maison il s'apprête à sonner quand la porte d'entrée s'ouvre. Une femme frêle à l'air effrayé lui jette un coup d'œil. Elle a les cheveux taillés n'importe comment et si court qu'on voit les petites écorchures sur son cuir chevelu. Un bandage recouvre sa main qui tient le battant.

Oh dit-elle. Je croyais que c'était Ray qui rentrait.

Surpris Brindle hésite.

Madame Muncy ?

Vous l'avez vu ?

Non. Mais j'aimerais lui parler si c'est possible. Êtes-vous − est-ce que ça va ?

Il est parti il y a un moment et il n'est pas revenu.

Brindle qui sonde son regard se rend compte qu'elle est dans un autre monde.

Quand est-il parti madame Muncy ?

Plus tôt. Vous l'avez vu ? Il était très en colère.

Non mais j'espérais le rencontrer chez vous. Je suis policier. Inspecteur.

Vous ne pouvez pas entrer décrète-t-elle. Il m'a dit de ne jamais laisser entrer personne. Je n'aurais même pas dû ouvrir.

Sa voix tremble. Elle agrippe la porte avec force comme si elle s'y raccrochait.

Vous ne vous sentez pas bien madame Muncy ? Êtes-vous blessée ?

Je voudrais juste que Ray revienne. Vous ne l'avez pas vu ?

Pourquoi était-il en colère ?

La mine de June Muncy s'allonge brusquement.

J'espère qu'il n'a pas recommencé avec tout ça.

Tout ça quoi madame Muncy ?

Toutes ses histoires.

Quelles histoires ?

June Muncy scrute les traits du visiteur.

Vous n'êtes pas au courant ? Cette manie qu'il a de déclencher des disputes. Il s'est fâché avec la plupart des habitants du village ; il disait qu'ils avaient voulu lui faire faire des choses auxquelles il refusait de participer. Il n'a jamais expliqué lesquelles. Mon Ray sait ce qu'il veut. C'est quelqu'un de bien. Il a toujours été bon avec nous. Tenez il s'est même querellé avec cet idiot plus haut sur la colline.

Qui ça madame Muncy ?

Elle écarte plus largement le battant et de sa main bandée indique un point sur le versant.

Le porcher. Le garçon d'Aggie Rutter.

Vous connaissez bien Mme Rutter ?

Elle était gentille avec moi vous savez. Les gens racontaient des tas de bêtises sur elle mais elle ne nous a jamais cherché d'ennuis.

Et Steven ?

Eh bien ils se sont querellés mon Ray et lui. Je les ai entendus. Ray a dit qu'il allait leur régler leur compte à tous. Il fulminait. C'est à cause de cet endroit vous comprenez. De cette vallée. Les gens se bagarrent tout le temps. Les familles sont en conflit. Et s'il ne pleut pas il neige et s'il ne neige pas il souffle un vent à décorner les bœufs. C'est une terre maudite.

Brindle tente de dissimuler sa surprise. Il lève une main pour l'interrompre. En vain.

Je voulais déménager mais c'est une vraie tête de mule mon Ray. Il a dit qu'on perdrait de l'argent si on vendait maintenant. Il a dit aussi qu'il avait grandi dans cette vallée et qu'il n'irait nulle part ailleurs. Pour rien au monde. Il est entêté comme pas deux. Et celui de la télé aussi il le détestait. Il lui a écrit une lettre pour lui dire sa façon de penser.

Larry Lister ?

Il le traitait de tous les noms.

Quand était-ce ?

Je crois que c'était pendant la crise.

Mais à quel moment Ray a-t-il dit qu'il allait leur régler leur compte madame Muncy ? Quand a-t-il écrit à Larry Lister ?

Elle secoue la tête.

Vous avez lu cette lettre ?

De nouveau elle secoue la tête.

C'était il y a longtemps ? Avant Noël ?

Le regard de June Muncy se perd dans le vague. Quand elle reprend la parole sa voix se réduit à un murmure :

Je ne sais pas.

Avant que Melanie…

Peut-être. C'est possible.

Si je reviens plus tard est-ce que vous accepterez de répondre à d'autres questions ?

Vous allez retrouver mon Ray ? Vous allez me le ramener ?

Je vais essayer madame Muncy. Je vais essayer.

*

Ils attendent. Guettent pendant des heures un mouvement ou un signe de vie. Ils sont à l'affût du moment où Rutter sortira de chez lui et où Pinder pourra l'attirer sur la lande ou dans les bois pour l'abattre même si ses mains tremblent. Mais comme ils ne voient toujours rien – pas de rideaux tirés pas d'animaux dans la cour et pas de Steven Rutter – Skelton perd patience et ordonne au policier d'aller frapper d'entrer et d'éliminer Rutter sur place – qu'on en finisse et ne pensez même pas à prendre la fuite parce que sinon je commencerai par découper aux ciseaux les seins de Valerie. Du coup Roy Pinder monte jusqu'à la ferme cogne à la porte regarde par les fenêtres va jeter un œil dans les dépendances et réessaie la porte – sans plus de résultat – avant de retourner sur le chemin à l'endroit où Skelton patiente dans la voiture et de hausser les épaules bras écartés comme pour demander et maintenant ? Et Skelton de se dire que c'est de la procrastination du je-m'en-foutisme et que si on veut du bon travail il vaut mieux s'en charger soi-même alors il descend du véhicule sort son arme et loge une balle dans le visage de Pinder à trente mètres de distance et la détonation ne fait pas plus de bruit qu'un homme crachant des brins de tabac et ensuite il traîne le corps sur le chemin – la figure de Roy Pinder ressemble à une fleur éclose – et le hisse dans le coffre.

*

Il avance d'un pas déterminé sans allumer sa torche en se fiant à sa connaissance intime du terrain. Il sait quelles tourbières noires éviter – elles restent dangereuses même pendant les périodes de sécheresse – où les premiers feux de bruyère sont partis et quels endroits sont périlleux dans les vieilles habitations abandonnées par les bergers les tourbiers et les mineurs qui y vivaient autrefois.

Parce que Rutter ne fait pas que passer dans le paysage. Il *est* le paysage. Il est la terre les racines les murets écroulés ; il est les crânes de moutons les terriers de lapins et les secrets enterrés et tout en marchant il a l'impression d'arpenter une planète où lui seul peut se repérer. Que lui seul comprend. Un monde que d'autres considèrent comme étranger aride et inhospitalier. Une vaste étendue solitaire où les bruits sont absorbés par le vide où la poussière et les rochers n'ont pas d'odeur et où coule une eau aussi rouge que le sang.

Une grande bâtisse en ruine se dresse un peu plus loin. Certains disent qu'il s'agit peut-être d'un ancien relais de chasse construit au dix-septième siècle quand les seigneurs de la région avaient une prédilection pour les cerfs. D'autres racontent que c'est une vieille ferme avec des granges à chaque extrémité. À moins qu'elle n'ait servi de hangar aux anciennes équipes de carriers. Comme entrepôt de dynamite peut-être.

D'autres encore affirment qu'un ermite y a vécu quelque soixante-dix ou quatre-vingts ans auparavant. Quoi qu'il en soit elle n'est plus occupée depuis au moins un demi-siècle.

Mais Rutter ne sait rien de tout cela ; il est trop impliqué dans le présent – trop intégré au paysage – pour prendre le recul nécessaire à une mise en perspective. Comme le piton rocheux la mare stagnante ou le paddock vide il est là tout simplement.

Pour lui cette ruine était un havre où s'abriter de la fureur des éléments quand il était enfant et en le longeant il doit résister à l'envie d'aller se blottir dans l'un de ses recoins de pierre et de s'endormir en serrant contre lui les restes dissous de la fille. Mais on les retrouverait ici. Forcément. On les retrouverait et leur histoire serait rapportée dans les journaux et à la télé en termes irrespectueux et personne ne le comprendrait. Or il ne veut pas que ça se passe ainsi.

Non. Il n'aspire qu'au silence et au néant. Il veut devenir un point d'interrogation.

Oui. Un point d'interrogation.

Un mystère.

Oui. Tous les deux. Les deux amants disparus.

Unis par un amour éternel.

Oui. Le fait qu'elle soit morte n'a jamais compté pour lui. Absolument pas.

Non dit-il à voix haute. Non. Parce que l'amour résiste à tout l'amour survit l'amour triomphe et qu'entre eux il s'agit d'une histoire d'amour.

L'amour a toujours été au cœur de tout.

*

Viens.

Brindle traverse le rayon de braquage jusqu'à l'endroit où Mace l'attend devant le bureau de poste. Le journaliste adossé à une fenêtre fume une cigarette.

T'as vu ça ? fait-il en indiquant la vitre derrière lui. C'est fermé.

Et ?

Définitivement je veux dire. Les Laidlaw ont dû vendre. Ou faire faillite. Le bureau de poste était le dernier lien du hameau avec la civilisation tu te rends compte ? C'est une sacrée nouvelle.

Eh bien dépêche-toi de prévenir ton rédacteur alors ironise Brindle en le dépassant.

Hé qu'est-ce qui te prend ? réplique Mace en lui emboîtant le pas. Au fait comment il a réagi quand tu lui as parlé de fouiller le lac ?

Je ne l'ai pas vu.

Pourquoi ? Il n'était pas là ?

Non.

Où est-il ?

Je ne sais pas. Mort peut-être.

Mace s'arrête.

Attends un peu. Muncy serait mort ?

Brindle continue d'avancer obligeant Mace à courir pour le rattraper. Ils quittent le hameau par le sentier de derrière qui coupe à travers champs jusqu'au bosquet au-dessus de la ferme de Rutter. C'est un itinéraire tortueux.

J'ai parlé à June Muncy.

Et elle t'a paru comment ?

C'est un fantôme répond Brindle. Un fantôme mutilé.

Qu'est-ce qu'elle t'a dit ?

Le policier s'arrête et se retourne. Regarde autour de lui comme pour s'assurer qu'il n'y a personne alors qu'ils se trouvent à l'écart d'un des hameaux les plus reculés du nord de l'Angleterre puis déclare à voix basse :

June Muncy m'a laissé entendre que son mari avait peut-être fréquenté un certain cinéma en ville. Ou du moins avait encouru la colère de ceux qui le fréquentaient.

Mace laisse échapper un sifflement incrédule.

Nom de Dieu. Elle t'a vraiment raconté tout ça ?

C'est tout comme. Elle a ajouté qu'il s'était disputé avec Rutter et qu'il allait tous leur régler leur compte. Je la cite.

Quand est-ce qu'il a dit ça ?

Avant Noël et…

Avant Melanie le coupe Mace. Donc ils ont tous des liens qui vont bien au-delà de ce trou perdu.

Oui. Il semblerait.

Ce serait une vengeance alors.

Possible.

Exécutée par Rutter ?

Agissant sur ordre en tout cas.

Sur ordre de qui ?

Celui qui est derrière tout ça.

Pinder ?

Peut-être. Mais avec d'autres.

Ça paraît un peu extrême comme mesure non ?

Certaines personnes ne reculent devant rien pour protéger leurs secrets. Rutter n'est qu'un pion dans cette histoire. Il est jetable.

Bon sang marmonne Mace.

Le chemin décrit une courbe serrée et les deux hommes doivent franchir un échalier pour poursuivre leur ascension.

Mais qu'est-ce qu'on peut en déduire ? reprend le journaliste. Je ne saisis pas.

À mon avis Rutter avait un moyen de pression sur Muncy ou vice-versa. J'ai l'impression que ce cher Ray s'était mis à dos les gentlemen qui se réunissaient à l'Odeon X. Il en savait trop et pourtant ils le laissaient tranquille.

Jusqu'au moment où ils ont décidé de frapper.

Oui.

Parce qu'il s'apprêtait à les balancer ?

Il y a des chances confirme Brindle. De fortes chances.

Même si le cinéma a fermé.

Ça ne veut pas dire qu'ils ont arrêté leur activité. Certaines des accusations portées contre Larry Lister remontent à six mois seulement. J'ai vu les dépositions ; il n'agissait pas toujours seul. Une fille a mentionné d'autres hommes présents. Qui regardaient.

Mace secoue la tête. Ils sont arrivés devant un vieil abri de pierre dans un champ. Une ancienne cabane de berger. Ils y font halte le temps de reprendre leur souffle.

Tu crois qu'il faut s'inquiéter de la disparition de Muncy ? demande le journaliste.

Brindle contemple le paysage. Ils sont maintenant au-dessus du village et de ses maisons blotties les unes contre les autres. La vallée s'étend en contrebas et serpente sur leur gauche comme le lit asséché d'une rivière géante.

Vu le nombre d'ennemis qu'il a et l'état dans lequel il a laissé sa femme je dirais que oui répond-il. Il s'est passé quelque chose. Je sens les événements s'accélérer vers une conclusion qui nous échappe.

En clair ? T'as l'art de parler par énigmes.

En clair on a intérêt à retrouver Steve Rutter au plus vite.

Tu penses qu'il aurait tué Muncy ?

Je pense juste que tout est possible que rien n'est impossible et que quand tu crois avoir terminé le puzzle tu t'aperçois parfois qu'il reste un trou béant au milieu.

*

Il avait essayé de se convaincre que c'était un chevreuil. Ça lui paraissait plus facile ainsi. Le matin même ou peut-être celui d'avant il avait traqué tué et dépecé un chevreuil au lever du jour. Il en avait caché certains morceaux et n'était pas encore retourné les chercher quand il s'était de nouveau mis dans l'état d'esprit d'un chasseur pour la suivre dans la neige fraîche en prenant soin de rester baissé. Sous le vent. En se mouvant souplement dans la bruyère rendue cassante par le gel.

Il la voyait comme une chevrette. Une créature des bois et de la lande. Toute de fourrure et de muscles. Mue par son instinct. Une proie.

Le chien avait senti sa présence mais la fille qui portait des écouteurs avait ignoré ses jappements.

Il l'avait observée de loin. Ensuite il l'avait pistée.

Elle avait gravi la colline jusqu'à la vieille cabane de berger. Il s'était tapi dans un coin pour attendre pendant qu'elle fumait et jouait avec son téléphone. Insouciante.

Il avait songé au visage de Ray Muncy. À la respiration de Skelton à l'autre bout de la ligne. À Larry Lister dans les journaux. Il avait essayé de se représenter M. Hood.

Quand elle était repartie il avait fait de même en suivant une ligne parallèle sous le couvert du bosquet. Il s'était réjoui lorsqu'elle avait laissé la vallée derrière elle pour s'engager sur la lande. La lande était à découvert mais elle n'était pas plane. Or il n'avait besoin pour agir que d'une carrière abandonnée d'une cicatrice dans le sol ou d'un creux à l'abri des regards. Un endroit secret. Alors ce serait l'hallali.

Malgré tout la suite des événements l'avait pris au dépourvu lui aussi. Il l'avait perdue de vue dans les cuvettes et soudain le chien surgi de nulle part avait bondi sur lui et l'avait agrippé par la manche. Pourtant lorsqu'il avait réussi à extraire son couteau de son étui c'était à la fille qu'il en avait porté un coup comme il l'aurait fait avec un chevreuil à terre se débattant tandis que la vie le désertait. Il l'avait ensuite frappée et frappée encore jusqu'à ce que ses mains cessent de lui griffer le visage et que les écouteurs tombent de ses oreilles et que des objets tombent de ses poches et que ses cris deviennent des gargouillements de plus en plus étouffés et cessent enfin. Mais elle cillait toujours en le regardant et ses doigts remuaient alors il avait dû se servir de ses poings et de ses pieds et c'était épuisant et au fond il n'en revenait pas que la fille soit juste de la viande — et la neige s'était tachée de rouge et ce qui devait être une tuerie rapide ne l'avait pas été mais peu à peu le cœur de cette créature traquée avait commencé à ralentir.

L'esprit joue des tours la mémoire en joue aussi et la vie n'est qu'une succession de tours cruels et l'homme n'est qu'un bout de viande animé par un cœur qui bat en attendant il avait fait ce que Skelton et Hood lui avaient demandé. Mieux même il l'avait fait avec amour. L'amour d'un chasseur qui respecte sa proie.

Oui.

Avec tout l'amour de Rutter.

*

Ils se fraient un passage dans les fougères denses tout près de Corpse Road au-dessus de la ferme de Rutter quand ils entendent quelque chose. Tout près. Des bruissements des halètements des bruits de branches cassées écrasées. Du mouvement dans la végétation. Quelque chose s'avance dans leur direction. Les deux hommes se figent.

Soudain une créature jaillit et bondit sur Brindle qui étouffe un hoquet de stupeur et part à la renverse mais ce n'est qu'un chien – un petit chien curieux – qui essaie de lui lécher la figure et de lui mordiller l'oreille. Un instant plus tard un autre apparaît puis encore un autre et bientôt ils sont trois sur Brindle à lui souffler au visage leur haleine tiède.

Mace éclate de rire et se penche pour les caresser.

Aide-moi à me dégager lui ordonne Brindle.

Il s'est à moitié redressé et époussette son pantalon lorsqu'une pensée le frappe.

Ce sont des chiens errants déclare-t-il.

On dirait bien.

Ceux de Rutter.

Ah bon ?

Oui.

T'en es sûr ?

Oui.

Tu crois qu'ils se sont sauvés ?

Non. Impossible. Un peut-être mais pas tous. Ils étaient tout le temps attachés par des chaînes ou enfermés dans leur enclos. Ils ont été libérés.

Mace en gratte un derrière les oreilles.

Ce sont des terriers observe-t-il. Ils sont maigrichons. T'es vraiment sûr ?

Regarde : ils n'ont même pas de collier.

Mace toujours accroupi près des chiens lève les yeux vers lui.

Qu'est-ce que t'en penses ?

En leur enlevant leur collier qui risquait de les entraver Rutter leur a donné une chance de chasser pour se nourrir.

Mace se relève.

Mais pourquoi aurait-il fait ça ?

Parce qu'il est parti.

Où ?

Parti c'est tout.

On ne devrait pas… ?

Non. C'est terminé. Tout est terminé. Il n'est plus là.

À peine a-t-il prononcé ces mots qu'ils entendent un coup de feu au loin.

*

Rutter conserve les dents de la fille dans une vieille boîte à tabac en fer-blanc qu'il a glissée dans sa poche de poitrine. Juste au-dessus du cœur.

Il est allé les chercher quelques jours plus tôt dans le tunnel de drainage et elles se sont détachées facilement. Oui. Comme des clous qu'on ôte d'une planche pourrie.

Elles demeureront intactes pendant des siècles. Résisteront à l'eau. Survivront à toutes les créatures qui peuplent les profondeurs du lac. Elles tomberont au fond se poseront sur la vase qui les absorbera les préservera et les restes de toutes les plantes de tous les animaux les recouvriront de sédiments – couche après couche – et peut-être qu'elles finiront par se fossiliser et qu'ainsi une petite partie de la fille subsistera dans la pierre et sera découverte par les générations futures.

Et les générations futures l'examineront et l'adoreront comme lui-même l'a adorée.

Il a attendu pendant des heures la tombée de la nuit et à présent qu'il fait noir il sort. Une autre créature nocturne de la lande du Yorkshire.

Il marche. Marche jusqu'à apercevoir le lac.

La lune qui se reflète à la surface. La barque.

Celle-ci s'enfonce dans l'eau sans doute sous le poids des parpaings qu'il y a chargés. Il met un certain temps à ajuster ses coups de rame. Il semble exercer une traction plus forte d'un côté si bien qu'il retourne vers la berge au lieu de s'en éloigner. Alors il s'arrête pour fumer une cigarette puis recommence et cette fois coordonne mieux ses mouvements. Il se penche tire se penche tire. Mobilise les muscles de ses bras et de ses épaules douloureuses. L'eau lèche la coque et il aperçoit une petite flaque au fond de l'embarcation l'amenant à se demander s'il n'y a pas une brèche quelque part et s'il risque de couler. Durant une fraction de seconde cette pensée l'affole mais ensuite il se dit que ça n'a plus d'importance de toute façon.

Et pourtant ça en a. Parce qu'il ne veut rien bâcler.

Il continue jusqu'à avoir l'impression d'être au milieu du lac. Le rythme qu'il a adopté est hypnotique et il est obligé de fournir un effort pour émerger de sa transe et se concentrer sur les différentes étapes nécessaires : passer les chaînes à travers le trou au milieu des deux parpaings puis les attacher serré s'assurer qu'ils ne peuvent pas se détacher et ensuite vérifier que la bâche est scellée. Voilà c'est tout.

Ne lui reste plus qu'à faire ses adieux.

Rutter laisse s'écouler une minute. Puis deux. Puis trois. Il serre contre lui les restes décomposés d'une fille qui s'appelait Melanie Muncy. La plaque contre sa poitrine conscient du sanglot emprisonné en lui. Piégé. Incapable de s'échapper. Il étreint une dernière fois la dépouille martyrisée d'une fille qui s'appelait Melanie Muncy puis se penche faisant s'entrechoquer les dents dans la boîte en fer-blanc et la balance par-dessus bord. La regarde sombrer sous les eaux noires parcourues d'éclats argentés. Reflets de la lune à la surface pareils à des poissons flottant le ventre en l'air. Oscillations paresseuses de la barque et clapotis des vaguelettes contre la coque.

Il saisit ensuite la chaîne. Les parpaings.

Il est maintenant prêt à la rejoindre.

*

T'as raison. Bon Dieu. On dirait la gueule de l'enfer murmure Roddy Mace en même temps qu'il aspire la fumée de sa cigarette.

Il s'adresse à lui-même autant qu'à James Brindle. Hein ?

Le journaliste élève la voix pour couvrir le bruit de l'eau.

On dirait la gueule de l'enfer répète-t-il. Tu déconnais pas.

Les courlis tournoient au-dessus du lac artificiel qui se vide. Effrayés par ces tourbillons inattendus et par les perturbations atmosphériques qu'ils créent les oiseaux s'égaillent dans le ciel.

C'est incroyable de voir l'eau se retirer comme ça ajoute Mace. Mais ça fout les chocottes.

À côté de lui Brindle se tient immobile les mains dans les poches.

Il faut le faire maintenant dit-il. En été quand le niveau est bas.

Mace racle la semelle de sa chaussure sur la bande argileuse entre la terre cuivrée de la lande et l'écume qui s'est accumulée sur la berge. Il crache par terre puis tire sur sa cigarette. Inhale la fumée.

À vrai dire c'est plutôt joli par ici quand le soleil brille fait-il remarquer. La Riviera du Yorkshire.

Brindle lui jette un coup d'œil et secoue la tête.

T'as maigri observe le journaliste. T'as vraiment une sale tête. Comment tu t'y es pris pour organiser tout ça ?

Tout ça quoi ?

La vidange du lac.

La vidange partielle rectifie Brindle. Et je n'y suis pour rien. L'ordre vient d'en haut.

De la Chambre froide ?

Brindle secoue la tête.

De plus haut.

Qui alors ?

Du sommet.

De nombreuses camionnettes sont garées aux abords de la retenue et divers représentants du service des eaux et de la police du North Yorkshire assistent à l'opération. Près d'un minibus des hommes vérifient leurs bouteilles d'air comprimé et ajustent leur masque de plongée. Certains enfilent déjà leur combinaison.

Le sommet marmonne Mace en tirant de nouveau sur sa cigarette.

C'est ça. La pointe de la pyramide confirme Brindle.

La pointe de la pyramide c'est le gouvernement. Et le gouvernement est lui-même dirigé par le Premier ministre.

Le policier l'épie du coin de l'œil.

Sans déconner lance Mace. C'est vrai ?

Brindle hausse les épaules.

Cette histoire est trop embarrassante. Une affaire aussi énorme touche beaucoup de gens.

Et les fait couler.

Tout juste.

Le service des eaux ne va pas être content.

On s'en fout réplique Brindle. Personne n'est content.

Tous deux reportent leur attention sur le bassin. Les rires des plongeurs se répercutent dans la vallée. Ils ne paraissent pas pressés de s'immerger et sont toujours en train de vérifier leur matériel.

Où elle va ?

Quoi ? marmonne Brindle et Mace détecte une pointe d'irritation dans sa voix.

Je me demandais où allait toute cette eau.

Aucune idée. Sous terre j'imagine. Il y a une explication à tout. Je suis sûr que tu ne devrais pas avoir trop de mal à la trouver.

Eh bien je suppose qu'elle passe par ces tunnels de béton qu'on a vus en montant. J'ai encore une question à te poser.

Garde-la donc pour toi.

Mace l'ignore.

Moi je sais ce que je fais ici aujourd'hui. Mais toi pourquoi t'es là ?

Brindle le regarde. Le dévisage en silence jusqu'à ce que le journaliste détourne les yeux.

Tu avais une chance de te reposer reprend Mace. Tu aurais dû en profiter. Tu n'avais pas besoin de venir.

Tu appelles un congé maladie forcé une chance ? Alors que tes petits copains nous traitent de tous les noms ?

Quels petits copains ?

Comme si tu l'ignorais. La presse nous a cloués au pilori la Chambre froide et moi. Je n'avais pas le choix il fallait que je vienne. Que je voie par moi-même.

Cette fois c'est Mace qui garde le silence.

J'ai besoin de savoir ce qui est arrivé à cette gamine ajoute Brindle.

Il a prononcé les mots si doucement qu'ils ont été couverts par le grondement de l'eau.

Hein ?

Brindle secoue la tête.

Non rien.

Vas-y dis-moi l'encourage Mace.

Brindle soupire.

J'ai besoin de savoir ce qui est arrivé à cette gamine. Où elle a fini.

Et Rutter ?

Pareil.

Je comprends.

Brindle se tourne vers lui.

Non tu ne comprends pas. Tu ne comprends rien. Ce n'est pas toi qu'on blâme. Ils réclament des têtes. Tous. Mon patron. La presse. Le gouvernement. Et c'est la mienne qu'ils obtiendront.

Ça passera.

Oh non.

Si affirme Mace. Ce n'est pas toi qui as tué ces filles. Ce n'est pas toi qui tournais ces films. Ce n'était pas toi le flic corrompu. Ce n'est pas toi le Joueur de flûte qui a trompé des générations entières de téléspectateurs et ce n'est pas toi non plus qui te battais avec d'autres pour lui accorder des récompenses et des honneurs. Ce salaud de Lister dînait parfois au 10 Downing Street. Il allait être fait chevalier bordel.

Peu importe rétorque Brindle. C'est moi qui ai échoué. C'est à cause de mes défaillances que...

Il ôte une main de sa poche et indique le lac.

Qu'on en est là conclut-il.

Ils te réintégreront dit Mace.

J'en doute.

Les plongeurs sont maintenant tous en combinaison. Une oie les survole.

Une minute s'écoule. Puis deux. Enfin Mace rompt le silence :

Peut-être qu'elle s'enfonce jusqu'au centre de la Terre. Toute cette eau. Peut-être que c'est réellement la gueule de l'enfer. Qu'elle disparaît dans un endroit si obscur qu'on ne peut même pas l'imaginer.

Brindle contemple toujours la retenue.

Hé regarde lance Mace. Un arc-en-ciel.

Il jette son mégot.

Remerciements

Merci à : Claire Malcolm, Anna Disley et toute l'équipe de New Writing North. Stephen May et l'Arts Council England North. Carol Gorner, Phoebe Greenwood et toute l'équipe du Gordon Burn Trust. Andrea Murphy et toute l'équipe de Moth. Mon agent Jessica Woollard chez David Higham Associates. Pour leur contribution à ce livre : mon éditeur Will Atkins, et Jamie Coleman, Tony O'Neill, Max Porter et Nick Triplow, qui ont tous lu des extraits ou des premiers jets. La Société des auteurs. Emma Marigliano et Lynne Allan à la bibliothèque Portico de Manchester. Ian Stripe pour ses histoires sur l'agriculture. Kevin Duffy, Hetha Duffy, Leonora Rustasmova et toute l'équipe de Bluemoose Books. Sam Jordison et Eloise Millar chez Galley Beggar Press. Michael Curran chez Tangerine Press. Pour leur soutien et leurs conseils : Nick Small. Rob St John. Jenni Fagan. Paul Kingsnorth. Helen Cadbury. Melissa Harrison. Robert Macfarlane. Kester Aspden. Nikesh Shukla. Jenn Ashworth. Rob Cowen. Jeff Barrett et tous les intervenants de *Caught by the River*.

Un remerciement tout particulier à ma famille et à mes amis, et surtout à ma femme Adelle Stripe.

RÉALISATION : NORD COMPO À VILLENEUVE-D'ASCQ
IMPRESSION : CPI FRANCE
DÉPÔT LÉGAL : SEPTEMBRE 2019. N° 141006 (3034376)
IMPRIMÉ EN FRANCE